UNION GÉNÉRALE D'ÉDITIONS
8, rue Garancière - PARIS VI°

LES AMANTS
DE PISE

PAR

JOSÉPHIN PÉLADAN

Préface d'Hubert Juin

*Série « Fins de siècles »
dirigée par Hubert Juin*

ISBN 2-264-00589-0

PRÉFACE

C'est un personnage qui a frappé son temps par le ridicule : il était un carnaval à lui seul, se voulant le Fregoli de l'occultisme et de la magie. Il gâchait sa prestance par des abus d'oripeaux. Pour séduire, il se vêtait en épouvantail, ce qui provoquait les moqueries. Il écrivait avec prolixité, publiait avec appétit, et guerroyait à tout va. Don Quichotte, il était son propre Sancho; et c'est Sancho que l'on remarquait. Il avait une ambition démesurée parce que son orgueil était incomparable. Péladan voulait créer un monde aussi mouvementé que celui de Balzac, mais tous les héros qu'il mit dans son théâtre romanesque ne furent jamais que des reflets de lui-même : cette monotonie, pour lassante qu'elle soit, ne suffit pas – comme on l'a dit trop facilement – à réduire l'œuvre à rien. C'est le contraire. S'il ne faut pas dissimuler les défauts de Péladan, et se garder de le trouver excellent en tout (ce qui est le cas de disciples douteux), il importe tout aussi bien de ne pas s'en débarrasser si facilement. Dans les années sombres, Drieu La Rochelle, avant de se donner la mort, avait écrit dans un *Journal* qu'il tint en 1944-1945, ces mots : « *Péladan (en voilà un qu'on a trop méprisé et moqué, il vaut bien les trois quarts et demi des*

*académiciens de tous les temps, et l'ignorance de
ceux qui l'accusent de plagiat ou d'à-peu-près en
tous domaines aurait dû les laisser muets; c'est un
assez digne disciple de Barbey et de Villiers. Moins
aigu et profond que Bloy, il est plus vaste et cette
ampleur n'est pas toujours creuse. Le dessein de son
éthique est assez ample et embrasse un témoignage
important. Il est supérieur à Bourges.* » Ces lignes
datent du 4 décembre 1944.

Le personnage est parfois déplaisant; l'œuvre
souvent éparse. Il y a chez l'auteur et dans ses textes
du grotesque mêlé à du pathétique. Les contemporains furent agacés par cet homme péremptoire : ils
en firent une caricature, et s'en tinrent là. La
postérité l'oublia – trop vite. Il s'était voulu mage, ce
qui séduisit des descendants un peu fourbes, qui lui
accordèrent au titre de certitudes ce qui fut l'expression de ses doutes. Il avait des préjugés de taille :
il s'en forgea une doctrine. Ses convictions ne
tenaient qu'à lui-même : il en fit des dogmes. Après
sa mort naquit une sorte d'église péladane, ce qui est
excessif. S'il faut le retrouver un jour, c'est au centre
même de son activité : l'écriture.

Joseph-Aymé Péladan est né à Lyon le 28 mars
1858. Lyon était alors une cité mystique où les
schismes les plus divers, les doctrines les plus
étranges, les rites les plus singuliers convergeaient,
naissaient, croissaient et, de là, essaimaient dans les
esprits de ces étonnants catholiques qui peuplèrent
la seconde moitié du XIXᵉ siècle. On ne voyait plus
de l'orthodoxie que ses parties d'ombre. L'hérésie
était sur toutes les lèvres, non sans une certaine

volupté, et perverse. On mettait du sexe un peu partout, et du satanisme, et de l'hermétisme.

Péladan, ensuite, introduira dans sa propre image une généalogie des plus imaginaires. Il descendait tout bonnement d'une lignée de paysans cévenols qui devinrent, la marche des temps aidant, de nouveaux prolétaires et de modestes marchands. Ce serait, cependant, se vouer à mal comprendre Péladan tant était éloigné de son approche le « roman familial » qui le forma et le marqua. La figure du père et la figure du frère aîné dominent absolument notre auteur. L'un et l'autre se prénommaient Adrien, convergeant ainsi vers un seul visage mythique que Joséphin, écrivant, prit en charge.

Le père, Louis-Adrien Péladan, naquit à Vigan, dans le Gard, le 8 septembre 1815. D'après notre Joséphin il vivait entre un crucifix, une bible et les poèmes de Lamartine. On remarquera d'abord qu'il fut un redoutable polygraphe, et son histoire mérite d'être brièvement contée, du moins par bribes. Disons qu'il est monarchiste avec vigueur et catholique avec une intransigeance telle qu'elle lui permet de braver les évêques et le pape lui-même. Réactionnaire accompli, il se voudra « henriciste », c'est-à-dire partisan inconditionnel du fameux Henri V, l'homme du drapeau blanc. Ensuite, il se rangera sous la bannière de Naundorf. Il était colérique et brouillon. Il aimait les querelles, et n'était pas ménagé des provocations.

Il faut ajouter que la crédulité de Louis-Adrien n'avait pas sa pareille, et qu'il donnait volontiers dans les chimères. Le chimérique où se mouvait avec une belle aisance Louis-Adrien composa l'enfance de Joséphin, et détermina ses premières rencontres avec le monde, et, plus exactement, avec l'univers de la scolarité. Il changea beaucoup d'écoles parce qu'il préférait de loin enseigner les autres plutôt que d'être éduqué par ces autres. Bref! il se rendait insupportable, et on l'éloignait sans déplaisir. Il retrouvait alors son père et son frère, ces deux Adrien qui étaient comme des astres vaguement fous. Louis-Adrien avait reçu une ou deux de ces décorations papales dont le Vatican était alors grand dispensateur. Devenu, par la grâce de Grégoire XVI, chevalier de l'ordre de l'Éperon d'or réformé, Louis-Adrien dédie au pape ses *Mélodies catholiques nouvelles,* qui sont d'une platitude désarmante. Son bonheur est à son comble lorsqu'il est reçu comme membre de l'Accademia dell'Arcadia. A cette occasion, il rédige un fervent *Éloge de Xavier Sigalon,* originaire, comme lui, du Gard. Sigalon est un disciple de Guérin auquel Thiers a demandé de peindre des copies de la Sixtine. Notre Joséphin, plus tard, n'oubliera pas Sigalon (ou, plus exactement, l'admiration de Louis-Adrien pour Sigalon), et il aura des mots d'excessive louange pour ce copiste, prétendant qu'il est un génie supérieur à Ingres, et ajoutant qu'il ne lui voit qu'un rival : Sebastiano del Piombo...

Publiciste pour la sainte cause, le « chevalier » Péladan fonde un nombre impressionnant de publications, dont *le Feuilleton* (1856), et *la France littéraire, artistique et scientifique* (1857), surtout; *la Semaine religieuse de Lyon,* qu'il dirige de 1863 à 1870, et qui sera longtemps un modèle pour les évêchés de France. Enfin, de 1883 à sa mort, en 1890, le chevalier préside aux destinées des *Annales du Surnaturel,* un mensuel qui mélange le catholicisme à l'ésotérisme, l'occulte et le dogme, si bien que l'évêque de Nîmes, Mgr Besson, jugera utile de dénoncer une entreprise qui met ensemble, sans distinction, la foi, la politique et la superstition. Mais rien jamais n'arrête le chevalier dans ses œuvres pies, si bien qu'il remplit une bibliothèque à lui seul. Voici quelques titres : *la Russie au ban de l'univers et du catholicisme, l'Almanach des Blancs* (1872), *Vie nouvelle de Henri de France,* et principalement, le *Nouveau Liber Mirabilis, ou Toutes les prophéties authentiques sur les temps présents.* Il ne cesse d'appeler la colère de Dieu sur la République, et, pour mieux se faire entendre, il fonde le *Châtiment, Journal hebdomadaire, littéraire et politique de Nîmes,* ce qui lui vaudra une (légère) peine de prison et trois cents francs d'amende pour injure au chef de l'État, lequel est Mac-Mahon...

Le chevalier ne se laisse pas abattre pour autant, et il crée une nouvelle feuille, qu'il baptise, sans autrement tergiverser : *l'Extrême Droite.* Tout cela en poursuivant son activité de chantre du catholicisme. Ainsi, lorsque Pic IX convoque le premier Conseil œcuménique de l'histoire moderne, en 1869, et qu'à cette occasion l'infaillibilité papale est érigée en dogme, Louis-Adrien, chevalier dévot, s'empresse-t-il de rameuter et d'imprimer un florilège où figurent, en 588 pages, plus de cent poèmes indistinctement dédiés à Pie IX : *la France à Rome. Anthologie de la poésie catholique.* Neuf ans plus tard, en 1878, l'infatigable chevalier rédige les deux volumes de sa *Vallée des lys, ou Histoire de la Très Sainte Vierge et de son culte.* Ce livre de compilation séduit Léon XIII, et il sera réédité jusqu'en 1889 diverses fois. Dans le même moment, Louis-Adrien Péladan fait paraître chez Palmé à Paris : *Preuves éclatantes de la Révélation par l'histoire universelle.*

C'est au moment de ce double triomphe que ce fils fidèle de l'Église va déplaire. Il s'aperçoit que si les cinq plaies du Christ font l'objet d'une dévotion spéciale, il y en a une autre qui est dédaignée, c'est l'éclanche, c'est-à-dire la plaie qui marqua l'épaule du Supplicié par le portement de la Croix. Le chevalier se hâte de combler cet oubli : il imprime une image pieuse, assortie d'une indulgence plénière, et la met en vente. Alors, là... Cette concurrence déloyale émeut le clergé. Il s'ensuit tumultes et imprécations, lettres au pape, querelles avec l'évêché, et la lutte se termine au détriment de Louis-Adrien, lequel mourra en mars 1890; et, dans *la Décadence latine* qu'écrit Joséphin, deviendra Oelolhil Guibor...

L'important est que dans la demeure des Péladan, rue Sainte-Hélène, se réunit ce que certains ont nommé la « Pléiade lyonnaise ». Il y a là des poètes et écrivains, ainsi Romieux, Turquety, Victor de Laprade, Xavier Bastide, Thalès Bernard, Achille Millieu, Pourrat, et le plus célèbre de tous : Joséphin Soulary. C'est par déférence et admiration pour ce sonnetiste assez justement oublié que Joseph-Aymé deviendra, enfant, et pour tout le monde, *Joséphin* Péladan. Viennent également rue Sainte-Hélène des archéologues comme Mirville ou l'abbé Cochet; des amateurs de belles-lettres, tels Canonge ou Blanchet de Brénas. Surtout s'y rencontrent, en ce moment où l'on découvre les civilisations disparues, où l'on discute de l'origine de l'homme et des peuples, les orientalistes qui avec un sérieux tantôt réel tantôt discutable étudient l'Assyrie, l'Égypte, la Bible. Il y a là le bizarre Charles de Paravey, Bonnety, de Rougemont, Chabas. Le cénacle prendra fin en 1870.

Au cénacle participait aussi un peintre, un élève de Chenavard (dont les liens avec Gérard de Nerval sont connus) : il se nommait Joanny Chatigny. Il fit de beaux paysages et mourut en 1886. Il fut célébré par la R + C pour avoir laissé les portraits des deux Adrien.

Il nous faut effectivement passer au second : le docteur Adrien Péladan, né le 18 juin 1844. Un prodige. Un surdoué (comme certains disent aujourd'hui), donc un garçon un peu fabriqué, très intelligent, capable de saisir et de transmettre les idées du temps. A peine a-t-il douze ans d'âge qu'il publie dans le numéro premier de *la France litté-raire* (une publication du père-chevalier Louis-Adrien) un texte qui a pour titre : *Histoire poétique des fleurs.* Sur ces feuillets dolents le véritable Joséphin, c'est-à-dire Joséphin Soulary, qui ne par-lait qu'en quatorze lignes, s'extasia. Du moins est-ce Péladan qui l'affirme. A quatorze ans le miraculeux génie livre aux presses un volume titré *Coups de fouets scientifiques.* Au même instant, grâce à la Pléiade lyonnaise et grâce surtout au chevalier de Paravey, Adrien-fils entreprend l'étude de la langue chinoise, de sa calligraphie et de son déchiffrement. Or, nous sommes alors dans une période de l'His-toire qui est avide de synthèse. Il faudrait tout unir; et retrouver – sous tous les masques – l'Adam primitif, la langue primitive, la numérotation primi-tive, le rapport (idéal) primitif avec Dieu. Le docteur Adrien, qui n'a à cette époque que quatorze ans, mais Joséphin dira toujours de lui « le docteur », va, durant quatre années, élaborer des théories. Rien n'est plus démonstratif que ceci. Il y a d'abord le « chevalier », répondeur et répondant des dogmes, investi d'une mission de maintenance, garant d'une

élite impérieuse à force d'être impériale (n'oublions
pas le second Empire), assumant sa foi, sa conviction, sa vindicte. Il y a ensuite, dans ce sérail, l'*autre*
Adrien, celui qui est dévolu à *tout* savoir. Voilà le
climat de ce que, plus haut, j'ai nommé « le roman
familial » de Joséphin. Mais Joséphin est complice.
Il va, demain, récupérer le « dire » des deux Adrien.
Ainsi, entre quatorze et dix-huit ans, Adrien-fils va,
non pas mettre au point, mais élaborer des théories
fabuleuses (littéralement). Les Paravey, les Chavas
ne sont pas loin, certes! mais l'enfant Adrien (fils)
rêve, invente à partir des propos tenus, imagine cette
« synthèse » que l'époque réclame. Il va dire, par
exemple, que le signe *Fou-Sang* désigne le continent
américain. Il en est convaincu : il n'est pas le seul. Il
tentera, en outre, de prouver que le nom des peuples
qui sont divers proviennent d'une source qui est unique.
Le voici qui se lance à la recherche des noms les plus
anciens (ou antiques) donnés à Dieu. En 1866, il met
en librairie, avec l'aide – il est vrai – du chevalier,
son père : *Recherches sur les noms primitifs de
Dieu.* Il ne faudrait pas oublier ce fait essentiel :
c'est en 1864 qu'un familier du cénacle de la rue
Sainte-Hélène, Charles de Paravey, nous y revenons,
a fait paraître son livre : *De la création de l'homme
comme androgyne et de la femme.* Paravey, qui est
né en 1787, et qui est mort en 1871, était curieux de
tout, et fasciné par tout et n'importe quoi. Il
confondait allégrement le réel et l'irréel. C'était un
ludion très lourd, et un important qui était farce. Il
incarnait très bien cette idée du siècle, qui est la
synthèse. Il fallait trouver l'unité, la coïncidence
finale, l'alpha et l'oméga, le yen et le yin, – ce qui
fait que l'on parlait de tout cela ensemble, et que l'on
regagnait Babel sous prétexte de la vaincre et de la

dominer. L'androgyne va devenir la pièce maîtresse de la pensée de Joséphin Péladan, nous le verrons plus tard, et d'autant plus sérieusement qu'il va greffer sur ce mythe anodin une érotique, une plastique et une esthétique...

Il importe de ne pas quitter aussi rapidement le (futur) docteur Adrien. C'est l'aîné, bien sûr, donc c'est le privilégié. Avant sa naissance, le « chevalier » a ouvert un pensionnat. Louis-Adrien est un besogneux, mais également un fanatique. Son pensionnat se nomme « pensionnat Saint-Louis ». Dans la foulée, publiciste impénitent, il fonde sa première publication : *l'Étoile du Midi,* toute dévouée aux Bourbons. La révolution de février 1848, dont le chevalier se soucie comme d'une guigne, sauf qu'il la perçoit comme l'œuvre de Satan en personne, met un terme aux élans de Louis-Adrien. Ici, des bruits circulent. On aurait offert au chevalier la direction de *l'Officiel.* « On », c'est Louis-Bonaparte, président de la République en 1848. Louis-Bonaparte prépare le 2 décembre. *L'Officiel* est l'organe de l'Élysée. Ici, Péladan-père rêve. C'est vrai qu'il séjourne un bref temps à Paris, mais c'est pour revenir, plus légitimiste que jamais, dans son antre de Lyon. Passons. Voilà de la légende!

Heureusement, Adrien le fils est doué : c'est un polygraphe certain. Il fait paraître coup sur coup, entre d'autres ouvrages aussi décisifs, un *Guide de l'amateur et de l'étranger à Lyon et dans les environs,* mais aussi un *Guide historique de Lyon,* ensuite une *Monographie de la façade de la cathédrale de Nîmes,* ensuite encore un *Guide pittoresque, historique et médical de Saint-Alban.* Tout cela vers 1864. Alors même que cet Adrien-là n'est préoccupé que de sciences, y compris les

sciences conjecturales (Faustroll dirait « pataphysi-
ques »), pour se conforter dans les idées légitimistes
extrêmes qu'il partage avec le chevalier, rencontre
assez souvent Blanc de Saint-Bonnet, qu'il présen-
tera, une fois au moins, à Joséphin ébloui. Surtout,
Adrien le fils est un familier (plus ou moins) de
Paul-François-Gaspard Lacuria, abbé de son état.
Lacuria est né à Lyon le 6 janvier 1806. Il a fondé
des maisons d'éducation dont le système fut contro-
versé. Il mourut le 3 mars 1890 à Oullins dans l'une
de ses fondations. Surtout, P. F. G. Lacuria avait
tenté d'élaborer un système susceptible d'aboutir à
cette fameuse synthèse dont le siècle exprimait le
besoin. Il résuma sa théorie dans un livre qui parut
dans l'étouffement en 1844, puis publiquement (si
l'on ose dire) en 1847 : *les Harmonies de l'Être
exprimées par les nombres ou Les Lois de l'onto-
logie, de la psychologie, de l'éthique, de l'esthétique
et de la physique, expliquées les unes par les autres
et ramenées à un seul principe*. On remarquera que
l'énoncé même, et seul, de ce titre prophétise
Joséphin Péladan, et qu'au départ de ce principe
d'unité, la diversité péladane s'établit. Il est vrai que
durant la Première Guerre mondiale Joséphin Péladan, fidèle au *Nouveau Liber Mirabilis* de feu le
chevalier son père, exhumera de très douteuses
prophéties que lui aurait confiées Lacuria. Passons.
Ce qui compte, c'est la méthode, ou, plus exactement, le dessein de Lacuria qui, dans ses *Harmonies
de l'Être*, écrit : « *Le but final de l'ouvrage, c'est de
rejoindre ce qu'on avait fâcheusement séparé, la
science et la foi ; c'est de s'approcher autant que
possible de la synthèse universelle, en un mot le but
c'est l'unité* ». Voilà la recherche de l'époque. Sa
recherche, et le reflet de son inquiétude. Mais c'est

dans ce climat que grandit Péladan, Joséphin, notre auteur. Il va au petit séminaire de Nîmes ? Oui ! mais il contredit ses professeurs. Il a la foi et la théologie et la lecture des Évangiles et l'hermétisme qui sont propres aux Péladan. Il fréquentera diverses écoles, alors que son aîné s'établit avec confiance dans l'homéopathie.

C'est une science nouvelle et incertaine. Qu'importe ! Fort de la Cabbale et des leçons du chevalier de Paravey, Adrien-fils se veut *magister*. En 1869, toujours avec la complicité du chevalier, Adrien-fils fait paraître : *Traitement homéopathique de la Spermatorrhée, de la Prostatorrhée et de l'Hyper-sécrétion des glandes Vulvo-Vaginales.* Mais, à la thèse de cette médecine non encore reconnue, Adrien-fils ajoute des éléments empruntés directe-ment à la Cabbale et à l'interprétation du Zodiaque. En réalité, le problème est toujours le même, et commun à cette fin de siècle : la synthèse, unique-ment ! C'est dans cette ligne que Joséphin Péladan établira son œuvre, par ces cycles conjoints et parallèles que composent l'*Éthopée,* le vaste rassem-blement de *la Décadence esthétique,* ainsi que le massif de *l'Amphithéâtre des sciences mortes.*

Adrien Péladan, le fils aîné du « chevalier », meurt le 29 septembre 1885. Apôtre de l'homéopa-thie, qui est loin d'être admise en France, il a commandé à un pharmacien de Leipzig nommé Waldemar Schwabe un produit qu'il va absorber lui-même. La dilution indiquée par le docteur Adrien semble n'avoir pas été observée par le préparateur allemand. Bref ! Adrien en est la vic-time. Du coup, Joséphin, qui est déjà lancé dans le monde des lettres, trépigne, s'arme de colère, envi-sage d'attaquer Schwabe en justice, ce qui se révèle

impossible, et conclut à un assassinat préparé, voulu,
et souhaité par les forces germaniques. Cet excès est
déjà devenu la marque du futur Sâr...

* * *

Le « roman familial », c'est cela : un adolescent
qui se débat entre les deux Adrien et une brave
femme de mère qui n'est pas très cultivée. Il lui
importe, à cet enfant, de se singulariser pour « être »,
et, de fait, il se singularise à l'extrême. Il erre
d'établissements scolaires en établissements scolaires, incapable de se plier à quelque discipline que ce
soit, et habile surtout à cultiver ce que certains (et
lui-même) ont nommé son « ipséité ». Ce goût de lui,
il le proclamera haut et fort. Il est, dit-il, « *sans
péché et fruit de l'orgueil absolu* ». Il reviendra sans
cesse sur ce trait. Dans l'un des romans de *la
Décadence latine,* où son enfance est évoquée,
Typhonia, il dira de lui, par héros interposé : « *Il
était beau, d'une beauté de femme ; il était pauvre,
d'une pauvreté qui a des gants ; il était supérieur à
la façon d'une lyre muette.* » Ailleurs encore, dans
ses écrits, il osera cet aveu : « *L'appeler concitoyen,
compatriote, collègue, confrère l'exaspérait. Son
ipséité était absolue.* » Dès lors, lorsqu'il rencontre-
ra, à Nîmes, Firmin Boissin, qui se dit commandeur
d'une secte dont on ne parle plus, la Rose + Croix, il
pense qu'il est élu, et que son élection, par la R + C,
est reconnue. Il n'empêche que si la « Pléiade
lyonnaise » et les deux Adrien lui procurent un
enseignement épars, dispersé, assemblé de bric et de
broc, les examinateurs du baccalauréat le refusent
purement et simplement. Dès lors, le chevalier va
prendre soin de lui. L'éducation est singulière, que

nous savons dans le détail. Premièrement, le chevalier lui conseille cette « méthode Jacotot » dont
Balzac s'est tellement moqué. Ce Jacotot avait
publié en 1823 un volume titré *Enseignement
universel,* qui représente une monstruosité dans
l'histoire de l'éducation. Il faut, affirme Jacotot,
« *apprendre quelque chose et y rapporter tout le
reste* ». Ainsi la connaissance, par la mémoire, de
quelques pages du *Télémaque* de Fénelon suffit à
percer à jour la grammaire, la syntaxe et la
rhétorique. Si vous pouvez réciter, de tête, quelques
strophes de Virgile, vous savez le latin. Et de même
sorte pour les autres matières. Il faut avouer que
Joséphin Péladan a gardé, de la méthode Jacotot,
des manières de parvenu !

A Jacotot, le chevalier adjoignit, pour l'éducation
de son fils, un livre de Fabre d'Olivet, homme
curieux s'il en fut, et non négligeable. Celui-ci avait
pour titre : *De l'état social de l'Homme ou Vues
philosophiques sur l'histoire du genre humain.*
C'est un ouvrage où ce singulier hébraïsant qu'était
Fabre d'Olivet évoque un sorte d'âge d'or : l'Empire
de Ram, envoyé de Dieu pour parfaire l'unité
humaine et l'accomplir. La leçon de *l'Histoire
sociale de l'Homme* tient en ceci : que l'âge d'or ne
pourra être retrouvé qu'en fondant ensemble la
Providence (qui est à Dieu), le Destin (sorte de pacte
entre Dieu et l'Homme), et la Volonté (qui est
proprement de l'Homme seul). Joséphin Péladan a
lu très attentivement le texte de Fabre d'Olivet, et il
s'en souviendra lors de la mise au jour de son propre
système. Le chevalier, pour faire à la fois bonne
mesure, et contrepoids, ajoute à ce traité de Fabre
d'Olivet une traduction (ou adaptation) que ce
dernier avait faite des *Vers dorés,* abusivement

attribués à Pythagore. En fait, les *Vers dorés* sont un salmigondis de prêche, digne au mieux d'une morale de cuisine.

Vinrent s'ajouter, pour compléter cette bibliothèque de l'essentiel, deux autres volumes : un résumé de la *Somme* de saint Thomas d'Aquin, comme il était loisible d'en trouver à cette époque; et les *Sources* du Père Gratry où se retrouvent, la vigueur en moins, quelques enseignements de Lacuria, et qui marqueront, de semblable façon, plus tard, Péladan. Le Père Gratry, en effet, estime qu'il n'existe qu'un seul sujet pour le philosophe, le penseur et l'homme moral : « *Dieu, l'homme et la nature dans leur rapport* ». Il importe donc, ajoute-t-il, de « *travailler la science comparée* », – ce qui revient à *unir* dans une égale harmonie la science divine et la science humaine.

Cet enseignement (!) pour le moins curieux le marqua fort, et, conjoint avec les exemples que lui donnaient presque quotidiennement les deux Adrien et les compères de la Pléiade lyonnaise, lui fixa cette aire de raisonnement dont il sera captif jusqu'à son dernier souffle. D'autres faits (extérieurs, ceux-là) le frappèrent. Ainsi, en 1870, ne voilà-t-il pas que la République *ose* convoquer le docteur Adrien Péladan en une caserne? Fortement myope, l'homéopathe sera réformé au bout de trois mois, mais l'épisode suffit à durablement impressionner Joséphin. D'autant plus que quelques années ensuite, alors qu'il achève le deuxième roman de *la Décadence latine,* celui qui a pour titre *Curieuse!* il est amené à rompre son roman par un mouvement d'humeur, et à vitupérer, au nom de Vinci, de Balzac, et au sien propre, contre cette servitude qui est une turpitude : le service militaire. Notre Joséphin avait négligé certains avis affichés sur les murs et publiés dans les journaux, qui convoquaient, avec retard, des classes anciennes. On vint le chercher. Il passa trois jours devant le Conseil de révision, ayant négligé d'y venir volontairement : « *On viola d'un examen de maquignon la nudité de mon corps, on me toucha, on me toisa comme on eût fait d'un cochon, moi tabernacle d'une âme immortelle, méditateur prématuré de l'Apocalypse* ». Pire! on faillit lui couper les cheveux...

C'est que Péladan avait déjà pris des manies vestimentaires qui faisaient rire. Cheveux et barbe étaient à l'assyrienne. Le reste venait du décrochez-moi-çà, mais avec des mines de coquette. Chez Zéphirin Delumière, ainsi que le nomme Léon Bloy dans *la Femme pauvre*, rien ne se peut distraire de la synthèse finale, qui est l'Absolu même. Rien, pas même l'extravagance. Jean Lorrain, Léon Bloy, dix autres le montrent avec des velours violets, des gilets où couraient des dorures, survêtu d'un burnous en poil de chameau, botté de daim souple (ce qui faisait pantoufles), et Bloy conclut : « *sous les fourrures et le paillon il apparaissait comme un abracadabrant écuyer de quelque Pologne fantastique* ». Lorrain se maquillait, c'était pour provoquer. Barbey d'Aurevilly se déguisait parce qu'il célébrait Brummel et rêvait au dandysme. Le Sâr cherche autre chose : son habillement n'entend pas provoquer, mais révéler. L'esprit de synthèse ne l'abandonne pas. Il justifie son incontestable « différence » par une branche de la science unique, qui est – dit-il – la Kaloprosopie, c'est-à-dire un ensemble de principes qu'il faut suivre pour acquérir la plus belle et séduisante apparence. La Kaloprosopie se résume ainsi : « *Celui qui réalise l'extériorité d'une idée en réalise l'intériorité, à moins qu'il ne se démente ; de même l'intériorité peut amener l'adéquate extériorité* ». Il faut être juste, Péladan n'était pas seul à se distinguer, par des marques extérieures et provocantes, du « bourgeois ». Le « fin de siècle », le « décadent » se meut dans le triomphe de la bourgeoisie. Il espère les barbares, et il le montre. Il est certain que les excès du système pileux, pour ne parler que de cela, ne furent pas le fait du seul Péladan. Verlaine rime :

> « *Richepin, Péladan, et Catulle Mendès*
> *Me paraissent pour le cheveu recommandés* »...

Il n'empêche que le Sâr Joséphin Péladan érige les caprices du dandy et les outrances du provocateur au rang de « science », un peu comme si la méthode Jacotot, malgré les éclats de rire balzaciens, trouvait son application au niveau de la garde-robe ! Cette démarche est révélatrice : Péladan est toujours dans l'abstrait. Il s'y meut avec naturel. En dehors de l'idée, il n'y a rien : voilà son tempérament.

*   *
*

En 1880 éclate en France l'affaire des Congrégations. A Nîmes, le jeune Péladan s'enflamme. Le gouvernement de la « Gueuse » ferme les Récollets. Quelques catholiques conspuent le Préfet. Joséphin se déchaîne, et voue Jules Ferry aux gémonies et à pire encore. Sa virulence et son apparence le font taxer d'énergumène. On mène l'énergumène devant les juges, qui le condamnent à quinze francs d'amende, ce qui est peu. Pour Péladan, c'est trop !

D'autant qu'il est conspué à son tour par la jeunesse
républicaine, un soir qu'il entre au théâtre. Là-
dessus se greffe son premier passage devant le
Conseil de révision. Il respire si mal qu'avec son ami
Albert Marignan, en mars de cette année, il va
visiter Pise, Milan, Rome et Florence. C'est une
étape essentielle pour sa formation ; il découvre la
civilisation latine, les primitifs italiens et Léonard de
Vinci. Sa mythologie achève de se former. Il est mûr
désormais pour la grande aventure.

Et la grande aventure, ce sera d'abord l'adieu à la
province. L'arrivée, en jeune loup, en Rastignac, à
Paris. Enfin : la littérature.

La conquête commence alors. Joséphin sera un
court temps employé au Crédit, puis il donnera des
textes dans la publication d'un ami du chevalier,
Charles Buet. Charles Buet dirige *le Foyer, Journal
des familles.* Péladan y donne ses premiers grands
textes. D'abord, *le Matérialisme dans l'art,* qui se
préoccupe des rapports qui doivent exister entre
l'expression artistique et la vision de Dieu. Péladan
profite de ce texte pour louer sans retenue ni réserve
Puvis de Chavannes. Ensuite : *le Chemin de Damas,*
texte dialogué où paraît déjà Mérodack, et où
s'exprime la conviction première de l'auteur, à
savoir que l'art possède une fonction rédemptrice
qui le fonde et l'autorise. Critique d'art, Péladan
l'est dès le départ. Cela va lui réussir, car Charles
Buet, en 1882, va transformer son *Journal des
familles* en *Foyer illustré.*

L'entreprise de Charles Buet, avec lequel Péladan, plus tard, va se brouiller, ne suffit pas aux
ambitions de Mérodack. Heureusement, ses écrits
séduisent Jean Alboise, qui dirige pour Arsène
Houssaye *l'Artiste.* Dès septembre 1881 Péladan est

introduit à *l'Artiste*. Il consacre son premier article
dans cette revue qui a une renommée certaine à
Rembrandt. Ensuite, il donnera, en plusieurs livrai-
sons, un texte consacré à Marion de Lorme, d'avril à
mai 1882. Ce sera son premier volume édité. Il tient
de la compilation, de l'imagination et – par mille
fibres – à l'écriture baroque. Cet essai de fantaisie a
de bonnes qualités.

C'est vers ce moment que Charles Buet ou Léon
Bloy l'introduisent, rue Rousselet, dans le fameux
tournebride du « connétable des Lettres », Barbey
d'Aurevilly. La séduction est réciproque. Péladan
vient d'écrire un maître-livre : *le Vice suprême,*
roman inaugural de son cycle *la Décadence latine.*
Barbey d'Aurevilly s'enthousiasme et publie à ce
propos un long article dans *le Constitutionnel.* Nous
sommes le 16 septembre 1884, et ce texte flam-
boyant servira de préface au volume. Autour de
Barbey d'Aurevilly, un groupe de jeunes écrivains
encore inconnus gravitent. Il y a là Paul Bourget,
Jean Lorrain, Léon Bloy et quelques autres. Péladan
fait figure de prodige. Lorsque son roman paraît, en
1884, la préface de Barbey aidant, il obtient un
succès indéniable. C'est un roman à clés, comme
tous les romans de Péladan, – à cette réserve près, et
qui vaut pour l'œuvre entière, que Péladan idéalise
tellement ses modèles qu'il s'en détache, et qu'au
terme les clés ne servent à rien. Ici, dans *le Vice
suprême,* Mérodack, c'est lui. En ce qui concerne la
princesse d'Este, Léonora, il est incontestable
qu'elle doit quelques traits à Henriette Maillat, alors
égérie de l'écrivain. Elle tenait son salon – fort
modeste – qui était à l'angle de la rue des Beaux-
Arts et de la rue de Seine. C'était une héroïne
tumultueuse, qui succomba à Joris-Karl Huysmans,

lequel s'en servit pour une moitié de Mme Chante-
louve, dans *Là-bas*. Elle traversa la vie de Léon
Bloy. Elle fut enfin la maîtresse attentive de
Sully-Prudhomme. Elle mourut dans une grande
misère, à Charenton, vers 1906. Jean de Tinan,
lorsqu'il fut de l'écurie de Willy, la mit dans un
roman, *Maîtresse d'Esthète*, roman qui ne manque
pas de verve, et où elle est Yvonne Vouillard, alors
que Péladan y a pour surnom Sautaucrach. Jean
Lorrain avait surnommé Henriette Maillat *la cha-
huteuse mystique*. Il est possible cependant que la
princesse d'Este, dans l'entreprise romanesque de
Péladan, ne soit pas entièrement Henriette Maillat,
mais, pour partie, cette femme peintre, Jeanne
Jacquemin, défendue par Remy de Gourmont, et
qui mélangeait Odilon Redon avec Gustave Moreau.
C'est qu'il n'y a pas, encore une fois, chez Péladan,
de modèles fixes : il est séduit par l'abstrait d'une
figure, non par la figure elle-même. Le sensible
l'irrite.

Joséphin Péladan a publié et publie, vers ce
moment, d'autres ouvrages, mais sous pseudonymes.
Il faut vivre. Et c'est ainsi que nous voyons paraître
divers volumes d'un mérite irrégulier. Il signe
Marquis de Valognes une série de textes qui ont pour
titre général *Femmes honnêtes* (1885), avec un
frontispice de ce peintre qu'il porte aux nues, et qui
avait déjà gravé le frontispice du *Vice suprême*
(1884) : Félicien Rops. Rops sera un illustrateur
privilégié de Péladan, avec Fernand Khnopff et
Alexandre Séon. « Valognes » est un hommage
indirect au « connétable » (ce titre, qui sonne bien, il
faut le remarquer au passage, est de Péladan
lui-même). Ce livre aura un tel succès que Péladan,
mais sous son nom cette fois, lui donnera une suite en

1888. Il choisit un autre pseudonyme, Princesse Anna Dinska, pour donner au public *Étrennes aux Dames* et *le Livre du désir*. Dans la foulée, Péladan fonde *la Revue des Livres et des Estampes*. C'est une publication qui ne comptera que trois numéros, et qui cessera de paraître le 15 décembre 1884. Il profitera de cette revue pour louer la Princesse Dinska, dont le nom imaginaire est, sans doute, copié sur celui de Mme Hanska, l'Étrangère de Balzac. Mais Péladan dira de lui-même, par pseudonyme interposé : c'est « *Mademoiselle Baudelaire* ». Il signera également, et pseudonymiquement, un autre ouvrage : *Autour du péché, Miss Sarah*. Ce qui peut, ici, nous requérir, c'est la façon dont Péladan s'approche de son grand sujet, de cette sorte de « non-dit » qui est perpétuellement à l'œuvre dans ce qu'il écrit : la sexualité. Mieux que la sexualité : le péché. Mieux encore que le péché : l'interdit. Le Sâr, dévolu par vocation à l'abstrait, devient frôleur : le dominateur s'englue. Il ne suffit pas d'écrire : « *L'amour est une métaphysique* » pour conjurer à la fois l'Ange et le Démon. Il reviendra sur ce problème du péché, dont il a un sens vif, dans l'un de ses livres les plus éclairants, *la Terre du Sphinx*. Là, Péladan s'interroge sur la nature du péché. Et il répond que le péché est un « *doute agi* ». Il explique aussitôt que le péché est « *une fausse équation entre la conscience et l'instinct* ». Voici, sans équivoque, surgir le disparate qui dépend de lui-même, en Péladan, le romancier, celui qui descend dans la chair, et le théoricien, qui prétend le dominer – voire : la combattre. Il n'y a pas de dévotes dans Avignon; il n'y a, dans le désert du texte, que le jeune Péladan, englué par le « roman familial », par son ipséité, envahi par la légende qu'à chaque pas il se crée, muselé par des mots d'ordre qui le foudroyent, convaincu d'un rôle qu'il devra jouer dans on ne sait quelles conjonctures hypothétiques, – et dès lors il part à la quête du Graal, superbe et insupportable, barbu de liesse et démuni d'alliés. Il lui a manqué un chemin de Damas.

Ce chemin-là, il a failli le découvrir à Bayreuth. Deux divinités soudainement s'imposent à Péladan : Vinci et Wagner. Auparavant, il y avait, incontestables, pesants, convaincants, déterminés et célestes, les deux Adrien. La mère ne joue, il faut à nouveau le préciser, aucun rôle dans cette saga provinciale. Il est important de noter que c'est en 1888, alors qu'il vient de faire paraître un tome de *la Décadence latine* parfaitement hostile à la ville de Lyon : *Istar*, que Péladan s'en va à Bayreuth. Il croit être reçu, Kaloprosopie à l'appui, dans le sérail. On le néglige, on l'évite. Pas invité, il note : « *Je n'ai pas franchi le seuil de Vannfred, n'étant ni journaliste ni banquier* ». Il porte jugement sur la famille : « *Le fils de Wagner semble une bonne nature, sans aucune portée; quant à Mme Wagner, elle mérite l'admiration des siècles, non tant pour le soin qu'elle eut de la paix intérieure, qui profita à l'œuvre, que pour son flair de l'avenir et avoir mené Wagner à l'épouser.* » Peu attentif à la famille, il conclut : « *Elle* (Cosima) *a fait le plus sublime levage qui pût être fait au XIXe siècle.* » Il importe de marquer ici l'apport de Péladan aux études wagnériennes en France. Nous savons, rien qu'à lire *la Revue wagnérienne* de Dujardin, que tous s'occupaient de Wagner pour des motifs qui ne tenaient pas à la musique. Péladan qui va publier un gros ouvrage sur les opéras de Wagner, analysant scène par scène le *propos*, mais non sa transcription, entreprend de

valoriser le littéraire par rapport au musical, le livret
par rapport à la partition. En préface à ses *Opéras de
Wagner,* il dira clairement : « *L'intérêt de mon
discours réside à vous montrer le poète dramatique,
le concepteur, l'écrivain égal au musicien.* » Il ne
dira jamais rien d'autre, qu'il s'agisse de ses musiciens préférés, comme César Franck, ou de ses
musiciens détestés comme Saint-Saëns, et déjà des
peintres qu'il revendique : Puvis de Chavannes,
Gustave Moreau, Félicien Rops, Hébert, Paul Bau-
dry... sinon que la parole, que l'écriture sont premières, et que le texte prime tout le reste. Les
peintres et les musiciens illustrent. L'*artiste,* plume
et parole, crée. Il donne ainsi l'occasion d'être et de
paraître aux autres. Il en est tellement conscient que
dès le compte rendu qu'il donne du salon de 1883, où
ses peintres préférés sont présents, Péladan parle de
l'*art ochloratique.* Terme barbare, idée capitale.

Donc, en 1885, Péladan publie, à mesure de sa
rédaction, son roman *Curieuse!,* qui est le deuxième
tome de son éthopée (le mot est de lui) : *la
Décadence latine.* J'ai, plus haut, indiqué comment
et pourquoi le livre tourne court, s'interrompt pour
prendre fin sur un véritable pamphlet anti-démocra-
tique du Sâr ulcéré d'avoir de très éventuels devoirs
civiques à accomplir au sein des armées. L'histoire
de *Curieuse!* est plus tumultueuse encore. C'est
l'*Echo de Paris* qui a accepté d'accueillir l'œuvre de
Joséphin, mais lorsque l'*Echo de Paris* en vient à
imprimer le chapitre qui a pour titre *L'adultère au
Bon Marché,* on assiste à une levée de boucliers
générale : les grands magasins qui font de la

publicité dans la presse menacent l'*Echo de Paris* de lui ôter tout subside si le scandale continue. Le scandale cesse, en même temps que la suite de *Curieuse!*, et en même temps que l'éjection de Péladan...

Cependant, Péladan, dès ce moment, et dès le troisième volume de l'éthopée : *l'Initiation sentimentale*, s'il est ridicule pour les uns, peu vivable et fréquentable pour les autres, s'est taillé une place importante dans les Lettres. Un seul exemple le prouve : l'affaire Gabriele d'Annunzio. On lit dans le *Journal* des Goncourt, à la date du mercredi 29 janvier 1896 : « *La conversation est sur les plagiats de d'Annunzio, ce qui fait raconter à Ganderax ceci, qui n'a pas été imprimé : il y a dans son livre un certain morceau du Sâr Péladan, que M. de Vogüé n'a pas voulu qu'on traduisît, parce qu'il le trouvait tellement beau qu'il craignait qu'une traduction le profanât.* » C'est un compliment – d'importance! Ganderax était une sorte d'éminence grise de la littérature, et qui avait des pouvoirs considérables dans la presse. C'était un esprit droit, mais sec. Il donnait en tout et partout le pas à la grammaire sur l'imagination : c'est pourquoi il a fait dévier vers le convenu ce bon écrivain, René Boyslève qui, par son naturel, inclinait plutôt vers le non-convenable! Ce que Goncourt évoque, c'est, bien évidemment, *Il Piacere* de Gabriele d'Annunzio, connu en français sous le titre : *l'Enfant de volupté*. Si Péladan pouvait s'honorer d'un succès incontestable, d'Annunzio, lui, pouvait revendiquer un triomphe certain. Il est manifeste que le second accomplit un pillage évident parmi les pages du premier. *La Gazetta letteraria* de Turin se fit un plaisir de révéler les sources « françaises » du futur héros de Fiume. Un critique italien, Enrico Thovez, analysa l'ensemble, et rendit son verdict. D'Annunzio était le pirate ; Péladan, l'île au Trésor. Il paraît acquis que c'est Gabriele d'Annunzio lui-même, et non pas Vogüé, — lequel avait déjà pas mal de problèmes avec les romanciers russes, — qui demanda à Hérelle, son traducteur français, d'omettre, ici et là, quelques passages par trop reconnaissables, et qui sont un calque. Les indications de coupures données à Hérelle par d'Annunzio touchent principalement à *l'Initiation sentimentale* de Péladan. En effet, c'est dans ce rapport que le plagiat s'avoue. Il n'en reste pas moins d'autres « inspirations » qu'un lecteur averti basculera de *Il Piacere* à *Curieuse!* et à divers autres titres de *la Décadence latine*...

Le plagiat est une forme majeure de la reconnaissance. D'Annunzio commençait de fasciner l'Europe. Avec la Duse, puis avec la montée du fascisme, cette fascination se fera douteuse, insidieuse, plus redoutable encore. Malaparte naîtra de là : c'est un petit-fils de Péladan.

Dans le même ordre d'idée, il est impératif de s'en référer à la bibliothèque du docteur Faustroll, telle qu'elle fut établie par Alfred Jarry : Péladan s'y trouve en bonne place, ce qui n'est pas rien! Par ailleurs, Marguerite Bonnet dans l'essai fondamental qu'elle a consacré à André Breton fait référence à une lettre écrite à Théodore Fraenkel en août 1913 par le futur ordonnateur du Surréalisme. Évoquant les lectures d'alors d'André Breton, et les livres qui le requéraient : *Monsieur de Phocas* de Jean Lorrain, *A Rebours* et *Là-Bas* de Joris-Karl Huysmans, l'ensemble des écrits de Villiers de l'Isle-Adam, Marguerite Bonnet ajoute : « *Le roman de Péladan,*

Un cœur en peine, *qui propose de l'amour une vision exaltée, à la fois mystique et charnelle, et en célèbre la totale suffisance, dispense aussi quelques-uns de ces troubles enchantements.* ». Le lecteur d'aujourd'hui jugera, lisant ou relisant *Un cœur en peine*, de la permanence, ou non, de ces enchantements-là ! Aragon, plus tard, dira qu'André Breton, qui se méfiait (peut-être à l'excès) du roman, tolérait Péladan romancier, et n'était pas loin d'y voir un modèle *futur*. On ne tardera pas à voir que Péladan eut deux postérités bien distinctes l'une de l'autre. Il y a, comme nous verrons, le rosi-crucien, l'occultiste, le mage, le Sâr. Il y a, d'autre part, le romancier étrange, contant des rêveries, plongeant dans un érotisme littéralement « fabuleux ». Les uns revendiquent le premier ; les autres reconnaissent le second. L'étonnant, c'est que le second accompagne le premier, – et que la méthode Jacotot les unit l'un à l'autre, et nous-mêmes à ce monstre qu'est Joséphin Péladan, écrivain.

A partir de 1883, Joséphin Péladan, dans ses chroniques de *l'Artiste,* découvre et met au point ce qui sera le thème central de sa construction entière : l'androgyne. Il est manifeste que ce thème central récupère à la fois, et ensemble, les rêveries de Charles de Paravey, les élucubrations des deux Adrien, l'interprétation personnelle que Joséphin ajoute à sa découverte des primitifs italiens et de Léonard de Vinci. Mais il est incontestable que ce même thème va promouvoir, dans le romanesque de l'auteur de *la Décadence latine,* une « érotique » des plus originales. Cette « érotique » ne peut du tout

se distinguer de l' « esthétique » qui en provient, et
qui, à son tour, fonde l'entreprise balzacienne
parfaitement imaginaire que le Sâr, au départ du
Vice suprême, tente d'établir. Lorsqu'il complétera
son *Amphithéâtre des sciences mortes* par son traité
de *la Science de l'amour,* il indiquera dès l'abord :
« *Si le siècle ne protestait contre de tels titres, on
aurait écrit ici : Traité du retour à l'unité, par
l'androgynisme virtuel* ». C'est dire à quel point
l'idée de l'androgyne recouvre, et, d'une certaine
façon, accomplit l'idée originelle : la synthèse. La
synthèse elle-même, ce vouloir de l'unique, joue par
rapport à l'ipséité : elle en est le fondement et la
conséquence, – si bien que Péladan, toujours dans *la
Science de l'amour,* écrira : « *Nous sommes l'unique
objet de nos amours.* » Les aléas du quotidien
aidant, Joséphin Péladan, fort de cette pensée
première, entrera en guerre en faveur du divorce, et
contre la « *nécessité d'engendrer* » que l'orthodoxie
romaine pousse au premier plan.

Il importe de bien voir à quel point, héraut de
l'abstrait, Péladan ne vise qu'à convertir le sensible à
l'idéal. Ses projections dans ses propres romans, par
héros interposés, indiquent une incessante incarnation sous les espèces de personnages qualifiés de
« platoniciens » ou de « néo-platoniciens ». Il le dira
clairement : « *J'ai cherché la synthèse dans une
époque d'analyse* ». Son père, le chevalier, avait
pourfendu Renan dans une brochure qui a pour titre
Renan-Satan. Joséphin, le fils, voudra frapper plus
fort, plus loin, et plus haut : c'est le sens même d'une
œuvre aussi vaste, et tellement déchirée. Il existe,
dans l'entreprise romanesque de Péladan, un écar-
tèlement décisif, qui en fait le prix. L'auteur,
« platonicien » de détermination, s'abandonne au

sensible avec des effusions toutes baudelairiennes.
Qu'on lise *le Vice Suprême*, et l'on verra que la
complicité de l'émotion sexuelle contamine sans
cesse ni fin la sensation esthétique : « *Le peignoir de
soie violette a des froissements pareils à des moues
de lèvres, à des caresses timides et effleureuses.* »
Ailleurs, dans le même ouvrage : «*Avec les crescendi
de l'orchestre une autre musique l'impressionnait
dans un doux vague, celle que font pour les reins,
les pieds dans les brodequins craquants, les gorges
dans le tassement du corsage, les bras dans l'agitation de l'éventail et la respiration vive et retenue
du désir qui se tait.* » Ce que le Sâr refuse, c'est la
sensation banale, commune. Ce qu'il réclame, c'est
la sensation rare, énervante. Disons le mot : vicieuse,
et assurément peccamineuse! Dans *les Amants de
Pise,* il remarque : « *Il n'y a rien de plus sûr que la
sensation; sans doute, mais elle est faite en majeure
partie d'imagination, et diffère d'un individu à
l'autre.* » Même à partir de là l'art du vêtement, de
la « cosmétique », de la parure, bref! ce que Péladan
nomme, nous l'avons vu, la Kaloprosopie, s'affirme
et trouve sa justification. L'idéaliste revendique la
forme : il la conquiert, il la forge, il l'investit. « *Les
formes,* dit-il, *modifient les idées et on s'ennuie
davantage depuis qu'on s'habille en laid.* »

Dès ce moment, les références de Péladan sont
établies; le Panthéon est clos. Il y a, dès août 1884
(dans *l'Artiste*), son salut à Honoré de Balzac,
puisque dans un texte de ce moment il déclare que
Balzac est l'égal d'Homère, de Dante et de Shakes-
peare. Il ajoute, dans un grand élan, qu'immédiate-
ment après Balzac s'inscrit Barbey d'Aurevilly. Le
voyage à Bayreuth lui a donné Wagner. Et Wagner
est un rédempteur incontestablement. Dans *la Vic-*

toire du Mari, l'un des tomes de l'Éthopée, Izel, qui est formée par la musique allemande, et donc essentiellement par le wagnérisme, chante des thèmes de Wagner, et est, par cela même, reconnue comme vraie et véritable et unique épouse par Adar. Bien entendu, tout repose sur un malentendu décisif. Pour Wagner même, Bayreuth est une entreprise humaniste, alors que pour son disciple emporté, Péladan, Bayreuth est la citadelle de l'élitisme. Ce malentendu est d'évidence. Pour les wagnériens qui suivent Dujardin, Wagner privilégie les *« poèmes primitifs et anonymes du peuple ».* Ce jugement vient de Baudelaire, qui reconnaissait en Wagner *« l'estampille divine de toutes les fables populaires ».* Wagner lui-même affirmait que ce qu'il était possible au poète d'ordonner en chants n'était rien d'autre que *« la création faite par le peuple ».* Péladan renverse la perspective : Wagner, d'après lui, n'a écrit de drames qu'intérieurs : *« Tout l'intérêt de* Lohengrin *réside dans une péripétie qui s'accomplit au cœur de la rêveuse Elsa ».* Pour le Sâr, *« l'art commence où finit la vie »* : c'est dans cette zone qu'il entraîne Wagner. Et c'est de cette zone qu'il proscrit Emile Zola, sa bête noire, *« le porc de Médan »,* et encore, parmi de semblables gentillesses : *« ce pourceau qui est en même temps un âne ».*

Le troisième parmi les glorieux, le plus énigmatique, c'est Léonard de Vinci. En 1902, Péladan donnera pour titre à l'un des tomes de *la Décadence latine,* le titre d'un tableau longtemps attribué à Léonard de Vinci, mais qui est sans doute de Briari : *Modestie et Vanité.* Suivant sa coutume, il s'y fera paraître lui-même, mais cette fois sous le nom de Lionardo.

C'est en janvier 1883, dans *l'Artiste* toujours, que Péladan publiera son premier texte consacré à Vinci : *le Grand Œuvre d'après Lionardo da Vinci*. Ce « Lionardo » est une coquetterie de Péladan, qui ignore l'italien. C'est ainsi qu'il s'obstinera à écrire « *le* Dante »! Bref! en 1883 toujours, il rédigera un texte sur le même sujet pour *le Chat Noir*. Dans *le Vice suprême*, il inventera de toutes pièces une toile de Vinci, ce qui est une performance. En 1904, c'est une plaquette : *La dernière Leçon de Léonard de Vinci à son Académie de Milan*, essai bientôt suivi d'un autre ouvrage : *La philosophie de Léonard de Vinci d'après ses manuscrits*. Enfin, en 1908, Péladan reçoit le prix Charles-Blanc, décerné par l'Académie française, pour son livre : *Textes choisis, Pensées, Théories, Préceptes, Fables et Facéties (de Léonard de Vinci)*.

Hélas! Péladan, qui présente l'assemblage des textes et leur sélection comme un travail personnel, n'a rien fait d'autre que d'adapter en français une anthologie réalisée en Italie par un certain Salmi. Pour comble de malheur, l'éditeur de Salmi, Barbera, a d'abord donné de l'ensemble une version rendue suspecte par des erreurs typographiques et des oublis : Péladan s'est servi de ce volume, erreurs typographiques comprises, alors même que Barbera, après 1899, a mis en librairie une version conforme aux vœux de Salmi. L'emprunt (le mot est faible) est incontestable. Le Mercure de France étant l'éditeur de Péladan, c'est à Vallette que s'adresse Barbera. Vallette promet une réparation morale et accorde une compensation financière. La querelle s'apaise...

Il ne faut pas accorder une trop grande importance à cet épisode, qui est dans les mœurs du temps.

Ce qui est essentiel, c'est de constater, ainsi que l'a fait Paul Valéry, à quel point Péladan, dans le domaine de la connaissance de Vinci, a joué un rôle de promoteur. Nous devrions écrire, non pas « connaissance de Vinci », mais « découverte du vincisme ». Il s'agit, en effet, d'une des composantes de l'esthétique de la fin du XIXe siècle et du début du nôtre, et que Péladan a, mieux et plus que d'autres, rendu vivante, mouvante et... émouvante. Il enseignait que Vinci incarnait la « *loi de subtilité* »; Raphaël, la « *loi d'harmonie* »; Michel-Ange, la « *loi d'intensité* ». De cela, Péladan – par l' « art ochloratique » (il aimait des barbarismes de ce genre), et par le truchement des Salons de la R +C – a fait plus qu'une théorie : une dynamique. On dira que l'avancée des arts graphiques s'est faite contre la doctrine de Péladan? C'est exact. Il n'empêche que la dynamique dont je parle a bel et bien existé, et qu'on en voit les exemples aux cimaises du Musée.

Surtout, le vincisme permit à Joséphin Péladan d'aller plus avant dans, non pas sa théorie, mais sa mythologie de l'androgynat. La sensation et l'émotion, l'abstrait et le sexuel, se mêlaient de plus en plus; associaient, dans la geste romanesque de Péladan, l'idée et la perversité; admettaient, comme dans *les Dévotes d'Avignon*, l'évocation de divers fétichismes; permettaient des aphorismes audacieux, ainsi : « *La vraie pudeur, c'est de n'employer son corps que pour exprimer son corps* », ou bien, ailleurs : « *Si vous n'êtes pas pures, soyez fières! Ne faites rien de médiocre!* »...

Et comment ne pas évoquer ce texte étrange, paru dans *la Plume* le 1er mars 1891, *Hymne à l'Andro-*

gyne, où la mystique est prise d'un frisson charnel et y succombe ?

« Sexe très pur et qui meurs aux caresses;
Sexe très saint et seul au ciel monté;
Sexe très beau et qui nies la parètre,
Sexe très noble et qui défies la chair;
Sexe irréel que quelques-uns traversent comme
                    [autrefois Adamah en Eden;
Sexe impossible à l'extase terrestre! Los à toi qui
                    [n'existes pas!
Sexe très doux et dont la vue console l'esseulé;
Sexe très calme et qui endors les nerfs en quête;
Sexe très tendre et qui émanes du plaisir pur;
Sexe très caressant et qui nous baises à l'âme;
Sexe très enivrant et qui nous mènes en haut;
Sexe très charitable qui nous donnes nos rêves;
Sexe de Jeanne d'Arc et sexe du miracle! Los à
                    toi! »...

Ce délire idéaliste, où tout est proche de se rompre, dessine le climat exact des romans du Sâr Joséphin Péladan, sorte de fripier de l'imaginaire [1].

                                        Hubert JUIN.

1. Voir, dans la même série (volume n° 1616) l'introduction à *Un cœur en peine*.

LES AMANTS DE PISE

I

« CÔTE D'AZUR RAPIDE »

La vitesse matérielle accélère-t-elle la vie intérieure,
et l'homme, avec des ailes, n'aura-t-il pas le même cœur
et les mêmes peines ?...

ELLE installa, dans son coin, les menus
bagages tout neufs, avec une complaisance visible. Elle partait pour son plaisir, certainement ; ses mouvements en témoignaient.

Blonde et grande, un peu forte, avec la taille
fine, elle se révélait Parisienne, par cette grâce
suffisante, qui fait hésiter sur la catégorie sociale
et où le meilleur et le petit monde se confondent à
l'aspect. Son complet gris à jupe courte lui allait
bien, et une espèce de toque en paille la coiffait
d'un air conquérant.

Elle tassa, à côté d'elle, un paquet de journaux
illustrés, se cala, et sans doute fit des vœux pour
que les longs Anglais et les larges Allemands qui

passaient, valise en main, dans le couloir, s'installassent ailleurs ; le hasard l'exauça, et à l'ébranlement du rapide, elle put étendre ses souliers jaunes sur la banquette d'en face et escompter la solitude sereine des heures prochaines. Nulle part le civilisé ne se révèle aussi insociable qu'en wagon : il s'irrite, à l'avance, du fatal coude à coude, du face à face avec un inconnu, rarement de même nature que lui. Les êtres nerveux, réellement, souffrent de passer des heures dans le même cube d'air et d'espace, en échange muet d'hostilité inexpliquée ou d'indiscrétion involontaire.

La jeune femme augura bien de son voyage et, pour se mieux isoler, elle ferma la porte du couloir, tira les rideaux bleus, et, comme dit Gœthe, donna audience à ses pensées.

Depuis deux ans que la mort de son mari, réellement pleuré, la forçait à envisager une vie de veuvage, elle s'était promis, toutes affaires réglées, de faire le voyage d'Italie. Cela avait été le rêve de Marcel Davenant, chef de comptabilité au Crédit agricole, et vaguement peintre par propension naturelle, consacrant à des pochades ses loisirs des dimanches et fêtes, et sensible aux chefs-d'œuvre quoique faiseur de croûtes.

Elle le regrettait profondément et, à l'évoquer, un gros soupir s'exhalait de ses lèvres. Davenant avait

été un mari modèle, d'humeur douce, ne se plaisant
qu'à son foyer, rentrant avec hâte du bureau pour
tenir constante compagnie à sa femme. Sans vanité
et d'âme simple, il s'estima heureux et donna le
calme bonheur à la compagne qui avait su s'accommoder d'une vie médiocre. Exemplaire employé, il ne réalisait pas un idéal et se trouvait
quelque peu inférieur à sa chère Simone, mais il
ne s'en aperçut jamais, et partant, n'en souffrit
pas. Sa bonne volonté compensait sa médiocrité.
Cet homme rare n'avait point de nerfs ; il digérait
bien et envisageait la vie d'une façon si modérée,
qu'il évita la plupart des peines.

Son exactitude laborieuse lui avait valu un
traitement de trois mille francs et, avec les dix-
sept cents francs de rente qu'il possédait, il osa
épouser Mlle Simone Vernet, une orpheline qui ne
possédait qu'une assurance de trois mille francs et
s'annonçait coquette. Il eut confiance et bien lui
en prit ; la jeune fille se révéla raisonnable en acceptant une existence où il fallait compter, mais où
on parvenait à nouer les deux bouts, sans privations et sans dettes.

Il ne fumait pas, n'allait jamais au café et ne
dépensait que pour sa peinture. Elle ne fréquentait
pas, par orgueil, les femmes d'employés, collègues
de son mari. On n'accordait rien à la vanité ; et en

s'ingéniant, elle s'habillait assez bien et ne manquait pas de parfumerie.

Appartenant à un étiage social un peu plus élevé,
fille d'un colonel, élevée à Écouen, elle avait passé
de cette pension honorable chez une vieille tante
un peu fantasque, à peu près ruinée, mais qui,
quoique dévote, acheva l'éducation de la jeune
fille, veilla sur ses manières et lui inculqua les
habitudes du meilleur ton. Avec un sens très sûr
des deux natures en présence, elle conclut ce
mariage, un peu d'autorité, car la nièce regimba
pendant de longs mois.

— Ma petite, disait la vieille femme, quand
tu auras vécu, tu te conduiras, avec quelque chance,
selon tes seules lumières. A vingt ans, une demoiselle bien élevée est une ingénue, et se décide sur
des rêves. Davenant n'a rien du héros de roman,
de celui à qui rêvent les jeunes filles : c'est un
mari, mais de premier ordre. Il y a deux
bonheurs pour la femme : aimer et être aimée ;
quand cela arrive en même temps, c'est la
suprême fortune. Tu n'aimes ni Davenant, ni personne, tu ne renonces donc pas à ce bonheur-là, et
l'autre s'offre ; prends-le. L'être séduisant auquel
tu songes, beau, spirituel, te ferait payer cher les
dons brillants dont il serait revêtu, tu ne serais
que le miroir de sa vanité ; l'être moyen qui t'offre

son nom et son cœur verra toujours en toi une supériorité et tu régneras au logis ; crois-moi, il vaut
mieux faire ses quatre volontés dans un petit
appartement que d'être subordonnée, et querellée
et parfois humiliée, au milieu du luxe. Tu es aimée :
contente-toi de cette demi-félicité, et du reste tu
aimeras à ton tour, sans romantisme, doucement,
de la meilleure façon.

La prédiction se réalisa. Un peu mortifiée d'être
la femme d'un comptable, un peu agacée de propos
médiocres, un peu déçue de ne pas trouver dans
son nid une seule plume des ailes de la chimère,
Simone ne tarda pas cependant à jouir de son heur
et à estimer les plaisirs de la monotonie.

En aspirant aux violentes impressions, la plupart
des gens se trompent sur eux-mêmes ; leur imagination, échauffée par les lectures, se remplit de
reflets passionnés qui les empêchent d'estimer leur
vrai désir, assez semblable à celui des aventures
chez l'enfant. Nous sommes heureux ou malheureux
par comparaison, dépités en regardant au-dessus
de nous, consolés en regardant au-dessous, apaisés
en promenant notre analyse à notre plan. Sans
doute Mme Davenant n'était pas reçue chez le
directeur du Crédit agricole, mais elle ne recevait
pas non plus les collègues du comptable.

Une circonstance, banale en soi, apporta un élé-

ment précieux, qui lui permit, si le jour s'écoulait
lourdement, de passer une soirée agréable.

Sur leur palier vint échouer un courriériste des
théâtres, vieux journaliste sans notoriété. Il offrit
des billets, un jour qu'il avait besoin d'un bouton à
son gilet, à la minute même. Un échange de courtoisie commença : la domestique de Mme Davenant
s'occupa des habits du courriériste ; et celui-ci fit à
la jeune femme un véritable service des deuxièmes
représentations. Plusieurs soirs par semaine, les
Davenant, par n'importe quel temps, prenaient des
omnibus avec correspondances, et devenaient fauteuil ou galerie, comme dit Musset.

Ce fut là l'antidote au tête-à-tête, un peu terne,
de ce ménage.

Simone se levait tard et ne faisait que sa toilette
avant le déjeuner qu'elle prenait seule. Après midi,
elle sortait pour les emplettes et se réservait pour
le spectacle où elle arrivait exactement, amusée
de voir la salle s'emplir et de respirer cette bizarre
atmosphère qui ne ressemble à aucune autre et qui
tient du boudoir, du grenier, du dortoir et de l'usine,
indéfinissable mélange d'âcres et de subtiles sen-
teurs où la poussière et le musc, le relent du bois
trop sec et des étoffes se marient aux exhalaisons
de la peau.

Simone fut remarquée, elle s'habillait avec une

simplicité ingénieuse ; quelquefois un désœuvré prit le même omnibus, descendit derrière eux et écrivit le lendemain la banale demande d'un rendez-vous. Elle déchira le billet sans en parler.

Pas d'autre commensal qu'un employé du ministère de la guerre, aquarelliste rencontré un lundi de Pâques dans le bois de Meudon, qui causait peinture avec Davenant et procurait des cartes d'expositions, grâce à une critique dans une revuette ignorée.

Simone n'avait pas d'amie. Quelques femmes de petits rentiers venaient la prendre pour aller aux grands magasins ou à des concerts.

Lorsque Davenant s'alita un jour d'hiver, et que le médecin diagnostiqua une fluxion de poitrine, sa femme fut désespérée. Elle aimait cet homme doux et tranquille, qui l'admirait et n'avait jamais dit « non » à son désir.

Quand il expira, elle se sentit mourir aussi ; elle passa des mois dans un état de prostration invincible : il lui sembla qu'elle ne reprendrait plus goût à la vie. Ayant cultivé, pour ainsi dire, la solitude autour de son foyer, elle n'eut pas les distractives consolations du monde et elle s'affaissa, le caractère détendu.

La question d'argent, qui se dresse presque toujours derrière un deuil, apparut inquiétante. Dave-

nant avait accepté étourdiment, peu avant de mourir,
l'héritage d'un oncle, lourd de dettes : elle dut se
réveiller de sa torpeur, aller du notaire à l'avoué ;
il fallut déménager, vendre des meubles trop en-
combrants dans le nouvel appartement plus petit.
Ces soins irritants la forcèrent à agir, à s'affirmer :
elle mit deux années à sortir de ces difficultés, et
se trouva réduite à une médiocre rente, plus une
fraction de mille écus qu'elle résolut de consacrer
à un grand voyage, à celui-là même que le pauvre
Davenant rêvait.

Le souvenir du disparu ne la tournait pas seul
vers l'Italie, elle souhaitait se dépayser, réfléchir,
car elle n'avait pas trente ans ; jolie, elle se sentait
reprise d'un vif désir de vivre.

Le deuil lui interdisait le théâtre ; après les premiers mois d'hébétude, elle s'était mise à lire, sans
choix, tout le cabinet de lecture de la rue Boursault ;
et puis, s'adressant à d'autres bibliothèques de
prêt, elle dévora des livres, comme on boit, pour
s'étourdir. La plupart de ces in-18 étaient des romans, mais si divers : *Anne Radcliffe* et le *Confessionnal des Pénitents noirs* succédaient aux *Pléiades*
du comte Gobineau, le *Sorcier de Meudon*, d'Eli-
phas Lévy, au *Juif errant* d'Eugène Sue ; parfois
un volume de littérature passa par ses mains,
Oberman, Adolphe, Dominique, Lélia.

Cette lecture romanesque se greffait sur neuf
années des théâtres de Paris ; elle se trouvait satu-
rée d'idées fantasques et plus encline à l'amour
qu'au moment de son mariage. Les vers de Musset
sur l'Italie lui chantaient, comme une vague promesse d'une rencontre heureuse :

> Ta rive bénie
> Toujours sera la patrie
> Que cherche l'amour.

Si on lui eût dit quel espoir bizarre se cachait
sous sa résolution, elle aurait sûrement protesté.
Avec nous-mêmes, nous dissimulons, pour sur-
seoir au jugement de la conscience qui gêne. Au
reste, de la velléité à la volonté, de la complaisance
à la détermination, il y a tant d'incidences !

Le déjeuner au wagon-restaurant arrêta les
réflexions de Simone. Le paysage fuyait à travers
la glace ; les arbres, les fermes, les champs passaient
vertigineusement ; et le passé aussi fuyait devant
son esprit, avec ses tableaux tranquilles et un peu
poncifs. Où allait-elle ? Vers quoi, ou plutôt vers
qui ? Dans son dessein d'une aération, d'une récréa-
tion, après les jours de deuil et de dolence, se
cachait un désir, informulable, de se refaire une
vie.

Avec sa vision un peu puérile de l'Italie, elle se

figurait, sur la foi de Stendhal, que toutes les personnes semblables s'y assemblaient, que les contemplations d'art tournaient à l'amour, et qu'une femme qui se trouve là, à propos, bénéficie de l'extase causée par une figure de Sodoma ou de Titien. Elle ignorait les hordes de gens à gibecières et à lunettes, un Bœdeker à la main, moutonnant le long des murs de chefs-d'œuvre et les inspectant plutôt que les admirant ; et à côté de la studieuse hébétude teutonne, l'impassible défilé anglais, promenant ses yeux de verre, sans arrêt, sans réflexion, et les Français parlant haut, jugeant avant de regarder, critiquant pour la galerie.

Revenue dans son compartiment, elle feuilleta ses journaux illustrés, distraitement, sans les regarder ; tant de pensées accaparaient son attention ! D'abord, que trouverait-elle à Monte-Carlo ? Cette Mme Marsollier rencontrée au théâtre, veuve d'employé, qui s'était retirée dans ce coin cosmopolite et luxueux, jolie et un peu mûre, qu'était-ce ? Un être sérieux et pratique ou bien une femme légère ? Brusquement une question se posa : irait-elle à Naples ? On lui avait dit qu'il y avait des paysages et des sculptures, des sites et un musée d'antiques. Pompéi cependant valait le voyage. Ayant assez de viatique pour pousser jusqu'en Sicile, pourquoi ne parachèverait-elle pas son pèlerinage par Syracuse et Palerme ? Seule ! Ces deux syllabes, elle les mâchait, tellement elles exprimaient son souci.

Pour une femme, être seule, vraiment seule, sans avoir dit un adieu au départ, sans prévoir un salut à l'arrivée ; partir d'un point où l'indifférence vous environne, où l'employé seul vous installe dans le train, pour débarquer dans une indifférence augmentée par la disparité de race et de langage, et où le facchino seul attend ; ne laisser personne derrière soi, n'avoir personne devant soi, c'est, même sous la formule du voyage, l'amertume de l'exil.

Partout elle serait seule, sans entendre une parole intime, sans pouvoir la prononcer ; ou bien elle irait aux Veglione, elle se laisserait courtiser par les désœuvrés du salon de lecture et prendrait un aigrefin guignant ses bijoux pour un soupirant.

Elle admirait l'Américaine, partout chez elle, ne redoutant aucune promiscuité, allant à travers le monde sans que sa délicatesse souffrît, oubliant et faisant oublier son sexe, à volonté.

Pour une Française, la plus civilisée des femmes, il n'y a pas de vie personnelle souhaitable, dans le sens où la Yankee la pratique, garçonnière et indépendante.

Les vieilles races ont appris, au cours des siècles, que la femme n'a pas de plus grand prestige que sa pudeur ; et il faut l'entendre, largement, d'un soin jaloux de sa personne et des bienséances de ses actes.

Simone, d'une considération à l'autre, s'assoupit et ne se réveilla qu'à Lyon, à l'envahissement de son compartiment par une famille allemande. A peine installés, le mari aux lunettes d'or sortit son guide, la femme ouvrit un sac d'où elle tira des gâteaux ; la jeune fille, qui portait un appareil photographique en bandoulière, était jolie, fraîche, l'Éva des *Maîtres chanteurs*. Elle s'ingénia pour lier conversation avec Simone qui crut que, selon l'habitude utilitaire, elle cherchait une leçon de français gratuite. La demoiselle s'ennuyait. Attirée par l'élégante Parisienne, elle se comparait à elle, cherchant à saisir le secret de cette grâce latine, incommunicable, comme ce qui tient à l'exquisité nerveuse.

— J'admire la façon de votre costume ! Ce n'est qu'à Paris qu'on habille bien ! commença la jeune fille.

— Quand on est fraîche comme vous, on n'a pas besoin de toilette, répondit Simone. Attendez d'avoir trente ans.

— Oh ! à trente ans, j'aurai déjà des enfants, je ne serai plus rien !

— Vraiment ! En France, trente ans c'est la jeunesse, le temps de la coquetterie, et quarante, l'époque des grandes passions.

— Oh ! s'exclama l'Allemande, quarante ans c'est la vieillesse.

Simone sourit :

— Une femme qui ne veut pas vieillir, ne vieillit pas ou du moins vieillit très lentement.

— Ce doit être un secret.

— Je vous le révélerai, si vous voulez.

La Parisienne chercha, un instant, le moyen de se faire entendre.

— Au catéchisme, on a dû vous dire que pour plaire à Dieu, il faut agir, et même penser, comme s'il voyait et entendait. Eh bien ! pour ne pas vieillir, il faut constamment agir comme si un fiancé allait survenir, être constamment en état de plaire, c'est-à-dire si propre, si soignée que cela devienne une habitude.

L'Allemande eut un doute sur la moralité de son interlocutrice : ce propos sentait la galanterie.

— Une honnête femme, une fois mariée, n'a plus du tout à briller : elle a plu, on l'a épousée, elle passe au rôle de compagne.

Simone, sans notion sur la femme du Rhin, fut stupéfaite de cette abdication prématurée, de ce renoncement lâche. Elle en demanda la raison.

— Ce serait un double travail, dit la pratique enfant, de faire du ménage en soignant ses mains, d'épousseter sans se salir : ce serait accablant pour l'épouse. Chaque chose a son temps. Nous sommes coquettes jusqu'au sacrement, et après nous ne connaissons plus que le devoir. N'est-ce pas plus raisonnable ?

— Est-ce votre sentiment personnel ou les mœurs générales qui délimitent ainsi les périodes de la vie féminine ?

— Le contraire est l'exception, la mauvaise exception, et du reste, en France, d'après ce qu'on dit, les femmes toujours coquettes ne sont pas (je vous demande pardon) vertueuses.

— Comment le savez-vous ?

— Par les romans où il n'y a presque jamais d'honnêtes dames.

Simone se mit à rire. Cela lui semblait si drôlatique de juger les mœurs d'après la littérature ou d'après le théâtre, qu'elle ne sentit que le comique de cette opinion. Elle questionna la demoiselle qui se répandit en confidences. Son père professait les humanités à Nuremberg, elle épouserait bientôt sans doute un fonctionnaire ; et ses propos pratiques, utilitaires juraient avec ses yeux rêveurs et son charme presque poétique de fille très fraîche et très pure.

Un petit héritage avait eu pour conséquence le voyage d'Italie, utile au professeur, agréable pour ces dames.

— Avez-vous étudié et préparé votre voyage ?
demanda la Franconienne.

Et elle sortit d'un sac un cahier fort volumineux
et, assez fière, ajouta :

— Je puis vous dire tout ce qu'il y a de beau
dans chaque ville.

— A Gênes, qu'y a-t-il ?

L'autre lut vite :

— Le port a 2,000 mètres de largeur.

Simone l'arrêta. Qu'une jeune fille pût noter la
largeur entre deux môles, cela dépassait la vrai-
semblance.

— Parlez-moi des artistes génois, plutôt.

— Taddeo Carlone et Filippo Parodi.

— Quel est leur genre ?

La jeune fille s'adressa en allemand à son père,
qui lança :

— Parodi, mort en 1702, coloriste facile.

Simone trouva stupide cet effort de mémoire
des noms et des dates ; elle craignit que le professeur ne tentât d'étaler sa connaissance de la
biographie universelle et se pelotonna dans son
coin.

« Que les étrangers sont durs à supporter », pensait-elle. « Voilà d'honnêtes gens que je fuirais
comme des pestiférés : ils sont si différents qu'ils
en deviennent ennemis. On pardonne à ses compa-

triotes des torts que l'on partage, comme cela se chante dans *Guillaume Tell.* »

Revenant à elle, elle se repentit d'avoir pris le chemin de l'Italie : mieux eût valu voyager en France. Peut-être les Italiens seraient-ils plus sympathiques ? Leur réputation d'astuce l'inquiétait. Le cours de ses pensées s'assombrit et l'annonce du dîner leur fit diversion : à la même table que les Allemands, elle eut l'étonnement de voir manger la Nurembergeoise, comme mangent seules les Allemandes, indéfiniment.

Elle ignorait le solide estomac de cette race qui, aux entr'actes de *Tristan et Yseult*, ingurgite des charcuteries variées, sans cesser de vibrer à l'unisson de l'œuvre.

Ainsi, un mouvement instinctif d'antipathie la détournait d'une nation entière ; les voyageurs de ce train de luxe lui étaient répulsifs, et, malgré ces prémisses, elle attendait la rencontre d'un être qui la charmât.

Ce phénomène se produit souvent, qu'après un passé douloureux, la veuve s'accommode aisément, avertie par l'expérience, qu'il convient de se répéter les mots tristes d'Œdipe à Colone, « demandant peu et content de moins encore ». Mais, si les premières noces furent heureuses, elle augmente ses exigences. Simone, à cette heure, pouvant ressus-

citer Davenant, l'aurait fait avec joie : mais elle
n'accepterait plus son sosie, elle le jugerait insuffisant. Vers trente ans, la femme songe à un amour
très pro.ond, préparée par les mille impressions
de la vie ; elle n'apporte plus dans son choix cette
ingénuité d'antan qui rêvait démesurément et s'ac-
commodait de peu. Elle sait ce qu'elle veut : elle a
un programme, des exigences précises, et, circonstance majeure, elle possède des éléments de comparaison. L'amour ne s'enveloppe plus de mystère,
elle en connaît les rites et les risques : désormais
compétente, elle choisira. Un peu de doute mélancolique survient. Choisir alors qu'elle ne connaît
personne qui lui ouvrirait une porte mondaine ! Elle
n'a pas de relations, de ces fréquentations ni ami-
cales ni utiles, mais qui vous mettent sur le chemin
des rencontres et à la source des renseignements.
Isolée moralement, elle l'est aussi socialement. Cette
Mme Marsollier qu'elle ira voir demain à Monte-
Carlo, pourra-t-elle l'entraîner jusqu'à Florence ?

A travers la vitre noire, la fumée blanche se dé-
roule comme une écharpe au vent. Par moment
les clartés d'une ville étoilent l'ombre vite reformée,
et Simone se sent petite et comme perdue en songeant à ces existences pullulantes sur la terre qui
tendent aussi au bonheur, à ce bonheur qui dépend
d'un être, unique et comme perdu parmi les autres.

A un point de vue grossier, les hommes diffèrent
bien peu, de l'un à l'autre ; dans l'intimité, deux ne
se manifestent pas semblables. A distance la pelouse
se montre uniforme, et de tout près un brin d'herbe
diffère tellement de son voisin ! Quelles lueurs diverses au brin de sable qu'on tient dans la main ! Ces
différences perçues, dans le face à face, constituent
les points d'attraction. Davenant était le contraire
d'un original, et cependant il ne ressemblait à
aucun autre homme. Ce voyage entrepris si allégrement déjà perdait son charme, sous le poids des
réflexions. Simone s'efforça de ne penser à rien,
mais les tableaux du passé s'imposaient à son
esprit. Au matin elle croyait laisser loin derrière
elle, à chaque tour de roue, le passé ; elle s'inquiétait de la vague d'oubli qui lui passait sur le cœur ;
avec le soir, le souvenir revint, impérieux, projetant
son ombre.

Elle se revit pensionnaire à Écouen, distinguée
par l'aumônier comme une âme d'élite, bonne
élève et de parfaite tenue ; et sous cet aspect,
rêvassant de mariage fabuleux, de prince charmant.

Puis, sous la discipline de la vieille tante très
lucide lui montrant la vie réelle et l'amenant par
persuasion à épouser Davenant ; enfin, heureuse
avec un homme que les romanciers appelleraient

médiocre et qui ne l'était point, pour la constance
du sentiment et l'égalité de l'humeur.

La dévote avait eu raison de lui dire que le
bonheur prend deux aspects : aimer ou bien être
aimée.

Elle avait été aimée. Au théâtre, Davenant ne
s'émut jamais ni d'une femme de la scène, ni d'une
dame de la salle et, en rentrant, presque toujours
il lui faisait un compliment sincère, ne voyant
rien de plus parfait que sa femme : de cette calme
tendresse sans intermittence elle s'était nourrie
longtemps. L'avenir lui réservait-il l'autre perspective passionnelle ? Allait-elle aimer, à son
tour ?

. Ces pensées rétrospectives, ce tisonnement inquiet dans la cendre refroidie du passé l'énervaient.
Des fantômes étaient montés à sa suite dans ce
train, l'obsédant. Maintenant le trajet semblait
interminable. La famille allemande dormait ; dans
le couloir, un dos d'homme oscillait, avec des
bouffées de fumée, par instants.

Déjà l'ennui commençait à lui souffler au visage
son haleine affadissante. Pourquoi allait-elle en
Italie ? Les fresques la laissaient si indifférente !
Elle cherchait à se distraire et absurdement s'imposait la fatigue de quinze heures de rapide. Il eût
été plus agréable de s'arrêter à Dijon, à Lyon,

villes qu'elle ignorait : à cette heure, elle serait
dans un lit et dormirait.

A Marseille, elle pensa descendre, et puis elle
hésita de telle façon que le train repartit. Et elle
continua à s'ennuyer, s'étirant, incapable de trouver une posture reposante. Il ne fallait pas songer
à s'arrêter à Toulon pour reprendre le train le
lendemain. Si un hippogriffe avait présenté son
dos aux écailles miroitantes pour la ramener à
Paris, elle n'eût pas hésité. Cependant n'avait-
elle pas brûlé ses vaisseaux, c'est-à-dire renvoyé
sa bonne, et donné congé de son appartement
pour le prochain trimestre, tant elle tablait sur
un changement de sa destinée ? Elle se jugea stupide, et son mécontentement d'elle-même monta
à tel diapason que des larmes de dépit jaillirent
de ses yeux. Elle aurait crié, si elle eût été seule. La
calme personne qui fut l'épouse de Davenant, nul
ne l'aurait reconnue dans cette énervée, à deux
doigts de la crise absurde et bruyante, qui ne sait
plus s'il y a des spectateurs et qui bat l'air de ses
bras et crie des paroles sans suite.

Quand le train s'arrêta à Monte-Carlo, Simone
s'aperçut qu'il ne restait rien de ses gants ni de
son mouchoir.

II

MONTE-CARLO

La société offre des lieux de réunion où ceux qui ne peuvent vivre d'intimité se réfugient. Dire qu'on envie ces malheureux qui vont inconnus se mêler à d'autres inconnus, et ajouter leur indifférence au flot des indifférents !

ON se figure qu'il n'y a sur ce rocher que la maison de jeu et des hôtels et qu'on y passe seulement, comme sur le légendaire pont d'Avignon. Il existe une colonie de gens, venus par économie, qui y séjournent chichement, sans risquer un louis sur les tables de fortune.

Mondains ruinés ou réduits à d'étroits viagers, miteux qui conservent des prétentions, vieilles mondanités impénitentes trouvent là l'ombre de leur ancien train.

A Monte-Carlo, il y a, en dehors du temple dédié au hasard, une atmosphère d'espérance. Tout n'est-il pas possible là où les poches se remplissent ou se vident en un moment ? Et parmi ceux et celles qui ne jouent pas, combien espèrent tirer quelque chose des gagnants ? Combien de bas Rastignacs promènent leur élégance sur les terrasses en une amorce

vivante ? Combien de femmes à la côte espèrent,
sous le costume clair qu'impose le doux climat,
émouvoir un passant, qui sera leur dernier amour
ou leur nouvelle ressource ?

On ne joue pas qu'autour des tables, et de l'or ;
on ne tente pas seulement la veine des billes ;
beaucoup se jouent eux-mêmes.

La catégorie la plus curieuse est celle des re-
traités de la mondanité, des vieux marcheurs qui
ont enrayé, des vieilles gardes qui ont désarmé et
qui trouvent en ce lieu bizarre, à très bas prix,
l'illusion d'une vie élégante et luxueuse, jouissant
de jardins magnifiques, de concerts hors ligne, et
du caractère de passage de ce coin qui, à chaque
saison, amène Paris et l'Europe même sur ses
terrasses à la flore étonnante.

La dame que Simone devait retrouver à son
réveil appartenait à cette colonie singulière des
mondaines ruinées, qui s'efforcent à se tromper
sur leur sort, un peu à la façon de Don César,
lisant les billets doux du comte d'Albe devant
les cuisines.

Par compensation à son instabilité d'humeur
presque fatale, la femme possède la faculté de se
rasséréner aussi vite qu'elle se trouble : la mer
seule montre d'aussi brefs passages de la tempête
au calme. Simone, qui s'était mise au lit dans un

état indicible de déplaisir, rouvrit des yeux clairs, souriante au soleil qui criblait de ses rayons l'imposte des fenêtres.

Elle avait quitté Paris par un temps maussade, gris de couleur, de température hésitante : elle trouvait l'été lumineux et chaud, et pouvait arborer le corsage de tulle blanc.

Elle préféra se présenter au matin, à l'improviste, chez Mme Marsollier, pour satisfaire à une curiosité méfiante. Elle connaissait mal cette voisine de stalle avec qui elle avait fait des courses, ayant les chiffons pour objet.

Une petite villa sans jardin, à peine plus grande que celles que la spéculation élève sur le littoral, blanche, à contrevents verts, selon le goût de Jean-Jacques, indiquait peu de fortune, et la tenue matinale de Mme Marsollier, dépeignée et dépoitraillée, amplifiait cette impression, malgré un mobilier pimpant et des bibelots. L'accent fut chaud, d'une bonhomie si cordiale que Simone aurait pu se croire attendue. Étonnée, mais réchauffée, elle assista à la toilette de la Montecarlaise, qui, tout en disparaissant par instants dans le cabinet de toilette, parlait avec abondance et vivacité.

— J'espère que vous allez rester quelque temps : vous vous plairez ici... Le théâtre, le concert...

sont excellents, vous le savez ; les bals, oh ! les
bals merveilleux, ma chère ! Je vous aurai vos
entrées aux concerts classiques : je connais un des
principaux surveillants du Kursaal ; au reste, une
femme, jolie, élégante, et surtout ayant du comme
il faut, comme vous, on lui paierait ses gants, en
lui faisant la révérence.

— Quel est ce monde, en somme, qui se presse
au Casino ? demanda Simone.

— Tous les mondes, depuis l'archiduc incognito
jusqu'à l'aigrefin, la jeune mariée et la vieille garde,
les merlettes et les coquettes.

— Ce qui fait qu'on ne sait pas si c'est un archiduc ou un malfaiteur qui vous parle, conclut
Simone.

— Il n'y a pas de malfaiteurs ici : la police y
est faite incomparablement. Vous ne pénétrez pas
dans le Kursaal sans qu'on vous surveille jusqu'à
ce qu'on ait une opinion faite ; au bout de huit
jours, on a une fiche. Pas de cambriolages ici ; des
vols de réticules et des suicides, c'est tout. Si
quelqu'un sort avec un gros gain, il est invisible-
ment escorté par les soins de l'administration...
Figurez-vous un bal masqué avec beaucoup de
municipaux déguisés et vigilants... Je vous piloterai ;
quand on vit ici à demeure, on forme son groupe.
Ce soir, je vous présenterai mes amis ; il y en a un

qui va s'amouracher de vous, rien qu'à vous apercevoir : il ne brûle que pour les blondes rêveuses.
C'est un homme charmant et riche.

— Un veuf ? demanda Simone.

— Non ; il est marié !

— Ah ! fit la jeune femme subitement sur la
défensive.

— Étienne n'aime pas sa femme, qui habite Nice ;
une femme confite en dévotion, bien ennuyeuse,
paraît-il.

— Ici, il doit trouver à se distraire.

— Ma chère, ce qui manque ici c'est la femme
comme il faut, genre Bartet, votre genre. Vous
ne sauriez croire le succès de Bartet, à Nice, tous
les ans : elle représente leur idéal à tous. Est-ce
assez drôlatique qu'on apporte ici un tel programme ?

Ces propos sonnaient mal à l'oreille de Mme Davenant. Elle sentait une atmosphère de galanterie et, dans ce pays de l'or, une habitude d'acheter
l'amour. Or, elle était vertueuse, de tempérament
comme de volonté.

L'honnêteté d'une femme se forme d'éléments
divers, mais on observe toujours deux phases :
celle où l'éducation domine et l'autre qui résulte
de l'expérience, des heurts de la vie. Simone, à
la mort de son mari, avait épuisé les mérites
d'Écouen et de la vieille tante, et peut-être elle

eût envisagé le péché d'un œil conciliant, sans sa fréquentation excessive du théâtre.

La pièce moderne blesse la morale par ses thèses et la proclame par ses peintures. D'Antony et des romantiques jusqu'à Dumas et aux sceptiques, l'amour quand même, l'amour libre, l'amour sans sanction ne représente que douleur et désastre. Un amant semblait à Simone un être de malheur, entraînant dans un dédale de péripéties la femme qui le suit et la précipitant, malgré lui, à l'infortune. Cette conclusion tirée de tant de fables passionnelles est juste. Le mariage seul garantit contre l'inconstance de la fortune et de l'amour ; et Simone était résolue à ne prendre qu'un mari, par les leçons pratiques reçues sur le fauteuil de l'orchestre ou des galeries. Chacun tire d'un spectacle des choses diverses, et là où une romanesque s'enfièvre et ne voit que l'incitation aux folles chevauchées, un être réfléchi, plus attentif au dénouement qu'aux tirades, forme des résolutions aussi sages qu'à l'église, sous l'exhortation du prêtre.

Mme Marsollier n'était pas assez attentive pour pénétrer la nature de Simone ; chacun raisonne d'après soi-même et attribue sa propre mentalité aux autres. Une jeune femme qui voyage sans but cherche une aventure : cela lui paraissait clair.

Mme Davenant ne se sentait pas fragile. Entrée dans la vie par un mariage de raison dont elle s'était bien trouvée, elle cherchait un amour raisonnable, c'est-à-dire un homme qui lui offrît non seulement son cœur, mais une véritable association pour traverser la vie. Au soir du même jour, lorsqu'on lui présenta M. Duquesnoy, Simone laissa voir son étonnement de le trouver si possible.

En effet, Étienne Duquesnoy avait les caractères extérieurs du joli homme, bien mis, sachant parler aux femmes, empressé sans faconde, louangeur sans poncif, vraiment aimable dans le sens exact de pouvoir être aimé.

Comme Mme Marsollier l'avait annoncé, il fut aussi galant que les bienséances le permettaient et, quand il offrit de la reconduire, Simone accepta.

— ...Votre amie m'a dit que vous resterez peu de temps à Monte-Carlo, et cela me fait regretter de vous avoir connue.

— Pourquoi resterais-je ? demanda Simone.

— En effet, vous n'avez aucune raison. Votre amitié pour Mme Marsollier n'est pas assez vive.

Elle rit et sincèrement :

— Elle est nulle.

— Ah ! vous êtes une femme étrange, étrangement sincère : vous me déroutez, je n'ose vous poser une question.

— Posez-la.

— Vous y répondrez ?

— Comme au catéchisme.

Il s'arrêta et avec un peu d'embarras :

— Est-ce que je vous déplais ?

— A mon tour, une question ? Pour quoi faire ? Pour bavarder un soir de décembre, de la Condamine à Monte-Carlo, vous me plaisez !

— Pour cela seulement ? fit-il.

— Vous ne pouvez vous offrir pour autre chose, puisque vous êtes marié.

La nuit était tiède, le ciel clair et scintillant. Étienne Duquesnoy s'arrêta encore.

— Je suis marié, mais je n'aime pas ma femme...

— Vous n'aimez pas non plus Mme Marsollier et vous sentez que vous m'aimeriez, moi ! Voilà la déclaration, je la fais pour vous. N'êtes-vous pas soulagé ? Les rites sont accomplis. Un homme qui raccompagne une femme, ici surtout, doit lui dire ce que vous m'avez dit : c'est fait. Votre honneur d'homme est sauf ; vous avez poussé votre pointe : mon amour-propre satisfait vous salue.

— Si je n'étais pas marié, me parleriez-vous ainsi ?

— Vous l'êtes, et certainement les torts de la désunion vous reviennent. Mauvais mari, tel je

vous juge, vous ne valez rien ; vous n'êtes bon qu'à
offrir votre bras et à soupirer pendant les quelques
minutes d'un trajet — comme celui-ci.

— Je n'aime pas ma femme.

— Vous avez cependant cru l'aimer, en l'épousant. Vous vous tromperiez encore, à propos de moi.

Il protesta d'une exclamation.

— Eh non ! cher Monsieur, vous n'avez pour
moi aucune sympathie ; que souhaiteriez-vous de
pire à une femme détestée que d'aimer un homme
marié, qui ne peut rien donner, ni foyer, ni avenir,
ni considération ? Un homme marié, Monsieur
Duquesnoy, ne vaut rien, je ne dis pas pour une
honnête femme, mais pour une femme sensée. Je
ne vous propose pas de croire à ma vertu ; croyez
à ma raison, et elle m'avertit que vous me voulez
du mal, le plus grand mal qu'un homme désœuvré
peut vouloir à la femme qui passe.

— Oui, fit-il un peu aigre, vous aviez fait un
mariage de raison.

— Et Mme Marsollier vous a dit, bien à tort,
que je ferais une liaison de raison aussi.

— Vous raisonnez beaucoup, Madame : la
raison revient sur vos lèvres comme l'amour sur
celles des autres.

— Allons, fit-elle, n'enragez pas pour si peu ;
c'est dépenser une bien belle monnaie pour une

aussi piètre circonstance que de dire des vérités
en réponse à des paroles vaines. Vous faites votre
métier d'homme qui consiste à présenter sans
cesse une requête : la honte est courte et parfois
on est exaucé, peut-être souvent ; et sur ce, me
voici arrivée : merci pour la conduite, et oubli
pour la déclaration.

Simone rentra donc dans sa chambre, fort
contente d'elle-même. Qu'elle était loin des pensées
qui l'avaient assaillie pendant le long trajet du
rapide ! Comme elle se sentait lucide, maîtresse
de ses nerfs, femme de principe et de tenue, vraiment prude femme !

L'honnêteté a ses joies. On vit beaucoup avec
soi-même et nul ne se lasse de sa propre estime.
Comme on fait parade de ses charmes, quelquefois
on jouit de montrer sa vertu, et Simone se sentait
si estimable en s'endormant, qu'elle souriait.

Mme Marsollier, le lendemain, vint la surprendre à sa toilette. Sans doute M. Duquesnoy
s'était plaint et avait prié qu'on plaidât sa cause.
Il ne fut pas question de lui. La matinale visite
concernait le bal du soir, un grand bal où des
Altesses incognito et des banquiers dont on donnait les noms devaient se trouver, parmi une
légion de jolies femmes de plusieurs parties du
monde.

— Vous assisterez à une de ces soirées-là, chère amie : elles ne ressemblent à rien de ce que vous connaissez ; c'est le bal de l'Opéra non masqué et aussi mystérieux. Les physionomistes y ont fort à faire d'appliquer leurs facultés d'observation : personne n'y connaît personne. Celui qui vous invite à danser est un nouveau mystère ; son mouchoir porte peut-être une couronne fermée, à moins qu'il n'ait sa fiche à l'anthropométrie des capitales ; vous bostonnez avec un homme qui vous donnera peut-être un collier de perles, et qui serait capable de vous voler vos bagues.

— Ce n'est guère engageant, cette perspective de songer à défendre ses bagues, si on vous serre les doigts.

— Avez-vous jamais lu dans les faits divers qu'on ait volé quelqu'un au Casino de Monte-Carlo ?

— Non, en effet.

— Ni qu'on ait suivi et détroussé l'heureux joueur à la sortie du Kursaal ?

— Non, fit encore Simone.

— Il n'y a pas un coin du monde où la sécurité soit plus entière, grâce à une police préventive qui est admirable. Vous êtes ici depuis vingt-quatre heures et vous avez déjà une fiche et un gardien qui n'est pas un ange, mais qui vous surveille en même temps qu'il vous protège ; et les mauvaises gens savent si bien cela qu'ils feront leur coup plutôt boulevard des Italiens que boulevard de la Condamine. Je trouve un bizarre plaisir à coudoyer des êtres dangereux momentanément sans danger, comme on passerait volontiers sa main sur le dos d'une panthère.

— Mon Dieu ! quel feuilleton on ferait sur cette donnée !

— Je suis venue pour vous aider pratiquement. Il vous manque peut-être une dentelle, un rien pour votre toilette... Ici, tout est cher, je vous éviterai d'aller à Nice. Voyons, montrez-moi votre portemanteau, comme on disait au temps des diligences.

— Je n'ai pas de toilette de bal ; voici deux ans que je suis veuve, j'ai un peu grossi, et, du reste, du vivant de mon mari, j'allais au théâtre et non dans le monde. Mon portemanteau ne contient que des habits de voyage.

— Voyons, chère, qu'est-ce qu'une toilette de bal ! C'est un corsage sans manche et découpé fortement, devant et derrière, pas autre chose. Voyons, vous avez bien une robe de soie ? Eh bien ! je vais vous faire bâtir un corsage en gaze noire, vous viendrez l'essayer après déjeuner, et tout ira.

Simone se demandait pourquoi Mme Marsollier
tenait si fort à la mener au bal. Pour qu'elle se
retrouvât en face de Duquesnoy ou de quelque
autre ? Elle fit des façons, se défendit encore sous
différents prétextes et céda, curieuse malgré tout
de ce mélange rare des plus grands et des pires,
des princes Rodolphe, des Adrienne de Cardoville
et des Vautrin.

Toutes les espèces de poissons se trouvent dans
la mer, tous les genres d'individus se peuvent rencontrer dans un bal semblable, puisqu'elle s'y
trouvera, elle-même, personne très honnête, très
raisonnable. Tout le jour, elle se complut à l'idée
de voir beaucoup de gens assemblés, de les observer.

Certainement, ce n'était pas là qu'elle rencontrerait le successeur de M. Davenant ; mais depuis
deux années la vie avait coulé lente et austère,
sans théâtre, sans amitié, en face du vide laissé
par le bon époux ; et, en somme, ce bal était sa
rentrée dans la vie mondaine. Elle se promit d'être
jolie, non pour plaire, mais pour se retrouver bien
vivante et, par conséquent, digne d'attirer celui
qui mériterait sa merci.

Simone ignorait au bras de qui elle entrerait
dans la salle des fêtes de Monaco. Mme Marsollier
était venue la prendre à l'hôtel, avec deux messieurs
en frac ; et comme aux présentations l'un n'articule

pas et l'autre écoute mal généralement, surtout dans un vestibule banal, elle se trouva en plein éclat des lustres avant d'avoir réfléchi ; les glaces multiples lui renvoyèrent le reflet de ses épaules blondes si séduisantes qu'elle s'en étonna : la coquetterie réveillée, elle répondit vaguement à son cavalier anonyme et regarda de tous ses yeux, aussi avide de découvrir les Altesses du Gotha que celles du cambriolage.

— Vous cherchez quelqu'un ? demanda le cavalier.

Elle le regarda alors. Il était joli et il eût été bien partout, prince ou apache. Elle lui répéta les propos de Mme Marsollier.

Le personnage ricana.

— L'imagination, madame, est sans doute une admirable faculté et notre amie la possède. Ses termes de comparaison affectent l'antithèse. Un frac, pour elle, est un prince ou un apache : en vérité et d'ordinaire, ce sera plutôt un simple Niçois ou un Parisien qui n'a d'autres terres qu'un appartement à Monceau. Ici, comme partout aujourd'hui, c'est très Cook ; oui, un tiers de ce monde va en Italie ou revient d'Italie ; il y a des vieilles gardes, il y a des aigrefins, ni plus ni moins qu'à Bade, à Aix ou ailleurs. Il y a surtout des voyages de noces, des voyages de vacances. On va coucher à Venise pour s'en vanter ensuite, pour expédier cent cartes postales... Je parie qu'il n'y a pas ici un seul bandit, ni un seul grand-duc, mais énormément de petits bourgeois de partout.

— Que pensez-vous de Mme Marsollier ? demanda Simone en continuant à fouiller l'assemblée de telle façon qu'elle semblait, en effet, chercher quelqu'un.

L'autre toussa, et avec bonhomie :

— Elle m'a présenté à vous ; je n'en pense que du bien, comme vous-même.

— Moi, j'ai été sa voisine de fauteuil souvent, mais je ne la connais pas. Demain, après-demain, je pars, et sans esprit de retour. Vous voyez que ma question ne vous induit à rien de grave, même si vous y répondiez franchement.

— Vous vous méfiez un peu de notre amie, comme de moi, comme de tout le monde ici.

— Oui et non. Je suis dépitée de ne pas comprendre... Que faites-vous ici, Monsieur ?

— Exactement ce que vous y faites vous-même ; vous venez de Paris, je viens de Nice, c'est toute la différence. On vous a fait des contes ; rien de moins machiné que le Casino : il y a les joueurs, les passants d'une colonie très cosmopolite qui mène à peu près la vie de Paris avec des ressources limitées. Ici, on passe, qu'on s'asseye à la table de jeu ou à la stalle du concert ; mais les gens des environs

y viennent ; et, comme Niçois, je connais quelques
personnes qui y vivent, comme Mme Marsollier.
Je n'ai jamais joué; et, simple licencié en droit,
je ne mérite pas votre suspicion, étant un bon jeune
homme qui se mariera un jour ou l'autre, sans
avoir fait ni le bien ni le mal.

— Vous êtes un assidu du Casino, faites l'office
virgilien et nommez-moi ceux que vous reconnaissez.

L'avocat acquiesça de bonne grâce, parce que
Mme Davenant était fort séduisante ce soir-là.
Il ne connaissait presque personne dans cette
assemblée de passants, il inventa des noms et des
qualifications, et il lui montra, au hasard de l'élégante cohue, des boyards, des banquiers, des no-
ceurs, des joueurs, des amoureux et des quidams.

Simone s'amusait de la diversité des types qui
était extrême. Des couples berlinois, l'homme aux
lunettes d'or, la femme lourde, et en robe vert
chou ; des couples anglais, l'un et l'autre très
longs et très raides ; des couples français jeunes
et qui riaient fort ; des couples sans nationalité,
de ceux qu'on rencontre aux tables d'hôtes et
aux wagons-restaurants des rapides : une humanité
déracinée, gardant à peine un accent de race, marquée de ce cosmopolitisme indéfinissable qui unit
une certaine correction à une vulgarité foncière.

Le cavalier de Simone poussa une exclamation
en apercevant un homme distingué, aux yeux
clairs, portant beau, quoique grisonnant.

— Avec quelques cordons et plaques, on jurerait
d'une altesse ; ce n'est qu'un simple journaliste
viennois, mais de haute famille. Il vient perdre ici
tout ce qu'il peut ; malgré cette triste vie, c'est un
esprit lucide et intéressant, et comme les Autri-
chiens bien élevés, si italien, presque français,
pour l'assimilation et le brio.

— Mon cher Stiloeg, je veux vous présenter à
une Parisienne, Mme Davenant.

Le journaliste s'inclina avec une exagération de
déférence.

— Mme Davenant regarde curieusement ce
monde fait de tous les autres : expliquez-le-lui
donc, vous qui connaissez aussi bien les cours de
Paris que les faubourgs de Constantinople et les
Carpathes que l'Atlas.

— Ne l'écoutez pas, Madame. Le voyage est
une des illusions de ce temps, qui en a beaucoup.
Vous allez en Italie, et vous avez bien tort. Il ne
faut pas connaître ce qu'on a trop aimé d'abord
par l'imagination : aucune réalité ne lutte contre
cette fée. Les bénéfices du voyage sont ceux d'une
expérience inutile. Si vous saviez ce que c'est
que Jérusalem et Athènes, vous plaindriez les

malheureux qui ont voulu aborder à Jaffa et au
Pirée. Les noms valent plus que les choses ; les
noms, l'humanité les a dorés, diamantés, colorés
si bien qu'ils ne correspondent plus qu'à des
rêves. Rome, ah ! Rome ! Une rue étroite comme la
rue Richelieu à Paris, voilà le fameux Corso.
A moins d'études spéciales, verrez-vous la
différence du Panthéon de Rome à celui de la
place Sainte-Geneviève ? Ce qu'il y a de plus beau
à Rome ? Les murs d'un établissement de bains,
oui, les thermes de Caracalla ! Je suis allé partout
et seuls m'ont intéressé les pays que j'ignorais,
sur lesquels mon imagination ne me disait rien
d'avance. Alors tout a été découverte et enchantement ; je ne m'attendais à rien, de là mon plaisir.
Quand vous serez devant la *Transfiguration*, vous
aurez un profond « ce n'est que ça ! » dont vous
serez honteuse.

— Selon vous, on n'épouserait pas l'être qu'on
aime, de peur qu'il ne réponde pas aux idées de la
cristallisation sentimentale.

— Non, Madame, non. L'amour est un phénomène d'individu à individu, et les contes orientaux
seuls nous parlent de princes mourant de con-
somption pour un portrait ou sur la foi d'un récit
concernant la plus belle personne du monde.
L'amour naît du regard, il faut avoir vu pour

aimer, et posséder, ce n'est que voir, de tous ses
sens. Tenez, la caractéristique de cette assemblée
se relie à cette théorie. Ces gens-là n'ont point de
passion qui les attache à un lieu, et faute d'amour,
ils errent de casino en casino. L'humanité se
divise en deux parts : l'une qui a une vie intérieure,
heureuse ou malheureuse, mais profonde, comme
Stendhal, comme un bon prêtre, comme un savant
sans ambition ; l'autre, qui n'a qu'une existence
extérieure et qui remue, s'agite, se déplace sans
cesse. Croyez-vous qu'un homme qui aime viendra
ici ! Cette atmosphère lui serait odieuse ; elle
charrie trop de toxines d'indifférence. Celui qui
peut sentir une forte émotion à apercevoir la lueur
d'une lampe à travers une persienne, l'homme
passionné, vous ne le trouverez jamais dans ces
cohues. Ce sont des réprouvés, ceux qui piétinent
ici en bottes vernies, des êtres qui n'ont jamais eu
ou qui ont perdu la sensibilité. Quelle expression
tragique que celle de globe-trotter ! Le moyen
âge voyait, dans le Juif-Errant, le type accompli
du malheur, car au moyen âge, on vivait intérieure-
ment, en soi-même et pour un très petit nombre
d'êtres. Quelle niaiserie d'estimer chez un homme le
nombre des idiomes qu'il baragouine, le total des
kilomètres qu'il a faits ! Le nombre des idées est
en raison inverse de celui des mots et l'étendue

d'un esprit dépend de son peu de mouvement
matériel. Le *Discours de la Méthode* est sorti
d'un poète de Hollande. Mais, pardon, je crois que
je deviens pédant. Voulez-vous m'accorder cette
valse ?

Et avant qu'elle eût répondu, il l'enveloppa d'un
geste aisé et ils tournèrent.

Stiloeg, virtuose de la valse, ne tarda point à
attirer l'attention. On fit galerie pour regarder ce
couple élégant, et Simone sut gré à l'Autrichien de ce
succès, un des plus vifs de sa vie peu mondaine.

Ils dansèrent ainsi toutes les valses, et comme
intermède la brillante parole du Slave donnait à
Simone l'impression qu'elle était fort intelligente
pour suivre des propos aussi variés.

Plaisir de coquetterie, mais double, à la fois
mondaine et intime, ne se prend pas sans griserie.
Étourdie par le mouvement physique, étourdie
par le mouvement imaginatif, flattée de plaire à
Stiloeg, flattée d'être remarquée, elle s'amusa
plus vivement qu'autrefois : et lorsque Mme Marsollier vint avec l'avocat niçois et deux autres
couples lui dire simplement : « Chère amie, allons
souper », elle jugea cela naturel et ne remarqua
pas si Stiloeg était un peu plus gauche et lent que
de raison à lui mettre sa sortie de bal, et se trouva
assise à côté de lui, en face de Mme Marsollier et de

l'avocat. Les autres, élégants et quelconques, semblaient se connaître fort bien. Les lui avait-on
présentés ? Elle ne s'en souvenait pas. A demi-
voix, avec un art véritable de l'aparté dans le
coude à coude du cabinet, l'Autrichien ne cessait
de l'étourdir de sa verve intarissable et de lui
verser du Clicquot frappé qu'elle buvait vite,
un peu fiévreuse.

Les propos du Slave ne s'éparpillaient plus
sur des sujets variés et miroitants ; graduellement
attendri, il montrait un peu de son cœur qui avait
voyagé sans servir, un cœur encore neuf et chaud
qui s'était gardé pour une divine rencontre :
suivait une description de la Béatrice rêvée,
véritable portrait de Simone ; et inlassablement,
sans quitter la conversation générale, en une sorte
de pantoum, il entremêlait sa déclaration et les
répliques aux autres convives. La perfection de
ce manège inquiéta un peu la veuve. Un homme
épris et qui rencontre l'élue ne reçoit et ne jette pas
le volant à divers convives, tout en chantant sa
romance imploratrice. La sérénade de Don Juan
où les pizzicati rient si ouvertement de la langou-
reuse mélodie crépita dans son souvenir et, à ce
moment, elle rencontra le regard de l'avocat
niçois. Il y avait des colorations morales très
diverses dans ce regard ; du dépit : il avait été

oublié, dès la survenue du Slave ; du regret : il
trouvait Mme Davenant désirable ; de la pitié :
car il la croyait plus faible et plus prise qu'elle
n'était. Elle fit un effort, secoua l'espèce de magné-
tisme qui l'envahissait et chercha à pénétrer la
pensée des autres convives ; leur attention quoique
discrète signifiait à peu près la même chose : una-
nimement, on la croyait sinon séduite, du moins
très touchée. Elle n'était que grisée de valse, de
paroles, de lumière et un peu aussi de vin. Ces
heures de mondanité vive succédant à celles, mornes
et silencieuses, de son veuvage l'avaient étourdie.

D'un mouvement imprévu de détente, elle se
leva, prit son manteau à une patère, et dit à
l'Autrichien qui s'était empressé :

— Que personne ne me suive, je reviendrai.

Sans souci de l'impression laissée, elle partit
vivement du restaurant ; l'air du soir la saisit,
elle douta de sa démarche, elle craignit de tituber ;
la tête encerclée, les pieds pesants, elle marcha
cependant d'un pas accéléré vers son hôtel, sonna
follement, se jeta dans l'ascenseur et ne respira
que la targette de la chambre poussée.

A la clarté dure de la lampe électrique, les meubles semblaient vaciller.

Avait-elle bu deux ou trois coupes de Clicquot ?
Deux probablement, et elle était ivre. Elle fris-

sonna à la pensée du peu de résistance dont elle
eût été capable.

Sa résolution fut prise à la minute même.

Demain elle partirait pour Gênes, sans revoir
Mme Marsollier, sans regard en arrière. Elle détes-
tait le lieu d'un péril aussi grand et aussi niais.
En se dévêtant avec des gestes mous, sans précision, elle se figurait le danger d'un tête-à-tête. Sur
son lit, elle se figura qu'on lui avait versé un
narcotique et s'endormit lourdement, se jurant
d'oublier cette soirée, de l'abolir de son souvenir,
pour l'estime d'elle-même.

III

BANALES RENCONTRES

Les lieux ont le caractère de leur destination, comme les hommes celui de leur vocation.

SIMONE se réveilla dans une immense chambre au plafond peint, aux murs chargés de grands tableaux sombres. Elle se souvint de l'interminable succession d'étages, de corridors, de paliers qu'il avait fallu suivre, en butant aux marches avant d'arriver à cette pièce froide et inhospitalière pour une femme habituée au petit appartement commode et ouaté. Enfin, elle était en Italie, dans une ville appelée la Superbe, et quand elle eut déjeuné, elle sauta du lit, résolue à tout voir ; comme autrefois elle voulait ne rien perdre du spectacle, pas même le lever du rideau.

Elle regarda les toiles appendues et se demanda si c'étaient des croûtes : elles ressemblaient à des œuvres de musée ennuyeuses, copies mal payées de tableaux bolonais ou génois, ce qui est pis. Comment son pauvre mari les aurait-il jugées ? Un vif regret l'étreignit. Avec lui, ce voyage eût été amusant ; il eût étudié les guides et tout expliqué. Maintenant, elle allait voir des tableaux sans nombre, dans vingt villes, et toujours seule en tête à tête avec de vieilles peintures ; elle soupira à cette idée.

Brusquement, le souvenir de Monte-Carlo lui revint avec une netteté désagréable. Elle s'était sentie faible, fragile, et elle avait fui, non qu'elle eût redouté la cour assidue de l'Autrichien : l'homme ne l'avait pas séduite, jamais elle ne penserait à lui avec regret. La valse, les phrases habiles, le premier succès mondain après une période d'esseulement et deux ou trois coupes avaient endormi sa volonté. Ainsi une femme parfois cède à la pression de circonstances fortuites, d'autant plus désarmée qu'elle a l'habitude de la sobriété, du silence et de l'effacement.

Le regard de l'avocat l'avait éveillée d'une torpeur d'oiseau sous un regard de reptile : c'était bien de la torpeur devenue physique, un état de malaise et non de passionnalité que le sien, après ce bal, à ce souper de malheur.

Vite habillée, elle descendit à la recherche d'impressions nouvelles qui effaçassent cette vision où elle se jugeait si indigne d'elle-même, de son passé sans tache, de sa réalité sans faiblesse.

L'honnête femme frémissait au danger couru, et en tirait des fermes propos de prudence. Fâcheux début que le sien et si pesant à sa fierté ! Comme il

faut conclure pour classer un fait obsédant, elle se
dit que la Providence l'avait avertie en l'humiliant ;
et sans la remercier, c'eût été un peu mystique de
sa part, elle sortit de l'hôtel, avec des conseils de
circonspection.

La rue sans trottoir, largement dallée, ne plut
pas à Simone : le passant italien, au regard oblique
trop chargé d'arrière-pensée, l'indisposa tout de
suite.

Quelqu'un l'aborda, très humble, cauteleux :

— Madame est Française, Madame est seule. Si
Madame voulait me prendre pour guide ?

Elle regarda le jeune homme aux cheveux noirs
jusqu'au bleu, à la mise correcte mais un peu mi-
nable, d'un air courroucé.

L'autre répéta son offre en anglais ; elle dit
« non » violemment et monta les marches de
l'église dont elle ignorait le nom. Mal disposée,
elle se scandalisa de ce plafond peinturluré et
doré de *Santa Annunziata.* Habituée à la noblesse
des églises de France, le luxe vulgaire de Gênes
l'écœura ; tant de dorures, encadrant les fresques
si criardes de Cortone, la firent souvenir de certains
décors autrement suggestifs, et en sortant elle sauta
dans une voiture de place qui passait, et à la demande du cocher, elle fit un geste vague et de
mauvaise humeur. L'Italien comprit que la dame

ne voulait rien voir et il la promena, sans l'im-
portuner.

Tout le monde a remarqué la finesse du facchino,
du cocchiere, du ragazzo, dans la Péninsule : ces
bas individus devinent la pensée du voyageur et il
n'y a pas besoin de leur parler pour être entendu.
A juger sur ce spécimen, la race italienne serait
la plus douée de l'univers. Cette faculté d'observation est superficielle, cette identification ne
dépasse pas un certain degré, elle se manifeste
parallèlement à la facilité en matière d'art.

Gênes est un Marseille morne ; au lieu de cette
atmosphère exubérante de la vieille Phocée, où
le passant vous regarde comme s'il vous reconnaissait et allait vous parler, une physionomie
froide, où les yeux dévisagent ou se dérobent, un
air de fausseté et de cautèle et surtout d'inhos-
pitalité. Londres, implacablement indifférent, vous
traite comme une chose ; Gênes vous regarde passer
comme une proie.

Simone éprouva très vivement l'acuité de la foi
génoise, calomniée peut-être, mais que la plupart
des étrangers ressentent. Elle avait fui la veille
une société dangereuse ; maintenant, il fallait fuir
l'ennui d'une cité aigre et inclémente.

En longeant les trois rues qui se suivent
également étroites, le cocher, par acquit de con-

science ou par habitude, nommait les vieilles
demeures.

— Palazzo Brignole Sale, Palazzo Adorno,
Palazzo Serra...

Elle ne voyait que des façades aux profils de
pierre très saillants et, par les portes ouvertes, des
colonnes, des portiques, des terrasses. Au seuil
de ces monuments de marbre, des tôles peintes
portaient des noms de banque, de compagnie
maritime. Partout l'estampillage des affaires
balafrant l'édifice, la destination désormais pratique de ces décors d'opéra ; le négociant installé
dans un cadre de podestat, et partout l'argent
brochant sur l'histoire et l'écrasant. A la place del
Principe, le cocher insista pour qu'elle visitât.

— Palazzo Doria, *bellissimo... bellissimo.*

Elle descendit de voiture et suivit le concierge
qui, d'une voix monotone, commença :

— Ce palais appartient encore à la famille
Doria, mais elle ne l'habite pas : elle loue des
appartements aux particuliers.

Simone laissa échapper une exclamation. Cela
lui parut si drôlatique, un bourgeois, sa dame et sa
demoiselle s'installant pour une saison dans la
demeure du vieil amiral de Charles-Quint et
éclaboussant de leur ridicule ces salles où Jupiter
foudroie les Titans. Elle alla au jardin. Le ciel

très pur brillait d'un bleu délicat ; au loin, une sourde
agitation venait du port comme une houle de travail.

On ne se parle philosophiquement que dans les
moments maussades où la vie se tait ; à pas lents
elle médita. Ce Doria, après tant de lauriers et tant
de dangers, vint vieillir ici : en quel esprit ? Ses
prouesses tenaient-elles fidèle compagnie à sa
décrépitude ? Faut-il compter sur les fantômes du
passé pour peupler l'hiver de la vie ? Devant le
mausolée du chien Radon, elle se demanda si c'était
un ex-voto à Charles-Quint, qui avait donné l'animal, ou à la bête, pour sa fidélité et sa douce
compagnie ?

Aucun instant elle ne pensa ni à Perino del Vega,
ni à Montorsoli qui avaient leur effort en ce lieu.
Elle avait regardé sans voir. Combien d'autres passe-
raient aussi indifférents ? A quoi bon tant de
soins ? Et pour qui ? Pour quelques hommes tirant
leur pain ou leur maigre prestige de l'étude du
passé ? Et cependant, n'est-ce pas la gloire, d'avoir
son nom dans les guides et que ce nom soit lu
par des myriades d'êtres plus étrangers à l'art que
les cailloux de l'allée ?

Le cocher la conduisit devant des églises, mais
ses « bellissimo » ne la décidèrent pas à descendre :
la dorure, le marbre, le clinquant des peintures
l'offusquaient.

Il n'est pas rare que les tempéraments septentrio-
naux détestent la piété méridionale qui se joue
dans le soleil et la bigarrure, et habille, aux jours
de fête, jusqu'aux piliers, de mauvais damas
rouges.

Simone se souvenait de Notre-Dame, si noble en
ses proportions, de la cour du Louvre qu'elle remarquait par comparaison, et jugeait les monuments
de Gênes odieusement vulgaires. Ne connaissant
rien de l'histoire locale, elle se figurait que le doge
ligurien avait été un simple président de chambre
de commerce et non le rival de celui qui montait sur
le *Bucentaure* pour épouser la mer. Elle eût exulté
au mot de Louis XI : « Les Génois se donnent à moi,
et moi je les donne au diable », en transportant ses
droits au duc de Milan.

Si elle n'avait eu sa malle à fermer, elle se serait
fait conduire à la gare, tellement l'ennui de cette
matinée l'énervait.

Elle s'assit à une petite table, harassée quoiqu'elle
n'eût guère marché, d'une humeur désolée au point
de se joindre à une bande Cook, si elle en avait rencontré. Depuis qu'elle était en voyage de plaisir,
son veuvage s'alourdissait d'heure en heure. Allait-
elle traîner ainsi jusqu'à Naples, à la merci d'un
cocher ou d'un cicerone ? Non, certes, elle n'en
aurait pas le courage. Elle demanda l'indicateur.

Un express la mettait à Pise en quatre heures,
elle respira mieux. Une autre nuit en cette ville
détestable l'eût exaspérée. Le programme du jour
annonçait le *Mefistofele* de Boïto ; ce ne fut pas
assez pour la retenir quelques heures. Dans cette
détestation subite de la cité marchande et sans
chef-d'œuvre, il entrait une espèce de terreur du
voyage entrepris. La solitude, qui ne lui pesait pas
à Paris, à l'étranger devenait odieuse. Avec une
amie, avec moins que cela, une dame Marsollier,
elle aurait pu exhaler ses nerfs. Rentrerait-elle
à Paris, sans utiliser son billet circulaire ? Si un
coup de baguette avait pu la transporter, quel soulagement en face de ce pensum renaissant des
galeries et des églises, où le pied se lasse, où le cou
se tord, où les yeux papillotent à force de visiter
et de voir, comme par ordre et systématiquement.

Elle déchiffrait la carte imprimée, n'ayant désir
d'aucun mets, quand survint un voyageur qui
manifestait dans son allure la mauvaise humeur.

Il se laissa tomber sur une chaise, soupira et se
mit à tambouriner sur la nappe. « Une victime de
Gênes », pensa Simone. Elle ne se trompait pas, car
le nouveau venu jeta au garçon :

— Tudieu, que votre ville est embêtante !... On
crève ici, on crève d'ennui ; est-ce qu'on y crève
aussi de faim ?

Pour cette parole, il fut sympathique à la jeune femme ; elle l'approuva d'un sourire qui fut perdu, car l'ennuyé ne l'avait pas aperçue.

Brun, bien mis, méridional, il touchait à l'artiste. Il ne pensait pas qu'il y eût, dans cette salle à manger, un visage appétissant, car en attendant son macaroni, il tira de sa poche une lettre à nombreux feuillets, trop longue pour traiter d'affaires et qu'il parcourut, comme pour y chercher quelque précision. Puis, il promena ses yeux dans la pièce, vit Simone, et son regard ne la quitta plus. Brusquement il s'avança.

— Madame, je vous ai entendue parler français ; ce ne serait pas une raison pour se présenter soi-même, en dépit des convenances. Mais nous sommes à Gênes, la ville où l'on crève, et les bienséances du Radeau de la Méduse suffisent. Vous avez besoin de secours ; moi, je suis à bout de forces : permettez-moi d'apporter mon assiette.

Avant la réponse, il joignit l'action aux paroles.

— Ailleurs, partout ailleurs, on me remarque pour ma timidité ; elle est justifiée. Je suis bavard et assez creux. Ici, Madame, ici, tout change. Songez que ce qu'il y a de mieux, ce sont les cages d'escaliers et les vestibules : les palais génois n'ont que leur entrée ; on ne dépasse pas la loge du concierge, si on est artiste. Je le suis, sans talent et

sans prétention ; je le suis pour avoir le prétexte
de regarder les jolies femmes. Oh ! je mets un nez à
égale distance des yeux, quand je m'applique. Vous
croyez que je songe à vous coller un portrait.
D'abord ceux que je fais, je les donne, avec le cadre
encore. Amateur, peintre amateur, est-ce assez
ridicule ? Comment diable une personne qui porte
sur elle l'estampille de Paris, comme vous, échoue-
t-elle à Gênes ? Avez-vous fait un vœu ? Est-ce une
pérégrination de pénitence ? Maintenant, j'écoute
votre histoire, et si vous ne la dites pas, je commence
la mienne. Parlez, Madame, parlez, si vous voulez
qu'enfin je me taise.

Mme Davenant riait.

Il reprit :

— Un imbécile de Français, cela semble encore
spirituel à l'étranger, n'est-ce pas ? Moi, j'ai une
excuse de me trouver ici ; mais vous ?

— Moi, j'y suis parce que c'est une étape vers
Florence.

— Il fallait la brûler, cette étape, et s'arrêter à
Pise. Oh ! la douce ville, avec ses quais propres et
déserts où, le soir tombé, on rencontre les fantômes
de toutes les femmes de son passé ! A Pise, on se
souvient de celles qu'on a fait souffrir ou qui vous
ont fait souffrir. Elle est habitée surtout par les
âmes du Purgatoire, elle sent la myrrhe. Pour les

convalescences passionnelles, c'est le lieu béni, une mélancolie si douce ! Moi, j'y vais pour revoir mon passé.

— Votre passé ? Vous êtes bien jeune encore.

— Vous voulez dire, Madame, que je n'ai guère la fatalité de regard et la résorption d'aspect qui décèlent la grande passion. Tristan passerait à tort pour mon cousin : je n'ai jamais risqué ma vie pour une cruelle, ni une infidèle, mais j'ai eu beaucoup de petites amies. Mon âme ressemble à un jardin de banlieue où il y a des résédas. Quoi ! ce n'est pas la rareté de la fleur qui nous charme, c'est de la trouver là, à point nommé, pour la respirer et la cueillir.

Et devenant sérieux et confidentiel :

— Vous ne savez pas, vous autres femmes, que pour les hommes, vous êtes, à certaines heures, vous toutes, une chose et non une personne, des yeux miraculeux, des formes captivantes, et que vous donnez, ô grandes, ô petites dames, la même chose ! Oui, cela dérange votre idée, mais on dit la vérité, dans le désintéressement, et c'est mon cas. Vous êtes bien jolie et grave, Madame, et honnête, et enfin un être de prix. Que pouvez-vous donner ? Autant que la première venue donnera, pas plus; tout dépend de l'état d'âme de celui qui recevra.

Mme Davenant l'arrêta du geste :

— Vous parlez trop pour dire des choses sensées.
La femme se trouve dans le même cas que l'œuvre
d'art : le plus beau tableau et la pire croûte matériellement se composent d'une toile sur châssis
peinte à l'huile ; mais l'un donne l'impression de la
chose parfaite et l'autre du néant... Seulement, cela
ne passe pas, comme on le croit. Ceux qui se pâment
à Florence devant tel cadre, à Rome devant tel
autre, sont des jocrisses ou des snobs. Il doit en
être des œuvres comme des êtres. On ne comprend
que certaines, comme on n'aime que certains. Par
quelle correspondance mystérieuse reconnaît-on
sa moitié de poire ? Quand on la rencontre, on
n'hésite pas.

— Eh ! Madame, fit-il, la moitié de poire se
rencontre à tant d'exemplaires ! Supposez que je
vous revoie demain, et quelques jours encore, je tom-
berai amoureux fatalement. Comment démêler la
correspondance mystérieuse dont vous parlez, du
désir si vite éveillé ?

— Être désirée n'est rien, déclara Simone.

— C'est tout, la base même de l'édifice sentimental.

— Vous perdez à prendre le ton sérieux,
observa Simone. Votre talent est dans le gracieux,
ne vous forcez pas aux effets de profondeur !

— Sincère suis et sincère veux être ; à toute

venante, je parle à cœur ouvert. Ne pas mentir aux
femmes c'est beaucoup plus rare et original que
vous ne croyez. Dès qu'on s'adresse à elles, on se
force au sublime, on emploie les grands mots et on
ment par amour-propre avec des « toujours » et des
« jamais », on engage l'avenir. Oh !

— L'avenir seul intéresse une femme qui n'est
ni fille, ni folle, répondit Simone. Vous autres
hommes, vous trouvez dans l'heure présente une
plénitude de satisfaction, parce qu'elle n'entraîne
aucune conséquence ni matérielle ni morale. Ce qui
s'appelle bonne fortune pour vous se nomme faute
pour nous ; vous trouvez de l'honneur à nous
prendre tandis que nous nous déshonorons à être
prises et même à vos yeux. Vous rencontrez une
femme, comme moi ; elle cède à vos instances :
charmant souvenir où la vanité s'épanouit, tandis
qu'elle s'est diminuée et ne garde que la honte de
sa passivité. Ces points de vue sont opposés comme
le mouvement des plateaux de la balance : l'un
s'élève quand l'autre s'abaisse ; la femme intelligente
ne doit aimer qu'un époux : seul il lui apporte la
compensation de ses risques, et puis il n'y a qu'une
preuve d'amour, c'est de lier sa destinée à celle de
l'être aimé.

— L'amour dans le mariage ! s'écria le jeune
homme, en entamant un gorgonzola verdâtre.

Autant évoquer une expédition au pôle nord à propos des quelques tours de roue qui mènent au cabaret. On a aisément les loisirs d'un souper ; le budget d'un ménage présente de graves calculs. Supposons que je vous offre l'amour dans le mariage, il faudra d'abord l'un et l'autre compter nos sous ; les convenances sociales, mille considérations surgiraient : engager sa destinée, c'est une grande affaire de conséquences illimitées, ou plutôt l'être qu'on épouse devient votre vivante limite.

— Cela vous donne la petite mort ! dit Mme Davenant, en riant.

— Je ne suis pas mûr pour ces pensées nobles mais austères ; à une étape de la vie, on pense comme vous : je n'y suis pas arrivé. Pourquoi forcerais-je mon goût ?

Il hésita.

— Vous passez... Nous ne savons rien l'un de l'autre... Je ne suis pas indiscret, même en vous faisant une confidence. J'attends ici une dame qui tous les ans, pendant l'absence de son mari, passe la frontière et me consacre une semaine. On ne va pas voir les musées, je vous l'assure.

Simone fit une moue méprisante : la vulgarité de cet aveu lui rendit le personnage presque antipathique.

Elle se leva.

— Je vais fermer mes malles.

— Acceptez-vous ma compagnie ensuite pour vous conduire à la ferrovie ?

— Qu'en penserait la dame aux huit jours ?

— Elle tâcherait de m'en donner quatorze.

— Indiscret, fat, voilà l'homme !

— Je vous attends dans le hall, n'est-ce pas, Madame ?

Elle ne répondit pas. Ces rencontres l'attristaient et le prestige de Davenant augmentait chaque fois qu'un homme lui parlait. Elle l'avait cru quelconque, semblable à tous, et maintenant elle le jugeait extraordinaire et tellement supérieur aux autres, avec ses qualités moyennes.

Le malheur en amour vient souvent de la vanité qu'on y apporte ; on veut quelqu'un de rare, de prestigieux, et le critère du plaisir, l'envie seule le fournit. Peu de gens osent sentir par eux-mêmes, choisir à leur point de vue et obéir à leur propre sensibilité.

Simone comprenait tardivement le secret de la sagesse, identique à celui du bonheur. La suréminence de Davenant lui apparaissait et se blasonnait d'un mot simple, populaire : il avait été « son homme » dans la plénitude du mot, sans une pensée dispersée, sans un regard complaisant à

une autre. L'imagination et les sens, les heures et
les actes de cet époux ordinaire n'avaient jamais
dévié d'une orientation constante vers elle. Il avait
été sien, pleinement et sans cesse.

L'amour se définirait bien la dédicace d'un être
à un autre, dédicace presque involontaire, toute
d'élan, où le sacrifice disparaît dans l'espoir de
joies profondes et durables : ou en réduisant les
termes aux conditions de la vie moyenne, l'amour
est la manifestation passionnée de la solidarité.
Deux êtres mettent en commun leur beauté et
leur force, comme leurs tares et leur faiblesse pour
faire face à la vie, et l'apport devient égal, si la
bonne volonté est pareille.

Simone avait donné autant de paix et de tranquille joie qu'elle en avait reçu : sans doute, lui eut
le mérite d'une humeur pacifique, d'une abdication naturelle ; elle aussi replia les ailes de sa
chimère, éteignit ses lueurs romanesques et fut de
droit vouloir.

Le caractère combatif de la galanterie lassait
Simone. Toujours se défendre, toujours cette impression d'être un gibier, moins que cela, une chose
qui fait envie et qu'on obtient par ruse et artifice ; et
le mensonge de l'Autrichien, et le cynisme du Niçois,
et la perverse bonhomie du troisième la per-
suadaient de se cuirasser contre l'attendrissement.

Pour celle qui n'a pas la coquetterie dans le sang, la poursuite masculine dégage un ennui profond, et sur ce point les hommes se trompent : on leur saurait gré souvent d'oublier qu'ils sont hommes et stupidement obligés à faire acte de donjuanisme, même en vain et comme à la cantonade.

Assise sur une malle, Mme Davenant songeait ainsi, sans se souvenir du jeune homme brun qui l'attendait dans le hall. Il semblait qu'à ce moment de lucidité, elle devait prendre une résolution et se tracer un programme. Rester veuve dans le désespoir de retrouver un autre époux aussi digne que le premier, oui, plutôt ce parti de la solitude morne et déprimante que d'être la victime d'un égoïsme masculin. Rentrée à Paris, elle se créerait des habitudes, elle irait au théâtre, aux petites places, elle se ferait dévote au besoin et fréquenterait les archiconfréries. Sans ce circulaire maudit auquel elle n'osait renoncer, peut-être eût-elle pris le train pour la France.

Que la situation d'une femme esseulée lui paraissait misérable, en butte aux sollicitations de tous, ne pouvant trouver ni appui qui n'eût son arrière-dessein, ni conseil qui ne fût vilement intéressé ! Sans relations, sans cette aide qu'offre une coterie, un groupe, veuve d'un comptable, anonyme et vague, ayant juste les rentes nécessaires à la vie sans besoins, dans l'impuissance de recevoir, ni d'acheter les toilettes qu'il faut pour être reçue, elle eut un moment de détresse, des larmes montèrent à ses yeux, les plus sincères, celles qu'on verse sur soi-même.

Un tintement de la pendule la tira de son amère méditation : elle pensa à partir, comme on pense à fuir, et fut étonnée quand au passage le jeune homme l'arrêta.

— Il y a une heure et demie que je vous attends.

— Je vous avais oublié, fit-elle en le retrouvant dans le hall.

— Avez-vous reçu quelque mauvaise nouvelle ? demanda-t-il en voyant les yeux rouges de la jeune femme.

Elle fit une moue triste qui refusait de répondre.

La courtoisie de cette attente lui parut un symptôme de l'indignité de l'homme. Une femme allait venir, surmontant des obstacles, courant des risques, et les quelques heures précédant le rendez-vous, cet amoureux les passait avec une voyageuse, une inconnue, et au moindre semblant de facilité il eût certainement tenté une conquête d'un moment.

Pour un être réfléchi, cette conduite bizarre de

l'homme, à peu près identique à tous les degrés de
l'échelle sociale, écœure ou déprave : il est si naturel que la femme conçoive l'amour comme sa
religion, puisqu'elle ne reçoit rien qui ne vienne de
lui et qu'il arbitre les conflits de son existence !

Avec une curieuse spontanéité le jeune homme
se mélancolisa.

— Au fait, disait-il dans la voiture qui roulait
vers la gare, il n'est pas besoin d'un événement
pour pleurer, il n'y a qu'à réfléchir. L'homme n'a
pas d'instinct pour le guider : cette loi d'espèce
qui limite l'animal et le maintient conforme à sa
série. Notre imagination fausse sans cesse nos per-
ceptions, et les chimères achèvent de ruiner en nous
ce qui résista aux réalités. Nous appelons sage,
un homme qui surmonte ses passions, et honnête,
une femme qui met son devoir au-dessus de ses
penchants, et nous les honorons sans grands frais
de culte, en paroles et en écrits, dans des circonstances publiques. Ni la sagesse, ni la chasteté ne
résolvent le problème de la vie ; ils le suppriment :
c'est bien différent. M. de la Palisse vous dira que,
pour ne pas s'enivrer, le plus sûr sera toujours de
ne pas boire, et que rester sur sa faim préserve à
peu près d'indigestion. La belle trouvaille ! Ce
qu'il faudrait chercher et découvrir, c'est le point
intermédiaire entre le renoncement et l'abus, entre

'us et le mésusage : et ce point n'existe pas, dans la sphère sentimentale. Lorsque Jean-Jacques Rousseau commence son joli couplet : « Il faut être heureux, cher Émile ; c'est le soin de toute âme sensible... », il joue de la guitare ou du fifre. Il devrait dire : « Il faut être malheureux, cher Émile ; c'est le sort de toute âme sensible... » ; mais on obtient quelque tempérament à cette fatalité en choisissant ses maux, c'est-à-dire en ne tombant que du côté où l'on penche naturellement. Vous, Madame, qui paraissez si honnête, vous supporterez mieux l'ennui de la solitude que les transes d'un amour traversé ! Moi, qui manque de profondeur, je dois m'accorder des amourettes, sans aucune quête de la vraie passion trop lourde à ma faiblesse.

Simone aperçut la gare avec soulagement. Elle laissa le jeune homme faire timbrer son billet, enregistrer son bagage.

— Et maintenant, Madame, que je ne suis plus bon à rien, je vous souhaite un heureux voyage.

— Ce que vous venez de faire est bien et dans une tradition trop perdue. Sans rien espérer, vous avez été galant, serviable, vous m'avez évité les petits ennuis du guichet, des facchini ; enfin, vous avez agi avec désintéressement et ce n'est pas du premier venu.

Sensible à l'éloge, il s'écria :

— Mon Dieu, Madame, quand les hommes changent, les femmes ne restent pas non plus ce qu'elles
étaient, et le peu de courtoisie que je vous montre
n'eût pas été apprécié par toutes. La belle moitié
du genre humain ne le cède pas à l'autre pour la
grossièreté. Que de fois j'ai donné ma place, j'ai
ramassé un objet, sans obtenir le gentil sourire qui
est la « bounamana » du cœur que la plus vertueuse
peut donner et à laquelle nul n'est insensible !

Cet être sans profondeur mais vibrant à toute
sollicitation sentimentale s'attendrissait pour cette
femme qu'il ignorait au matin, qu'il ne reverrait
plus d'ici une heure et qui ne lui représentait ni
quelque reflet d'idéal, ni un véridique regret, mais
seulement une femme aimable, possible, nimbée
d'inconnu et de ce prestige de la voyageuse qui
encourage l'imagination à des cogitations d'autant
plus vives qu'elles n'engagent pas même le vrai
désir.

— Je garderai de vous, disait-il, un souvenir
sans couleur mais parfumé, comme celui de l'arome
qui passe par-dessus le mur du jardin, de la mélodie qui s'envole de la fenêtre ouverte, de la
bachelette aperçue à travers les arbres. Oui, vous
êtes une vision de bonheur ; jeune, belle, sage, et
vous êtes une inconnue. D'où venez-vous ? De

quelle déception ou de quelle satiété ? Où allez-
vous ? Vers quelle caresse ou quelle détresse ? Et
le secret de votre avenir s'ajoute à celui de votre
personne.

— Je ne vous rendrai pas vos bonnes paroles,
quoique à ce moment vous soyez tel que la sympathie pourrait naître. La femme aspire à celui qui
effacera tous les souvenirs, qui lui paraîtra unique,
annulant le passé et fermant l'avenir parce qu'il
remplit le présent.

— Tristan ! dit-il, la passion noire à force de
profondeur, torturante par son intensité, j'en ai
peur, je l'avoue. Qui croirait opérer son salut en
imitant les mystiques se perdrait peut-être. Pourquoi se proposer un programme en une matière
où la vie domine l'idée, où on ne fait rien de ce
qu'on s'était proposé et tout ce qu'on s'était
interdit, où on change à chaque heure, suivant le
rythme insaisissable de la passion ! Pourquoi dire
j'aimerai de telle façon, sans connaître celui qu'on
aimera ! Nos rencontres vaines nous modifient
toujours, et ce soir celle qui vient me rejoindre
profitera de l'attendrissement que vous avez causé.
Je lui apporterai l'émotion que vous me laissez.

Simone secoua la tête.

— Est-ce bien délicat ? Le plaisir que vous donnerez serait gâté si on en connaissait la source.

Vous apportez à l'une l'émotion causée par l'autre :
vous mêlez des éléments ennemis, pour ainsi dire.
Or, la femme, si souvent nerveuse, inquiète, troublée, sans deviner la cause de son état, perçoit
confusément ces trahisons de détail, ce frelatement
de la tendresse qu'on lui exprime : cette divination
trouble son humeur. Oui, notre mobilité n'est
peut-être qu'une perception confuse des mille
blessures qu'on nous fait au plus vif de l'être.
Qui sait si, à cette heure, celle qui vient vers
vous n'éprouve pas des doutes, des craintes, un
déplaisir sans autre cause que votre empressement auprès de moi, qui ne sera cependant
jamais connu.

— Comme vous concevez profondément la passion, Madame ! Vous avez été aimée par un homme
d'élite.

Elle fit « oui » des paupières. Davenant prenait,
d'une circonstance à l'autre, un plus vif prestige.
Elle n'eût pas pensé à cette épithète pendant sa vie.

Le train arrivait : elle lui tendit la main.

— Soyez heureux, Monsieur, et soyez fidèle :
c'est toute la poésie de l'amour.

L'autre s'inclina sur la petite main gantée et
puis resta sur le quai, l'air attristé ; dans le mouvement papillonesque de sa sensibilité, la femme qui
allait disparaître semblait la vraie ; et Simone,

vaguement souriante à travers la glace, pensait
que cet homme qui attendait sa maîtresse serait
peut-être monté dans le train, si elle lui avait
donné quelque espoir. Il lui sembla que, plus jamais,
elle ne rencontrerait cette douce fidélité que réclame le marin maudit de Wagner.

Le Hollandais volant cherche, dans la femme
fidèle jusqu'à la mort, la remise de son dam ; ainsi
le raconte la légende, qui comme toutes cache,
sous les couleurs vives d'un récit, une vérité éternelle. La plus belle chose qu'un être puisse donner
à un autre, n'est-ce pas la certitude, et en la rece-
vant ne jouit-on pas d'une compensation aux maux
divers qui, de leur emmêlement, tissent la trame
des jours ?

IV

Les villes ont une âme sans rapport avec les habitants de l'heure, une âme aussi allégorique que leur blason, une âme *qui revient*, comme en peine, se plaindre auprès des êtres sensibles de leur infortune et accuser les nouvelles générations sans gloire d'usurpation !

En rejetant les persiennes sur les murs, elle reçut comme une bouffée poétique au visage, la première depuis son départ.

Au pied de sa fenêtre, l'Arno limoneux, couleur d'automne, coulait lentement entre les quais dallés, déserts à l'heure matinale. Le passé, enfin, la saluait.

Elle regretta de n'être pas venue d'un trait jusqu'à Pise, la première ville italienne du littoral, pour le cisalpin.

De sa fenêtre, à l'hôtel Nettuno, elle ne voyait qu'une eau molle et triste encaissée profondément et, sur la rive opposée, un édicule précieux, comme un coffret, Sainte-Marie-de-l'Épine.

Elle fredonna, l'humeur rassérénée, et sortit ses toilettes des malles, comme pour un séjour, sans trop se rendre compte d'un empressement aussi irréfléchi.

Parce qu'elle devait se plaire à Pise, elle ne bougea pas ce matin-là, soignant sa toilette jusqu'à l'heure du déjeuner qui lui parut agréable dans le restaurant du rez-de-chaussée, vivant et bruyant.

Au hasard des rues solitaires, elle marcha, regardant avec complaisance les murs silencieux, d'un caractère indécis entre le palais et le couvent, aux fenêtres bardées de fer, aux portes basses et méfiantes. Sur son parcours, nul mouvement, mais aussi nulle activité citadine ; point de portails sculptés, mais point de boutiques, de la pierre continue, de la pierre sans épithète, énigmatique ; des dalles polies sous le pied ; et cela lui plut, après l'horreur de Gênes.

Le passant, un vieux prêtre ou un loqueteux, en ces voies larges qui semblent ne mener à rien.

Au débouché d'une ruelle, Simone jette une exclamation : le hasard lui a ménagé l'impression la plus complète, la plus vive que peut donner le passé. Ensemble et multipliant leur effet l'un par l'autre, les quatre monuments si grandioses dans leur groupement surgissent : Dôme, Campanile, Baptistère, Campo Santo ; et, au fond, les vieux remparts au ton de rouille. L'herbe pousse librement dans ce coin, tragiquement beau et qui assure à la cité un prestige incomparable. Ils sont magnifiques, ces quatre témoins d'une grandeur dis-

parue. La jeune femme ne sait ni les dates, ni l'histoire. Elle ne connaît ni Burchetto, qui fit la cathédrale, ni Jean de Pise, l'auteur du Campo Santo,
ni Diottisalvi, l'architecte du Baptistère, ni Bon-
nano, l'édificateur du clocher ; elle ignore jusqu'à
leur nom ; pourtant elle a tressailli, jusque dans ses
flancs, au génie de ces hommes qui plantèrent si
fortement sur la terre l'éclatante et forte bannière
de leur idéal.

L'art se révèle à Simone comme la vérité éclaira
saint Paul sur le chemin de Damas, par un coup
de foudre qui déchire son ignorance et illumine
son esprit. Le mystère de la création humaine
s'impose à sa pensée et elle honore son mari, qui
savait dire doucement, sans autorité : « Les grands
artistes sont au-dessus des autres hommes. »

Il est rare qu'une femme comprenne l'architecture, art austère, philosophie de la forme ; et
Simone, à son insu, s'enorgueillit de son impression
si vive.

Elle tourne autour du Dôme sans y entrer ; et
le marbre roux, qui par endroits ressemble à sa
chair de blonde, vit à ses yeux. Elle relève sa
manche, approche son bras de la fine colonnette et
sourit à la parenté radieuse de la couleur.

Les baisers du temps ont vivifié le marbre, qui
s'est ambré jusqu'à s'apparenter avec la peau

humaine ; mystérieuse montée de la pierre à la
dignité d'une chair plus durable que l'autre. qui
vit bien au delà des générations qui l'ont taillée,
et reçoit de chaque nouveau siècle un surcroît
d'éclat.

Elle se souvient des admirations de son mari
qui, rêveusement et sans vouloir la convaincre,
disait : « Un Ruysdaël, un Corot sont des hommes
différents des autres, ils voient ce que nous ne
voyons pas. Oui, nous regardons, ceux-là voient,
puisqu'ils montrent dans leur œuvre ce qui nous
avait échappé dans la réalité. »

Elle s'attendrit davantage à la pensée du joyeux
voyage qu'elle eût fait avec Davenant et des nobles
émotions qu'ils auraient vécues à deux cœurs.

Avec sa douceur lentement persuasive, il lui
aurait ouvert ce monde de l'art qui, pour la première fois, se révèle à elle, comme une terre pro-
mise de sensations délicates et si aristocratiques.

Il y a une vanité à fréquenter les gens illustres
et une autre à se familiariser avec l'œuvre des
grands morts : mais, ce matin-là, Simone était
véridique, sans une phrase de guide dans la mémoire. Elle vibrait avec la sincérité d'une ignorante.
Que le Dôme eût une importance de date et de
type, elle ne s'en doutait pas : ce monument lui
parlait. Pour la première fois, elle entendait cette

voix des pierres plus éloquente que celle qui sort
du livre, cette voix lointaine et solennelle qui a
proféré les plus grandes idées, de façon durable.
N'aurait-on que les témoignages de l'architecture
qu'on pourrait encore écrire à peu près exactement
l'histoire de l'humanité : elle ne s'est jamais mani-
festée aussi pleinement qu'en mettant pierre sur
pierre, à l'image de sa pensée.

Un autre motif expliquait la subite compré-
hension de Mme Davenant. Femme, elle subissait
l'ascendant de l'art mâle par excellence.

Un plan est un raisonnement qui conclut à la
création de la beauté ; la logique emprunte les
trois dimensions pour proposer aux sens un thème
spirituel. Une phrase de Solness, le constructeur
d'Ibsen, traversa sa méditation : « Je ne construirai
plus des maisons pour les hommes, j'élèverai des
temples au Seigneur », et comme tout, chez la
femme, prend la tournure sentimentale, elle eut
un élan vers l'architecte du Dôme, vers l'homme
qui, à travers le temps, l'impressionnait si puissamment ; et mélangeant le falot personnage avec le
maître d'œuvre du moyen âge, elle se figurait la
joie de l'épouse contemplant l'œuvre qui sort de
terre, l'arrivée des matériaux énormes, l'armée des
ouvriers, le mouvement d'une Tour de Babel,
pour la manifestation d'une pensée.

Fière de ses idées, Simone foulait d'un pied lent
le gazon qui met son onde verte autour des quatre
îlots d'art de cette place. Le long mur du Campo
Santo lui apparut sans qu'elle le nommât. Donnant
une lire, elle entra par un tambour. Ce fut, cette
fois, un ravissement ; ces portiques aux arcades
ajourées, et ces murs entièrement à fresque, et les
sculptures qui s'alignent au-dessous de cet ensemble, l'étonnèrent, comme la sonorité de ses pas sur
les dalles. A une extrémité quelques personnes se
profilaient dont on n'entendait pas la voix. Elle
s'estima seule ; mais subitement austère, imprégnée
par le lieu.

Elle ambula, embrassant du regard ces murs
peints sans s'arrêter à aucune composition. Arcades
et préau, marbres et peintures agissaient sur elle
d'ensemble. Un conseil de vertu émanait de ces
choses nobles, un conseil ferme et hautain. En
somme, on vit avec soi-même, et dans la survie on
n'emportera que la somme de ses sentiments bons
ou mauvais. Nul n'évite le Campo Santo, dernière
étape de l'homme baptisé ; n'est-il pas salutaire d'en
connaître le chemin et la sévère beauté ? Davenant
aurait bien dormi dans un tel lieu. Quelques heures
seulement voient passer le flot moutonnant des
touristes, et puis le silence reprend son refrain
imperceptible et berceur.

Mettre entre soi et le monde de grands murs, circonscrire ses pas, circonscrire les battements de son cœur, se détacher de tout, puisque aussi bien il faudra tout quitter, se dévêtir à l'avance comme à la menace d'un naufrage pour être prêt à la nage, au salut : quel beau sermon sur les fins dernières se dégageait de cette ambiance unique où l'artiste, substitué au prêtre, parle avec une persuasion si intense et donne par des images une interprétation saisissable du mystère! Triste, sans doute, mais d'une tristesse calme, rêveuse, le Campo Santo, palais de la mort, ne répugne point à notre esprit. A chaque pas, l'immortalité y est démontrée par des chefs-d'œuvre.

Simone, enfoncée dans sa rêverie, ne vit pas venir, assez tôt pour l'éviter, la famille allemande rencontrée dans le rapide. Elle surgit presque inopinément à l'extrémité d'une travée, devant le *Triomphe de la mort ;* et la jeune fille tendit les mains avec effusion.

— Il n'est pas du tout certain que ce soit de Andréa di Cione dit l'Orcagna, car à Santa Maria Novella... » ainsi le père professait à sa femme.

Mme Davenant préféra s'écarter avec la Nurembergeoise que d'entendre des phrases de manuel.

Celle-ci voulut vanter Gênes, ses palais de marbre :

— Quelle est votre impression des Italiens, Mademoiselle ?

— Ils sont bruns avec de beaux yeux, mais ils ont un air en dessous ; c'est bien comme cela que vous dites, pour exprimer la ruse ?

— En épouseriez-vous un volontiers ?

— Plutôt que de ne pas me marier, certes, mais j'aime mieux les blonds ; ils sont moins jaloux, moins querelleurs.

— On dit cependant « querelle d'Allemand ».

— Envers les étrangers ; mais, entre eux, les Allemands sont très pacifiques. Et puis, dans le ménage, chez nous, la femme est soumise.

— Vous restez à Pise un jour encore ?

— Mon père dit que cela suffit pour avoir tout vu : j'ai reçu une lettre d'un étudiant, un élève de mon père, qui songe à moi. Voulez-vous, Madame, que je vous la lise ?

— La traduction va lui faire perdre beaucoup de son charme... Et elle est bien longue, fit Simone en voyant huit pages de papier pelure. Elle est bête, pensa la Parisienne. Comme si une lettre d'amour qui ne lui est pas adressée intéresse une femme !

Devant les fresques, le professeur jeta des dates, des noms, des formules, sans un mot significatif, sans vibration d'enthousiasme, comme s'il catalo-

guait. Il sembla à Simone que le docte personnage
ne comprenait rien aux chefs-d'œuvre, vérifiant
leur signalement livresque, comme un inspecteur
bénévole. Ce fatras documentaire vite épuisé, le
pédant cessait de regarder et ses yeux cherchaient
autre chose à vérifier encore.

— Qu'avez-vous vu de plus beau ici ? demanda
Simone.

— De plus beau... cela demanderait discussion ;
ce qu'il y a de plus célèbre, c'est le *Triomphe de la
mort,* là où je vous ai rencontrée

Elles remontèrent jusqu'à l'étrange peinture.

— Voyez-vous, dit l'Allemande, il y a cinq actes
dans ce drame ; à gauche la vie amoureuse, à droite
la vie guerrière, au-dessus la vie cénobitique ; enfin,
en bas, la mort qui se refuse aux malheureux et
fond sur les heureux, et tout en haut la dispute des
âmes entre les anges et les démons.

— Chut ! fit la Parisienne, il ne faut pas parler
en face du génie ; on ne l'entendrait plus. Croyez-
vous que l'Orcagna ait besoin d'un commentaire ?
Laissez-le s'exprimer lui-même.

Elle contemplait la shakespearienne composition,
elle en chercha le centre d'abord sans le trouver.
Puis, elle aperçut cette étonnante figure de vieille
sorcière, à la chevelure blanche, aux ailes de
chauve-souris, aux pieds griffus, qui, d'un vol

effrayant et la faulx levée, se précipite sur la jeunesse, la beauté, l'amour et l'art, figurés par de
jeunes couples musicant ou dansant dans un bos-
quet.

Au-dessous d'elle, la Mort a déjà couché une
ample moisson de princes et de prêtres, d'hommes
à mitres et à simarres ; et, corbeaux d'enfer, des diables arrachent non les entrailles mais les âmes,
sous les traits de petits enfants qui jaillissent
des bouches muettes et violacées.

En vain, infirmes et misérables supplient la redoutable guérisseuse de finir leurs maux. Non, l'égalité
devant la mort n'existe pas plus que devant la vie.

La mégère formidable se plaît diaboliquement à
faucher les plus dorés épis du champ humain.
La Mort se repaît des plus savoureux fruits de la
vie et non de ceux trop mûrs ou tavelés par les
épreuves. Les vieux, les malades, les désespérés,
ne meurent-ils pas un peu tous les jours ? A
l'ogresse fatidique, il faut de jeunes fronts, de
belles chevelures, un sang vermeil. L'homme peut
douter de tout, sinon qu'il naît et qu'il meurt : et
cette cavalcade princière, cette chasse royale qui développe l'aspect des plaisirs et de la puissance, qui
oublie dans son allégresse la vraie loi de ce monde,
va buter en la personne des trois vifs, princes et
grands d'ici-bas, à trois morts qui leur ressem-.

blent étrangement et leur renvoient l'aspect qu'ils auront dans la tombe.

Frappés par ce miracle, iraient-ils au désert, imiter saint Pacome et les austérités de la Thébaïde ? Le juste, le saint appartient à la faulx exterminatrice ; la seule différence apparaît après la mort. Alors l'homme appartient aux anges ou aux démons, suivant ses mérites.

Cette méditation sur les fins dernières, composée avec des éléments si réels, révéla à Simone la peinture comme le Dôme, un moment auparavant, lui avait révélé l'architecture. Elle revit, en un mouvement du souvenir, ces salons annuels stupidement remplis d'exercices de palette, ces tableaux qui ne sont que de la peinture et n'expriment rien que l'impéritie ouvrière de l'exposant, paysages sans perspective, sans style, scènes de la vie semblables à des instantanés polychromes. L'art véritable disait donc quelque chose d'essentiel, de suivi, de décisif ; en une grande image, la tristesse du sort humain tenait toute, avec ses formes les plus variées. Combien de tableaux composaient cette unique fresque où les aspects de l'homme, ses splendeurs et ses misères, où les phases de sa vie, jeunesse et caducité, où ses activités, mondaines ou ascétiques, se trouvaient réunis, en une suite vraiment panoramique !

Quelle simplicité dans le thème ! L'enfant illettré
ne comprendrait-il pas cette œuvre où se plairont
éternellement les plus subtils ? Ce caractère d'uni-
versalité englobant l'ignorant et le savant, le raf-
finé et le rustre, n'est-ce pas celui même de l'art,
conçu par dedans et par dehors, servant de bible
aux simples et d'images aux initiés ? La Parisienne,
sans habitude de dévotion que la messe d'une
heure, sans souvenir bien précis du catéchisme, et
l'esprit rempli d'histoires réalistes et non de
légendes, ne recevait qu'une impression atténuée et
comme lointaine ; tandis que l'être du moyen âge
dont le théâtre représentait des mystères, ou qui
n'avait pour spectacles que ceux, du reste incomparables, de la cathédrale, avait dû tirer d'une
semblable peinture une puissante émotion toni-
fiante, moralisatrice. Ce n'était pas le sermon avec
son texte latin, sa monotonie comminatoire et
l'imperfection du prêtre, homme de caste, dont le
rôle même implique un langage sévère et déso-
lant. L'artiste, le plus indépendant des hommes,
prenait le thème théologique et le revêtait
d'une démonstration presque expérimentale. On
meurt, seule certitude de l'être vivant, et l'on ne
sait jamais quand ce sera ; ni la jeunesse ni la
santé ne nous défendent. La faulx impitoyable
siffle incessamment dans l'air et chaque minute

de notre vie est un miracle, tellement les occasions
de trépas foisonnent, depuis le caillou où bute
notre pied, jusqu'à l'air qui entre dans nos pou-
mons et les empoisonnera peut-être.

On a célébré le triomphe d'un peuple, ou d'une
cité, ou d'une dynastie ; mais ce peuple par la suite
fut vaincu, la cité ruinée, la dynastie éteinte ; on a
peint le triomphe de la foi, et le lendemain l'hérésie troublait les âmes ; le triomphe du Christ,
et tout à l'heure retentiront des blasphèmes ; le
triomphe de l'amour, mais les filles et les libertins
le nient et le profanent ; il n'y a pas d'autre
triomphe, véritable et complet, sur la terre que
celui de la mort ; cette reine des épouvantes
étend sa puissance d'un bout du monde à l'autre,
et si loin que l'homme remonte dans ses annales,
il ne sait que d'autres hommes ont vécu à Mem-
phis et à Babylone que par des tombes : l'histoire
n'est que le guide au Campo Santo de l'espèce
humaine.

Un flot d'idées traversait le cerveau de Mme Davenant, qui demeurait devant la fresque comme
en extase, si bien que la Nurembergeoise, impres-
sionnée, se taisait, patiente et, malgré elle, respectueuse de cette piété si vive.

Le cri du gardien : « Se chiuso ! » arracha Simone
à la plus profonde méditation de sa vie. Il fallut

sortir avec la famille allemande. Heureusement
qu'elle ne logeait pas à l'hôtel Nettuno. Pressentant
que la communion avec le chef-d'œuvre est un rare
moment dans la vie d'une femme et qu'il faut en
prolonger les fécondes harmoniques, la Parisienne
se taisait.

— Madame, vous avez un sens de l'art très profond pour rester si longtemps en face du même ouvrage, quand il ne présente aucun problème.

L'Allemande, en écho de son père, estimait que
la critique seule s'attarde devant le chef-d'œuvre,
pour le classer !

Simone ne répondait pas, recueillie, craignant
d'évaporer son impression ; elle quitta la famille à
la place des Cavaliers, et rentrée à l'hôtel, s'assit
près de la fenêtre.

Sur le quai, quelques hommes désœuvrés fu-
maient ; sur le fleuve, un lourd bateau, de forme
archaïque, glissait ; l'eau lente aux reflets du cou-
chant semblait rouge.

Jamais elle n'avait ressenti si vivement sa supériorité ; l'enthousiasme ajoutait ses ailes à la belle
ligne de sa sagesse ; elle s'honora longuement.
Placée dans un milieu favorable, elle eût été
peut-être une de ces femmes dont l'éventail tourne
au sceptre, muses, marraines d'œuvres, amantes,
inspiratrices. Une image la charma : dans la nuit

du passé brillent les génies comme les vers luisants
sur la prairie nocturne, ils projettent leur lueur de
diamant sur l'être élu à les comprendre ; alors la
chose d'art s'anime, la figure vit, la pierre parle,
le phosphore spirituel vit sur toute l'œuvre. A
l'architecte du Dôme et à l'Orcagna elle envoyait,
à l'aventure, le baiser de son âme.

Quel privilège de soulever la dalle moussue et de
réapparaître, plus aimable que vivant, à l'imagination enthousiaste, et de conquérir des âmes
à travers les siècles !

Elle savait que Wagner préférait le suffrage
sentimental à l'approbation compétente et se remé-
morait la boutade de Musset :

Vive le mélodrame où Margot a pleuré !

Ce qu'il y a de plus doux dans la louange sort
des yeux et des lèvres de la femme. Les immortels
doivent jouir de l'émotion qu'ils causent à ces êtres
jeunes et jolis et qui peuvent tout donner par une
expression de visage.

Incroyable puissance de la grâce dans l'effet d'un
jeu des paupières ou de la bouche ! Une lueur dans
le regard, une certaine moue aux lèvres irradient
de la joie ou de la peine. Quel sujet d'étonnement
si on y songe ! Cette lueur n'est vraiment qu'un
éclair, éteint aussitôt qu'aperçu ; cette moue ne

dure pas davantage : aspects plus fugaces qu'une ride sur l'eau ou que l'oscillation d'une feuille.

Cela agit pourtant plus fortement qu'une action. Les sens ne servent que d'instrument à cette manifestation si subtile, à ce rayonnement de l'être si précieux, que l'humanité ne connaît pas d'autre expression du bonheur. Être aimé, c'est obtenir d'autrui ce mouvement secret qui troublait à cette heure l'âme de Simone, pendant un moment éprise d'un architecte sans nom, sans image, et d'un peintre moyenageux privé de légendes et d'anecdotes et de tout ce qui fait flotter une figure devant la rêverie lettrée.

En descendant au restaurant pour le dîner, elle avait un de ces airs indescriptibles qui font dire aux gens du Midi qu'on est « brave » ce jour-là.

Et brave signifie qui peut braver la critique, qui s'impose en gentillesse et accortise.

Les nombreux dîneurs furent de ce sentiment et lorgnèrent assez discrètement cette dame seule, dont la beauté blonde et le cachet parisien les incitaient à de multiples commentaires.

Elle hâta son repas ; l'assurance ne lui manquait point, mais il l'ennuyait de plaire à ces hommes quelconques alors qu'elle entendait encore l'éloquent discours du Campo Santo.

Ayant mis son chapeau, elle sortit et suivit le

quai. Sitôt suivie, elle rebroussa chemin. Sur son
ordre, un garçon alla lui chercher une voiture et
elle se fit conduire au Dôme ; et la voiture restant
arrêtée, elle regarda.

La lune se levait ronde et pleine, nacrant le
marbre, pâlissant l'herbe ; tout paraissait plus vieux
et plus grand, presque farouche. La nuit simplifie
l'édifice, noie le détail et il ne reste que des profils,
des masses. La tour penchée semblait une seule colonne. On eût dit que le Baptistère couronnait l'abside de la cathédrale, et les trois édifices, pour l'œil,
touchaient au long mur du Campo Santo comme
à une base collective. Toute la vie et ses quatre
actes tenaient sur cette place. Ici, l'enfant reçoit un
nom, et entre dans la communion véridique. Là, il
viendra, homme, avec la femme de son choix ;
là-bas, il ira reposer après l'amour, après la mort, et
le Campanile a des voix de bienvenue pour le nou-
veau-né, des *lætare* pour les époux, des glas pour les
défunts ; c'est lui qui parle et qui commente les
cérémonies des trois temples, temple de la vie, par
où on entre, temple de l'amour où on s'unit, temple
de la mort où on s'endort.

Dans le soir clair et parfumé, les cloches sonnaient une fête du lendemain. Simone ne se sentait
plus seule, comme à Monte-Carlo, comme à Gênes.
Les heures de cette journée avaient été vives,

colorées, heureuses. L'âme de Pise accueillait son
âme, en sœur aînée ; la jeune femme et la vieille
ville échangeaient de doux propos, de cœur à
cœur. Pourquoi Mme Davenant ne bornerait-elle
pas son voyage à un séjour à Pise ? Elle s'interrogea
étonnée d'une telle idée, quand Florence et Rome,
ces cités magiques, la sollicitaient.

Dans sa chambre, elle rêve encore au monde nouveau qu'elle a découvert, ce monde où l'on est
accueilli sur le style de ses sentiments et où on ne
rencontre ni envie, ni bonnes amies d'aucune sorte,
ce monde pur et rayonnant où la désillusion est
impossible, ce monde qui a donné à l'autre ses motifs de sensibilité, ce monde de création et d'amour
où les hommes dieux travaillent pour le rachat de
l'homme espèce. L'idéal, « la petite fleur bleue au
cœur d'or » de Théophile Gautier, cette réalité
spirituelle lui apparaît comme nouvelle.

Jusque-là, elle avait cru l'entrée des sanctuaires
interdite aux profanes comme un temple juif, et
qu'il fallait une lourde et minutieuse science pour
affronter les merveilles.

Elle découvrait la sublime simplicité de la forme
et aussi que la beauté luit pour tous, autant que le
soleil dont elle est la sœur,

Que de chemin parcouru en un après-midi! Quelle
élévation subite de sa pensée! Petite poupée de

Paris qui se découvrait un cœur généreux, femme de comptable qui se présentait sans embarras devant les plus qualifiés des hommes! Comme elle s'applaudissait d'avoir fui les vaines gens de Monaco!

Vraiment, ici, elle était attendue, et la destinée clémente lui donnait une impulsion de noblesse inoubliable.

En peignant ses cheveux, le dessin de ses bras nus, levés, et qui encadraient sa tête, la ravit ; bénéfice immédiat de la contemplation artistique, elle se regardait déjà avec des yeux de compétence et de complaisance. Des éloges de son mari lui revenaient ; il la qualifiait de femme de la Renaissance : « Tu n'as pas la tête de Botticelli, plus tourmentée que la tienne, mais tu as un corps analogue », cela ne représentait rien pour elle au temps où ce fut dit. Maintenant elle concevait que Botticelli était venu, après les Orcagna et les Pietro di Pucci, mêler le sentiment profane aux derniers traits de l'inspiration mystique.

Elle découvrit sa beauté physique ce soir-là, comme elle avait découvert sa beauté morale quelques heures auparavant ; deux fois flattée au plus vif de sa personne. Quand un être se tient pour précieux et rare, il se trouve dans la plus vertueuse situation. La femme qui se juge suréminente ajoute à son honnêteté ce que lui dit sa vanité ; et la plupart des tentations se trouvent écartées, sans lutte, par le simple jeu de la dignité.

Rien ne confirme davantage dans la vie droite que l'exagération de sa propre estime. Cette tension de vanité prépare à écouter un hommage, encore le faut-il rare et décisif ; et de ceux-là aucune vie ne se trouve assourdie. Quand la pensée de Simone allait à l'architecte de la cathédrale ou au fresquite du *Triomphe de la Mort*, elle se voyait leur épouse et non leur maîtresse. Une raison pratique la suivait, au milieu de ses agitations, pour la guider ; son esprit ne connaissait pas la pretentaine ; les ailes de moulins, à son sens, ne se pavillonnaient que de coiffes folles ; et le souvenir de Davenant suffisait du reste à l'empêcher de concevoir l'amour, en dehors du mariage.

Elle ne s'avouait pas, ce soir-là, que le sosie de Davenant ne serait pas agréé ; une ambition subite compliquait son choix, puisqu'elle se découvrait dans la même journée plus d'âme et plus d'attraits.

Elle se coucha avec un respect d'elle-même qui touchait à la vénération. Ne s'était-elle pas ignorée jusqu'à ce jour ? Deux fois précieuse par la subtilité intérieure, par la forme artistique ! Comme un s'apercevrait que son pécule a doublé, elle ne tarissait en jaculation d'avoir découvert son vrai prix, d'être proprement inestimable. Cette infatuation serait-elle aussi brève qu'elle avait été subite ?

Pendant qu'elle durait, les heures coulaient charmantes ; et elle eût voulu veiller, tellement elle éprouvait de joie à vivre. Avare qui a découvert un trésor, artiste qui a conçu un chef-d'œuvre, ne sont pas plus fiévreux ni plus heureux que la femme qui invente de nouveaux motifs de s'aimer.

Cette ivresse, d'où venait-elle ? D'un mur d'église, de vieilles fresques à demi effacées et repeintes. Mystère de nos joies qu'on a plus de difficulté à expliquer que nos peines. Les sujets de larmes ou d'angoisse surgissent à chaque instant ; les thèmes d'allégresse, très rares, s'inscrivent à une seule portée : celle de la personnalité.

Les tout-puissants despotes ne nous paraissent privilégiés que par la flatterie soutenue qui les entretient dans l'estime d'eux-mêmes. Combien plus enviable de n'avoir qu'à se pencher sur soi pour respirer le plus pur encens !

Simone s'endormit, les lèvres souriantes, le cœur épris d'elle-même.

V

L'ÂME ESTHÉTIQUE

L'œuvre recèle une certaine vertu qui agit parfois
plus vivement que n'aurait pu l'artiste en personne,
car le temps ajoute sa puissance à ce qui lui résiste et
qu'il n'a pu emporter.

SIMONE après le déjeuner s'acheminait vers le
Campo Santo, lorsqu'elle aperçut, lisant son bréviaire, un petit prêtre, maigriot, à soutane usée,
qui se tenait à l'ombre du Baptistère. Une idée lui
vint. Le guide lui répugnait : ce banal bouquin entrevu à toutes les mains, le cicérone plus encore,
espèce de domestique de place ; en apercevant le
vieil ecclésiastique, elle vit le meilleur explicateur
des scènes de sainteté qui couvrent les murs du
cimetière pisan. Ce serait certainement moins banal
que les phrases bonimentaires des professionnels
et la sécheresse de l'in-12 percaline.

— Monsieur l'abbé, comprenez-vous le français ?

L'autre leva les yeux, regarda longuement
l'interlocutrice.

— Je le comprends et le parle !

— Peut-on vous demander une heure de votre

temps, en vous offrant un secours pour vos
pauvres ?

— On peut me demander une heure sans aucune
offre, si mon ministère vous est utile, Madame.

— Je ne sais si l'explication des fresques rentre
dans votre ministère. Je voudrais que vous entriez
avec moi (elle montra le Campo Santo) et que
vous m'aidiez à déchiffrer ces légendes que
j'ignore.

— Très volontiers ! fit-il en pensant : « C'est
une protestante qui ignore la Légende dorée, mais
c'est une Parisienne originale, de décision et
singulièrement jolie. » Vous êtes seule à Pise ?
demanda le prêtre.

Gracieusement, mais fermement :

— Pardon, Monsieur l'abbé, nous sommes con-
venus que c'est moi qui questionne.

— Oh ! fit-il, double méfiance du prêtre et de
l'Italien.

Elle fit « non » de la tête.

— Simple fantaisie d'une femme qui arrange les
choses pour son plaisir.

L'ecclésiastique s'inclina.

Elle voulut qu'il passât d'abord au seuil ; lui,
très intrigué, la suivait. Elle tourna à gauche.

— Qu'est-ce que ce vieillard entouré de diables ?

— C'est Job.

— Pourquoi dit-on : pauvre comme Job, puisque le Seigneur le fit plus riche qu'il n'avait été ?

— Peut-être, Madame, parce qu'on souffre plus du manque qu'on ne jouit de l'abondance.

— C'est vrai, cela !

Enhardi, il commença :

— Il y avait quatre scènes. Andrea di Firenze, peu connu...

— Ah ! Monsieur l'abbé, je ne suis qu'une femme et, ayant la tête petite, je n'y mets que ce qui peut y rester. Que fait le diable auprès de Dieu ?

— Madame, il demanda la permission de tenter Job.

— Croyez-vous que la tentation ait toujours lieu par permission divine ?

— Sans doute : rien n'arrive contre la volonté divine.

A cette réponse un peu poncive, Simone pressa le pas : « Elle me prend pour un sot », pensa le prêtre.

Devant les Piétro di Puccio, elle le prévint :

— Attendez ! je crois m'en tirer toute seule !

Il était difficile de s'y tromper : dans la peinture sacrée, un homme et une femme nus ne pouvaient être qu'Adam et Ève.

— Comprenez-vous quelque chose à la Genèse ? demanda-t-elle.

« Elle est impénitente, pensa-t-il. Ce n'est pas même une protestante, mais un esprit fort. »

— Mon Dieu, Madame, il y a deux façons de lire les livres sacrés : traditionnellement comme ont fait les artistes, ou positivement comme on le tente aujourd'hui. Ainsi, paradis veut dire parc ; arbre du bien et du mal, stèle de bois, stèle ligneuse, gravée de formules magiques. Préférez-vous qu'Ève ait déchiffré une inscription ? Moi, j'aime encore mieux le fruit ; image pour image.

— Ce sont donc des images ?

— Eh ! Madame, que voulez-vous que ce soit ? La surnaturalité n'a pas d'expression naturelle. Dieu le père est un vieillard vénérable ! A la réflexion, comment associer l'idée de divinité et celle de l'âge ? Les rationalistes sont des sots. Ils critiquent une opération dont ils ignorent les termes.

— Vous avez raison, dit Simone à l'étonnement du prêtre, pour les images. Le catéchisme gagnerait à être un album. A l'œil tout cela se conçoit. Mais si on relit, après l'enfance, où on apprenait par cœur, on se perd. Voyons, Monsieur l'abbé, qu'est-ce que le péché originel ? Est-ce le péché d'où les autres découlent ou bien ce péché découle-t-il de l'origine de l'homme ?

— Ceci est bien fort pour une femme ! Qui vous a dit cette formule ?

— Je vous donne ma parole que je pense à cette question pour la première fois.

— Où l'avez-vous lue ?

— Oncques n'ai lu un livre traitant du péché originel ; mais expliquez-moi votre étonnement !

— Il est extrême : car la théorie du premier péché, produit par l'imperfection et non par la volonté d'Adam, appartient à un ordre d'études qu'on appelle l'occulte.

— Eh bien ! j'en fais, sans le savoir, je vous jure. Mais le climat pisan convient à ma cervelle et je me sens plus intelligente que je n'ai jamais été.

— Alors, vous êtes amoureuse ?

Elle secoua la tête.

— Ou vous allez le devenir : c'est l'approche du dieu qui se fait sentir.

Elle regarda le petit prêtre, à la soutane piteuse.

— Vous avez des éclats d'étrangeté, Monsieur l'abbé.

— Moins que vous, Madame, moins que vous...

Elle sentait la curiosité de plus en plus vive du clerc et voulait y résister. Elle continua à regarder les murs. Dans les vendanges de Benozzo Gozzoli, elle ne reconnut pas Noé ivre et ses fils.

Le prêtre eut le plaisir de lui signaler le mouvement si curieux de Sem qui se prépare à jeter son

manteau sur la nudité de son père, mais le dos
tourné et sans regarder, trait souligné par la fameuse vergogneuse qui ouvre ses yeux démesurément derrière sa main aux doigts écartés. Elle ne
déchiffra pas plus la malédiction de Cham. L'indication de son cicérone improvisé était brève, discrète : et il lui semblait pauvre. Elle le laissa rubri-
quer les compositions charmantes et qui dénaturent
si heureusement le thème sémitique : ces victoires
d'Abraham à la mode du quinzième siècle, ces noces
de Jacob imitées d'une fête chez les Médicis, cette
histoire de Moïse transposée en formes florentines :
ce rajeunissement des vieux motifs de la foi la
charma.

— Le génie, Monsieur l'abbé, c'est peut-être la
faculté de sentir l'âme des choses et des textes et
de la faire sentir à d'autres âmes. Vous, les fils
d'Aaron, vous avez été des paresseux, vous êtes des
paresseux ; les artistes ont fait leur devoir, eux, ils
ont rajeuni, vivifié, actualisé, ce que vous avez
vieilli, endormi, momifié et cliché. Avez-vous des
sermons contemporains de Benozzo Gozzoli ? Ils
doivent être assommants, illisibles.

— Oh ! oh ! vous allez rudement dans la correction fraternelle. Nous ne pouvons pas apporter,
comme l'artiste, une vision individualiste ; possé-
dant la vérité, nous sommes immuables.

— La vérité, pour vous, s'appelle la chasteté, et pour une femme, l'amour. Qui se trompe ?

— La femme !

— Non, personne ! Chacun la perçoit selon sa nature.

— Je cherche à quelle communion vous appartenez, fit-il.

— Ne cherchez pas.

— Seriez-vous théosophe ?

— J'ignore jusqu'au sens de ce mot. Je suis une carpe, mais une carpe vivante et vibrante qui a des sentiments à défaut de doctrine.

Simone s'étonnait un peu de ses répliques, elle se sentait en intelligence, comme on se sent en beauté. Un peu vaine de jouer avec la perspicacité de ce prêtre, dont elle ne soupçonnait pas la bizarre supériorité et qui, cependant, se trompait sur elle, lui attribuant un développement intellectuel qu'elle n'avait pas.

Sans se l'avouer, elle s'essayait à la coquetterie cérébrale et se grisait d'y réussir aussi bien. Ce flirt des intelligences, nouveau, l'amusait.

— Ne me dites rien ici, dit-elle en arrivant aux Orcagna, le maître lui-même m'a parlé.

— Vous êtes donc déjà venue ? Permettez-moi de vous faire remarquer l'ange épouvanté du sort des âmes qui lui étaient confiées, et aussi comme le geste du Christ, montrant la plaie du côté et la plaie de la main, est supérieur à la colère jupitérienne de Michel-Ange.

Elle se tut, ne connaissant pas la Sixtine et peu désireuse de l'avouer.

— Voilà ce que vous donnez pour l'état parfait ?

— La Thébaïde ! Ceux qui renoncent sont les plus grands.

— Apparence ! Monsieur l'abbé. Si vous aviez une femme valétudinaire ou d'humeur fantasque et plusieurs enfants à nourrir ou à caser, vous seriez un peu plus à plaindre qu'à lire votre bréviaire. La famille ou simplement le mariage impose des devoirs lourds, lassants. A quoi renoncez-vous ? A la femme. Vous écartez ainsi un élément de vertige, une cause de complications, et je ne sais pas s'il faut vous en faire un mérite : j'y verrais plutôt un calcul inconscient, un effet d'égoïsme inavoué. Si vous saviez ce qu'il faut de patience, de bonne volonté, de souplesse, de vertus pour rendre une femme, je ne dis pas heureuse, mais tranquille, calme, supportable, vous frémiriez ! Car l'inquiétude de sa nature éclate dans toutes les conditions, et un homme ne sait ce qu'il vaut, que lorsqu'il a résisté aux épreuves de l'intimité, fût-elle la plus tendre. Est-ce que les anachorètes ont écrit leurs impressions ?

— Oui, nous avons la vie des pères du désert. Leurs tentations étaient effroyables.

— Forcément : elles venaient non de la nature mais de leur imagination, et c'est un serpent plus subtil que celui qu'on voit dans la fresque de Pietro di Puccio.

— Madame, vous avez des idées si particulières que je serais curieux de connaître ce que vous pensez du serpent.

— Je n'en pense rien, fit Simone.

Puis, se reprenant dans un mouvement de vanité :

— Je pense que le serpent était intérieur. Actuellement, il vous siffle l'incitation à la curiosité ; vous voudriez savoir quelque chose de moi, parce que je suis pour vous une inconnue, une femme assez bien pour avoir le droit d'être sotte et assez spirituelle pour se permettre de n'être pas jolie.

— Oui, il y a chez vous de l'antinomie.

— Antinomie ? demanda-t-elle.

— Antithèse, si vous voulez : deux éléments contradictoires, féminité et pensée.

— Chez la femme, la pensée est accidentelle, sentença-t-elle sans se douter que, cette fois, elle prononçait une formule profonde.

La faculté réceptive de la femme se manifeste dans l'impression esthétique ; elle subit le rayonnement d'une œuvre comme elle subirait le magné-

tisme de son auteur, et souvent davantage, car elle
rêve cet auteur et elle le rêve avec l'auréole du chef-
d'œuvre. C'est une possession artistique, noble,
sereine, mais c'est une possession où, comme dans
la diabolique, la patiente se trouve incidemment
douée d'un entendement plus subtil, et parle une
langue qu'elle ignore en son état habituel ; possession
d'une volupté bien haute, car l'incube ici est le
génie, c'est-à-dire le mâle dans son expression
transcendantale.

— Voici l'histoire de saint Renier, patron de
Pise, par Simone Memmi et par Veneziano.

Il la raconta, semblable à mille autres. Le saint,
après avoir donné son bien aux pauvres, part pour
la Terre Sainte, où il se fait ermite ; il se bat contre
le diable et contre des lionnes ; puis des miracles
sans nombre s'égrènent.

Simone n'écoutait pas : elle songeait à ce mouvement vers la solitude qui caractérise le commencement de la perfection, cette fuite du monde,
nerveuse, irraisonnée de ceux qui cherchent Dieu,
cette conception étrange du salut à l'écart, qui
supprime jusqu'à la possibilité des œuvres de
Miséricorde, ce développement immense de cinq
cents mètres de peinture concluant à l'inactivité
contemplative, concluant à l'incomparabilité du
désert.

— Les Pisans ont-ils été plus dégagés que les autres Italiens des intérêts du siècle ? demanda-t-elle.

— Non, Madame, ils furent plus malheureux que leurs frères, mais non plus sages.

— Alors cet idéal prêché sur tous ces murs n'a séduit personne ? Pourquoi le proposer ?

— Madame, si vous dissertiez sur l'amour humain, vous le définiriez fidèle, absolu. Pourquoi vous étonnez-vous que l'amour de Dieu prenne le même aspect ? L'amant n'a d'autre rêve que d'être seul avec l'aimé, que l'aimé soit homme ou esprit, parce qu'on ne possède rien que par l'intimité, le face à face !

Elle trouva que ce prêtre parlait bien de la passion et aussi que, en catégorie sociale, il représentait véritablement une élite, par la nature même de sa fonction. Pieux ou non, intelligent ou médiocre, l'homme qu'on appelle « homme de Dieu » prononce chaque jour les mots les plus formidables du lexique humain : ses mains, pour lourdes et grosses qu'elles soient, manient les reliques insignes et font des gestes d'une si grande signification ! Bénir, absoudre, lier et délier, consacrer enfin, quelle dignité indépendante de la personne ! Et comme elle avait compris l'art, Simone comprit la religion, son rôle nécessaire à la vie sociale, sa place marquée

dans la civilisation. Aux scènes de la vie de saint
Ephèse, elle regarda longuement le combat où on ne
voit que des chevaux de bois et de lourdes lances,
et se parlant comme à elle-même :

— Vu la rareté du génie et même du talent, le
prêtre est frère de l'artiste, il en fait le perpétuel
intérim.

L'abbé éprouva un déplaisir à cette formule,
l'esprit sacerdotal regimba.

— Nous avons eu du génie, nous aussi ; ce que
raconte un Giotto, nous l'avons conçu, enseigné,
parfois vécu, et s'il n'y avait pas eu des saints, il
n'y aurait pas de peintures sacrées. Mais l'immortalité et le génie n'ornent que les tombes de
leur vert rameau, et je ne vois pas que l'art soit
aujourd'hui mieux représenté que la foi.

— C'est selon, l'acteur sacré se donne moins de
mal, en son art, que l'acteur profane dans le sien,
observa-t-elle.

Visiblement l'abbé se montrait préoccupé et un
peu nerveux, comme un qui se contraint et parle
d'une chose en pensant à une autre, plus importante.

Pourtant, il se résigna à son rôle de cicérone, et
étant écouté, il s'efforça d'intéresser, laissant
s'exhaler, à propos d'une date, son amour pour la
cité natale.

— Eh ! oui, Madame, Giunta de Pise est le plus
ancien maître, antérieur à Margaritone et à Cima-
bue ; et Nicolas, et son fils Jean qui construisit
notre cher Campo Santo, fut le premier sculpteur
italien. Notre Dôme devance de deux siècles celui
de Florence. Nous avons été, en tout, les pré-
curseurs. Nous étions aux Croisades ; la république
de Pise fut héroïque, et cependant elle tomba dans
la servitude, au moment où Florence et Milan res-
plendirent. J'ai pour ami un homme, encore jeune,
qui porte le plus grand nom de notre histoire et qui
vit oublié de ses concitoyens, tristement... Gherardesca !...

Il s'arrêta un peu, gauche, à force de vouloir
dire une chose qu'il n'osait pas.

Curieux effet de l'habitude intellectuelle, ce nom,
qui sonnait pour lui comme la trompette glorieuse
de l'âge héroïque, ne signifiait rien pour une oreille
et une mémoire cisalpines.

— Pise, c'est le commencement de l'Italie et
aussi le bout du monde pour l'incuriosité du siècle.
Sans Florence, nous serions admirés. Ah ! Florence !

Il y avait de la haine, de la rage dans sa façon
de prononcer ce doux nom.

— Vous avez souffert, à Florence ? demanda-
t-elle.

— Non, mais Florence a ruiné Pise. C'est de la rancune pardonnable, puisque je parle à une femme. Vous avez vu des rivales, des êtres moins beaux que vous, dans des fortunes admirables, cités et adulés parce que les circonstances les ont fait rencontrer avec des hommes puissants ou riches. Peutêtre avez-vous une âme incomparable, peut-être êtes-vous pour l'amour ce qu'est le saint dans la foi : une perfection ? Qui le sait ? Qui le saura jamais, sinon l'aimé ! L'amour est par lui-même un secret, et surtout quand il tend à Dieu ; donc, ce que nous en voyons est bien peu et défie l'analyse. Ne dites pas : celui-là est un saint ; l'artiste intérieur ne montre jamais son ouvrage. Connaissez-vous saint Labre ? Il déplaît aux dames ; il n'intéresse l'orgueil d'aucun ordre ; il poussa la douceur et l'humilité à un point extrême ; son chef-d'œuvre fut pour Dieu. Et ne vous récriez pas : le besoin de suffrage est toujours une infériorité.

— Loin de me récrier, je n'ai qu'à regarder en moi, pour y trouver une ascétique qui n'a pas Dieu pour objet, mais tend à une perfection relative. Ce n'est ni la peur de l'Enfer, vous le pensez bien, ni celle de l'opinion qui arrête une femme au bord de la faute : c'est simplement l'idée de sa propre perfection qu'elle compromettrait. Le commandement fameux, le sixième commandement,

la raison, la dignité le donnent aussi bien que la foi :
l'expérience de la vie et la voix de l'égoïsme également l'approuvent : ce n'est pas un ordre pur et
simple, mais le conseil le plus compétent qui puisse
être donné aux deux sexes, pour leur bien. Vous ne
vous doutez pas, confesseurs et casuistes, du mysticisme féminin et combien nous pensons à la perfection de notre état. Elle consiste à résister à ce qui
diminuerait notre prix. Nous allons beaucoup plus
loin que l'Église ; elle nous impose le mariage, mais
nous considérons toutes que les motifs du mariage
en forment la dignité, comme la qualité de l'époux.
Qu'on s'unisse à un nom, à une fortune, qu'on se
vende contre une situation ou des diamants, pourvu
qu'on passe à l'Église, elle est satisfaite ; notre
conscience veut davantage. Le mot mariage exige
une épithète, sinon il n'a qu'un sens législatif.

— Quand Dieu donna sa loi, sur le Sinaï...

— Mais, Monsieur l'abbé, Moïse n'a pas inventé
le mariage ; et quoique je ne sache pas un mot
d'histoire, j'ai entendu dire que ce prophète n'était
pas très ancien.

— Pour vous, Moïse n'est pas ancien ?

— Je ne sais pas les dates, mais l'Égypte était
vieille, quand Moïse monta au Sinaï.

— Je vois que vous donnez dans les idées du
jour, vous critiquez la Bible.

— Moi ! je n'ai pas d'idées et je n'ai jamais lu la Bible. J'en sais ce que Pietro di Puccio raconte, les histoires, et assez mal, puisque j'ai eu recours à vous, pour m'expliquer le Campo Santo.

— Je vous ai bien peu servi.

— Vous m'avez aidé à penser.

La femme a besoin de réplique pour s'assurer de son impression. Le sexe n'est tout à fait sûr de ses idées que lorsqu'il parle.

— Et vous allez voir l'Italie, toute seule ?

— On cause si bien avec les immortels ! Je n'oublierai jamais mon colloque avec l'Orcagna. Oui, j'emporterai de Pise un souvenir profond.

— Croyez-vous à l'influence des astres, Madame ?

— Je crois à l'influence du nuage sur mon esprit, du brin d'herbe sur mon pied, de ce que vous me dites et de ce que je réponds.

— Madame, il y a ici un palais qui a gardé toute son ancienne décoration...

— Gênes m'a brouillée avec les palais; mais pourquoi cette question ?

— J'avais cru voir en vous un être fatidique.

Puis il se tut, gêné d'avoir parlé et maintenant de se taire, et salua.

Elle lui tendit une pièce d'or, avec un gracieux sourire, et le quitta sans avoir rien accordé à sa visible curiosité.

VI

L'ESSEULÉ

N'enviez pas les rejetons d'une souche illustre ; une
fatalité insurmontable pèse sur les vieilles familles pleines
de gloire. Les noms d'autrefois sont aussi lourds que les
armures, et ils écrasent une destinée comme le har-
nachement guerrier écraserait nos corps d'aujourd'hui.

Il ressemblait à Don Quichotte jeune. Quoique
le noble hidalgo de la Manche ait été vu un peu
différemment par chaque artiste, sous tous les
crayons, c'est un homme long et osseux, au front
bombé, au grand nez et à l'expression triste et
exaltée.

A vingt ans, le chevalier de Dulcinée du Toboso
devait ressembler au comte Ugolino de la Gherardesca.

Assis dans une cathèdre en bois dur bellement
sculpté, devant une lourde table à cariatides, il
achevait son déjeuner. Sur un plat d'argent cabossé,
mais armorié, des pommes de terre à l'eau mettaient l'humilité de leur peau grise, et dans la coupe
de vermeil au pied formé par deux lutteurs étroitement enlacés, il n'y avait que de l'eau.

Dans la salle lambrissée à mi-hauteur, les panneaux vermoulus laissaient couler leur poussière, au-dessous de vieilles fresques ; et les portières de tapisseries des Flandres, aux trous déchiquetés, aux fils pendants, oscillaient au moindre vent. Le caissonnage du plafond sculpté, doré et peint, représentait le zodiaque, les saisons, en petites figures qu'encadraient des panneaux en grisaille jouant le bas-relief. Le plancher en marqueterie reproduisait des motifs du plafond, mais les lames remuaient au pas du domestique, un vieillard à l'aspect rustique, en bras de chemise et en pantalon de velours marron.

Le comte portait un complet gris. Les manchettes de sa chemise s'effrangeaient sur sa main longue et fine.

Un chat noir se frottait aux meubles, faisant ses griffes sur un coffre de mariage, inestimable.

Le vieux serviteur apporta du fromage et une sorte de compote dans des ustensiles précieux, et au lieu de se retirer, resta, décidé à dire quelque chose qui le hantait visiblement.

— Monseigneur... fit-il de sa voix rude.

Le jeune homme leva sur lui ses beaux yeux à l'éclat fébrile.

— Monseigneur, il faut faire réparer la toiture,

il pleut jusque dans la chambre d'honneur. Tout
pourrit...

— Je le sais ! répondit, d'une voix musicale, le
comte.

— Monseigneur, il vaut mieux perdre quelque
chose que tout ce qu'on a. A la place de Monseigneur, moi, je vendrais quelque bibelot, pour
préserver le palais qui croule... Il croule, Monseigneur !

— Sichem est revenu, fit le comte durement ;
je t'avais défendu de recevoir ce corbeau qui
guette ma dépouille.

— Monseigneur... Si Monseigneur voulait m'é-
couter... Il y a un poignard au grenier, un poignard
qui ne sert à rien... Sichem en offre trois mille
livres.

— Un chef-d'œuvre ! Une chasse court de la
garde au pommeau ; il a fallu des années pour
la tirer du fer.

— Il se rouille !

— Tout se rouille ici, moi d'abord ! Je t'avais
défendu de laisser entrer Sichem et tu as profité de
mon absence pour lui permettre de visiter de nouveau.

Le domestique tira de sa poche trois pièces d'or.

— De quoi vivre un mois... acheter du plâtre...
quelques vitres... quelques tuiles...

— Oui, tu reçois trois pièces d'or ; mais tu ne sais pas si Sichem n'emporte pas un objet.

Le serviteur eut un rire muet.

— Comme on connaît les brocanteurs on les surveille... Il ne s'y risquerait pas.

Et, retroussant ses manches, il montra des bras musculeux.

— Il me pratique depuis des années qu'il guette les antiquités de Monseigneur ; il sait que s'il manquait quelque chose, sa carcasse ne tiendrait pas un jour entière.

Ugolino prit sa tête dans ses mains ; et le vieux serviteur s'en alla, contrit d'avoir ravivé la tristesse de son maître.

Le vieux palais aux murs de forteresse faisait fière et sombre figure sur la rue ; mais sa toiture ne le défendait pas de la pluie ; et les vitres brisées, les fenêtres sans ferrures, les conduites d'eau crevées ou absentes préparaient une ruine fatale, seulement ralentie par la sécheresse du climat.

Le noble seigneur, le menton dans ses paumes, regardait en face de lui. Il en était réduit à vivre comme un pauvre, et on venait lui parler de réparations coûteuses. Autour de lui, les vieux objets précieux abondaient, pressés les uns sur les autres comme dans un musée trop étroit ; machinalement ses yeux parcouraient les murs, les consoles, et

son visage s'apaisait. Sans doute, il pleuvait dans
ses chambres, mais rien n'était encore sorti du palais,
et cette idée consolait l'étrange personnage de tout
le reste.

Baptista rentra, et d'un air peu assuré dit :

— Monseigneur, c'est Monsieur... Sichem !

— Au diable ! fit le comte.

— Merci ! fit une voix derrière la porte. C'est
dans la tradition que les grands seigneurs rudoient
ceux qui leur veulent du bien.

L'homme qui entra ne ressemblait à Shylock que
par le type d'oiseau de proie et ce nez fatidique qui
semble chercher la bouche pour y entrer. C'était
un brocanteur de haut vol, patient, presque savant,
qui ne faisait que de grandes affaires. Or, le palais
des Gherardesca lui représentait un beau million
de bénéfices. Il souffrait et il enrageait d'assister,
depuis des années, à la maladie, à l'agonie des
merveilles qui moisissaient, s'effritaient, pâture de
l'humidité, des vers, de la rouille.

Il avait conçu le dessein ingénieux et vraiment
esthétique d'acquérir tout le palais et de le vendre
complet, depuis les lames du parquet et les caissons
du plafond jusqu'aux fresques et aux anneaux de
bronze du mur extérieur, à un musée américain.
Cette opération valait son insistance inlassable.
L'authenticité des objets et leur réunion en fai-

saient une série non pareille, comme expression
de l'art italien au xvᵉ siècle. Rassembler, même à
prix de diamant, ce qui se trouvait là, eût été
impossible. Le palais conservait non seulement
les chefs-d'œuvre des appartements d'honneur,
mais aussi ses meubles et ustensiles d'utilité et de
ménage que leur vileté destine à périr, dès qu'ils ne
servent plus. La cuisine gardait encore ses acces-
soires du xvᵉ, et les chambres de domestiques
étaient remplies de vieilleries usuelles, fort rares.
Depuis des années, M. Sichem restait à l'affût de
cette affaire, sans obtenir même les pièces à moitié
perdues. Graissant la patte à Baptista, qui versait
les bonnes mains dans le budget du ménage, il ne
cessait de surveiller le palais ; il l'eût volontiers
réparé à ses frais, tellement il souffrait à l'idée que
cette grande aubaine lui échappât.

Une passion ne tire pas toujours sa force de
l'objet, et la constance du brocanteur eût fait
honte à celle d'un amant. Le monde moderne, en
brisant les hiérarchies, n'a laissé d'autre différence
entre les hommes que celle de la bourse ; et l'argent, devenu le seul pouvoir, le seul prestige, a pris
la place des autres mobiles.

Autrefois, il existait des degrés que le riche ne
franchissait pas, sinon par exception et à force
d'intrigue : la société a toujours été corruptible.

Aujourd'hui, elle rend à l'or un culte désintéresse, vraiment mystique. Un riche, cela signifie autant que jadis : « un sage, un noble ». L'or a été substitué comme synthèse aux diverses catégories et non comme moyen de réalisation, mais abstraitement, en lui-même ! Or, M. Sichem voyait beaucoup d'or dormir sous la poussière et les toiles d'araignées dans ce palais. Cela lui semblait un acte de démence, punissable socialement.

— Eh bien ! Monsieur le comte, il m'est enfin permis de vous voir...

— A quoi bon ! Nous n'avons rien à nous dire.

— Si fait ! j'ai à vous redire mes offres qui sont sages... Vous ressemblez à Tantale, à un Tantale volontaire, car celui de l'histoire ne pouvait changer son or en pain et en vin. Vous préférez périr au milieu de la fortune que de vous séparer de quelques objets dont vous ne jouissez pas et qui s'abîment. Puis-je vous proposer de payer certaines réparations, sans rien demander en échange ?

— Vous êtes donc bien sûr que ma dépouille ne vous échappera pas ?

— Je vous jure, Monsieur le comte, qu'en dehors de toute affaire je ne me résigne pas à assister à pareil désastre. Chacun a sa faiblesse ; il y en a qui ne peuvent voir un pauvre sans lui donner ; moi, je ne puis contempler un objet précieux en danger

sans vouloir instinctivement le sauver, le réparer.
Or, depuis que j'ai l'honneur de vous connaître,
j'ai suivi, et avec quelle douleur, le salpêtre dévorant les fresques, les mites trouant les tentures,
la rouille rongeant le fer, le vert-de-gris couvrant
le cuivre, l'argent s'oxydant, les boiseries en proie
aux tarets. Écoutez, on entend les insectes vider
vos panneaux. Tenez...

Il se baissa et prit entre le pouce et l'index une
pincée de poudre de bois, et la mit sur le dos de
sa main gauche.

— Voilà à quoi se réduit une œuvre dessinée
par Pisanello et exécutée en cœur de chêne par
un prodigieux ouvrier : ces palmes qui encadrent
les médaillons sont-elles assez vermiculées ! Et
cependant je fournis à votre Baptista l'encausti-
que qu'il faut.

— Ah ! vous faites encaustiquer mes boiseries !
fit le comte, parce que vous croyez qu'un jour
elles tomberont dans vos mains. Je suis capable de
tout brûler, le jour où j'en aurai assez de la vie,
et de me dresser un bûcher de Sardanapale !

Sichem avait verdi, et balbutiant :

— Ne dites pas des choses damnables comme
celle-ci, des propos de fou. Détruire ces trésors,
anéantir ces richesses, ce serait être un Érostrate,
oui, Monsieur le comte, un Érostrate.

Il était sincère, l'idée de l'abolition de tant de choses précieuses l'affolait.

Dédaigneux, Ugolino dit :

— Que cela est étrange ! La beauté de ces objets, vous ne l'avez jamais sentie. Vous ne pensez qu'à leur pesant d'or. L'incendie de mon palais vous trouble au même titre que le geste d'un ivrogne qui jetterait au feu une liasse de billets de banque. Eh bien ! Monsieur Sichem, pour moi, je me croirais avili, si je pensais, fût-ce un instant, à la valeur vénale de ces choses. Elles n'en ont aucune pour moi, étant vraiment inestimables, et non par leur beauté, que je sens, moi, pourtant ; mais parce qu'elles sont le legs d'une race éclatante et malheureuse. Je ne suis qu'un revenant. Les Gherardesca sont morts depuis longtemps : le dernier périt de la peste en 1348. A onze ans, celui-là, Renier, fut nommé capitaine du peuple, tellement son père, Fazzio, était aimé des Pisans. Ces murs, ces fresques, ce qui orne ici, témoignent d'une grandeur véritable ; custode de ces reliques, je mange un pain sec dans un cadre qu'aucun milliardaire ne peut acquérir. Ces fresques, ces tapisseries, ces meubles portent la guivre de sinople. Tout cela a été inspiré, commandé et payé par mes pères. Ne me plaignez pas trop, Monsieur Sichem : tant de gens vivent du présent si fugace ou de l'avenir si incertain ; je vis du passé. Les Gherardesca ont été tels que l'histoire les peint, ils ont bu et mangé dans la vaisselle d'argent dont je me sers, et je dors dans le lit où expira Manfred, vainqueur des Aragonais. Mais je vous parle comme à un chrétien et vous n'êtes pas un chrétien.

— Je suis un civilisé, Monsieur le comte, et je vous conteste le droit de laisser l'œuvre du génie devenir la proie du temps. Vous n'êtes pas maître de détruire le patrimoine de l'humanité ; or, les chefs-d'œuvre lui appartiennent.

— Faites-vous partie de l'humanité, vous, Monsieur Sichem ?

— Je crois même l'honorer, j'ai sauvé bien des choses destinées à l'admiration des siècles.

Rêveusement et se parlant à lui-même, quoique à haute voix :

— Oui, voilà ce qu'ils ont trouvé : l'humanité, terme vague et sentimental qui permet de cacher ses appétits sous une honnête apparence. Autrefois, vous auriez été un brocanteur, un bric-à-brac, un marchand ; maintenant, vous êtes quelque chose entre Mécène et Médicis, vous sauvez les chefs-d'œuvre ; demain, vous exigerez que votre nom soit sur le cadre du tableau déniché et rentoilé. On lira : « Vendu par un tel ».

— Monsieur le comte, je ne suis pas un homme de la bande noire, je travaille pour les musées.

— Bon Pandarus, excellent Phénicien, jadis vous vendiez des garçons et des filles aux débauchés, et vous étiez méprisé. Aujourd'hui, vous vendez des chefs-d'œuvre aux musées et vous voulez être honoré. Vous sauviez la beauté de la misère, du travail ; vous la sauvez encore de l'humidité, de la ruine. En somme, après l'artiste qui a fait le chef-d'œuvre, vient, en bonne hiérarchie, celui qui l'achète, n'est-ce pas ?

— Monsieur le comte, le destin de l'œuvre d'art n'est-il pas le musée ?

— Imbécile ! le destin de l'homme serait donc l'hôpital. Là aussi on soigne, on répare, on conserve. Le musée ! Le Campo Santo des belles choses. Si vous compreniez que l'œuvre d'art est une personne, qui reste vivante, tant que celui qui l'a désirée et aimée existe, vous jugerez qu'elle devient une morte lorsqu'elle passe à des mains étrangères. Si ce palais renfermait une collection, il y a longtemps que je l'aurais changée en bien-être. Je ne suis pas un amateur et n'ai ni galerie, ni cabinet, ni vitrines : je suis le comte Ugolino de la Gherardesca, et je vis avec les reliques de ma famille. Il ne me reste que des choses ; je ne les quitterai ni abandonnerai, elles sont miennes.

Les mites, les tarets, les insectes mangent tout
ici ; l'ennui, la solitude, le poids des souvenirs,
l'absence d'espoir me rongent bien, moi. Je durerai
moins que ces objets : leur vie et la mienne se
trouvent si étroitement liées que, si vous repassez
mon seuil, je vous traiterai comme je vous aurais
traité en treize cent... Sortez !

Sichem ne broncha pas.

— Monsieur le comte, j'étais venu avec une
proposition ; il faut que je la fasse. Laissez-moi
photographier les quatre murs de chaque pièce,
je ferai le catalogue avec vous, devant vous ;
ceci est pour vous ôter toute méfiance, et laissez-
moi seulement arrêter la détérioration, laissez-moi
conserver, à mes frais, ces belles choses.

— Elles vivent de ma vie et mourront de ma
mort. Avec les photographies et le catalogue vous
pourriez traiter un beau marché et, ma foi, hâter
ma fin, dans un vertige de millions entrevus.
Allons, détalez, Pandarus du bibelot !

Et à Baptista survenu.

— Écoute, toi : je suis seul, pauvre à ce point
que tu me procures, je le devine, une partie de ce
que je mange ; j'accepte ton secours, Baptista ;
sans toi, je devrais acheter mon pain moi-même,
je suis à la merci de ton dévouement. Cependant
si tu rouvres ma porte à cet homme, quelque in-

dispensable que tu sois, quoi que je te doive, foi
de Gherardesca, prends garde !...

Le domestique, médusé, se retourna vers M. Sichem et dit de façon à rassurer son maître :

— Filez !...

— Vous êtes un pauvre fou ! déclara l'antiquaire.

Le comte, calmé, reprit :

— Tu mens ! Je ne suis pas pauvre, puisque je
possède, à ton estimation, des millions ; je suis
peut-être fou puisque je prends la peine de te
donner des raisons d'âme à toi, homme des trente
deniers. Il y a quelque chose que je t'aurais vendu,
c'est le trésor de l'Aragon enlevé à Luco-Cesterno
par Rieri, comte de Donoratico ; cela n'était que
du butin. Si ce trésor m'est rendu, je te ferai
appeler ; tu auras la préférence sur tes collègues.

Quand le marchand fut sorti, Ugolino promena
un regard d'affectueuse complaisance sur ses murs
ornés, il salua d'un regard aimant ces témoignages de sa race, et de la splendeur de cette race,
qui l'empêchaient de désespérer, par le rappel
perpétuel du grand passé dont ils étaient les admirables épaves.

Baptista, revenu, se planta devant son maître,
comme il lui arrivait chaque fois qu'il avait quelque chose à dire qui dépassait sa fonction.

— Monseigneur, le trésor d'Aragon, j'ai idée

qu'il est ici, derrière quelque boiserie. Quand je regarde les lézardes des murs, toutes ne me paraissent pas l'œuvre du temps.

— Allons ! Le trésor a été emporté dans un château de la Maremme pendant la guerre de quatorze ans. Depuis le XVIᵉ siècle, depuis 1509 où Florence mit pour toujours le pied sur Pise, personne n'en a parlé comme d'une chose existante, et la ruine de notre maison atteste que nul n'a possédé ni connu ce trésor.

La cloche de l'entrée sonna avec un timbre de bronze conventuel.

— Donna Sérafina ! fit Baptista.

Le comte soupira et fit un geste évasif et résigné, murmurant :

— Après le juif qui guette le palais, la dévote qui guette la couronne comtale.

D'un mouvement résigné, il se leva. Il était très grand, très mince et très droit, et donnait une ligne d'épée, mais sa tête un peu lourde penchait à gauche et ses cheveux longs et crêpelés le rendaient archaïque. Pour le moins observateur, c'était la fin d'une race, la branche séchée d'une tige illustre ; la pauvreté enlaidissante de l'habillement soulignait son grand air de vaincu.

La dame qui entra tendit une main dure et lourde et s'assit comme une personne qui vient d'habitude. Elle était forte, aux lèvres duvetées, dans le genre qu'on nomme virago.

— Eh bien! seigneur comte, comment la vie vous traite-t-elle? Moi, je reviens de mes fermes; j'ai vendu des bêtes à bon prix, les récoltes seront excellentes : je tirerai cette année quinze mille livres au bas mot!

Doucement, implacablement, il laissa tomber :

— Qu'est-ce que cela peut me faire?

— Ce que cela peut vous faire? Cela peut vous faire heureux : tout ce que j'ai est à vous, quand vous le voudrez.

— Je ne le voudrai jamais, vous le savez bien. A quoi bon cette persistance?

— Pour vous, je serai toujours une paysanne, une fermière, une ancienne serve...

— Vous serez ce que vous êtes : une femme butée qui a dans la tête un dessein impossible.

— Impossible! Pourquoi? Dites-moi pourquoi?

— Pourquoi la tour de Pise est-elle penchée?

— Est-ce que je sais?

— Enfin, elle est penchée et nul ne la redressera : c'est l'image de mon esprit.

— Si vous attendez de découvrir une femme aussi noble que vous, vous n'en trouverez pas dans toute l'Italie. Les Visconti, les d'Este, les Gonzague, les della Scala, les Médicis sont éteints!

Vous êtes le plus authentique comte de la péninsule.

— Et parce que vous avez vingt mille livres en bêtes et en fourrage, vous pensez que vous pouvez devenir un jour la comtesse de la Gherardesca, pauvre folle !

— Ah ! cet orgueil du noble ! Qu'il est insupportable !

— Vous me forcerez à des déclarations peu obligeantes.

— J'en ai tant entendu !

— Pourquoi les provoquer ?

— Voyons vos déclarations, voyons-les...

— Vous l'aurez voulu et cela terminera probablement nos rapports. Ce n'est pas votre allure que j'envisage quand je vous juge, c'est votre vulgarité d'âme, entendez bien, c'est votre vulgarité intérieure, foncière, vos idées plus lourdes que vos mains, vos actes plus brutaux que vos pieds. Fille de mes fermiers, enrichie des dépouilles de ma maison, vous pensez acheter mon nom, avec ce que vos pères et grands-pères m'ont volé. Je m'ennuie et je vous reçois, comme je reçois le juif qui convoite mes objets d'art : à vous deux, vous me donnez à domicile le spectacle de l'ignominie humaine : et cela entre dans mon hygiène de me fortifier dans mon mépris des hommes. Sans le juif sans vous, la solitude me pèserait ; à vous deux, vous me la faites aimer.

— Si je ne comprends pas cette fois, ce sera de ma faute, certainement ! Il n'y a que Baptista qui trouve grâce devant votre dédain.

— Baptista n'a jamais pensé qu'il hériterait de mon titre et de mon nom : il me sert sans arrière-pensée, il sert ma maison plus que moi ! Au reste ma maison est la sienne : Baptista est chez lui dans ce palais ; je ne dirai pas qu'il a les clés, puisque je n'ai rien, mais s'il voulait vendre, à mon insu, tel objet, il serait riche ; il mourrait plutôt que d'y penser. S'il me désobéit, c'est par zèle, et encore sur certains points d'honneur il ne transigerait pas. Combien de fois lui avez-vous offert de quoi améliorer mon régime ?

— C'est vrai !

— Un jour, je l'ai trouvé dévorant, de bel appétit, des tranches d'un jambon succulent, et ce jour-là, vraiment, je n'avais pas très bien déjeuné. Je ne pouvais pas l'accuser de m'avoir rien pris, et son festin m'étonna. Avec beaucoup de confusion, il m'avoua qu'il n'avait pas osé refuser ce jambon que vous aviez envoyé, mais il n'eut jamais le courage de m'en servir. Cet homme, qui a un penchant pour la gourmandise afin de toucher au Sancho, ce qui achève ma physionomie de Don

Quichotte, sait bien que je ne dois rien accepter, pas un fruit, pas même un gibier, de cette fermière qui ose...

— On a vu des rois épouser des bergères.

— Ils les aimaient et leur croyaient un cœur noble.

— Je n'ai pas le cœur noble, moi !

Il se tut, méprisant.

— Vous ne me pardonnez pas d'être une fermière.

— Je ne vous pardonne pas d'être vous-même, c'est-à-dire la négation vivante de l'âme immortelle.

— Le doyen du chapitre m'estime autrement.

— Parbleu ! il n'a qu'à vous confesser, à recevoir vos dons, et il en est quitte avec une dévote qui a la main large.

— Vous avez trente ans, seigneur comte, vous paraissez davantage. Vous vivez si chichement que plus est impossible ; votre palais s'effondrera un jour sur votre tête, les murs menacent même le passant ; ce qui est précieux ici se perd. En m'épousant vous auriez vingt belles mille livres de rentes, je n'en garderais pour moi que trois. Vous restaureriez tout ici, et moi, je vivrais dans une de mes fermes : vous ne sauriez pas même si j'existe. Je n'ai jamais pensé qu'une paysanne mûre pût être la vraie femme d'Ugolino de la Gherardesca, mais je ne comprends pas que vous refusiez ce qui vous manque, contre votre nom, contre une visite à la mairie. Ça a été le rêve de ma vie, quand j'ai suivi les étapes de votre ruine, de devenir la comtesse, non pour les salons qui ne m'admettraient pas, où je serais un objet de risée, mais pour la campagne où je serais dame, là où tous les miens furent serfs. Prenez des garanties, je signerai le contrat que vous voudrez. Rien ne m'intéresse autant au monde que votre nom ; je n'ai voulu ni mari ni enfant, je n'ai voulu que ce nom du seigneur, et je m'engage à n'avoir pas d'enfants. On opère pour ça ; je me ferai opérer.

Ugolino leva la tête ; ce dernier trait d'une intensité singulière l'amusa ; il connaissait la violence du tempérament italien et la puissance de l'idée fixe, surtout chez l'être rustique.

— Donna Sérafina, vous savez qu'un titre se lègue par testament.

— Un testament se refait.

— Supposons que je vous lègue mon titre et que je vous prenne pour gouvernante : il arriverait... que pour devenir comtesse...

L'œil noir de la paysanne se fonça.

— Le titre, excellente femme, cela s'achète : épousez un sacristain, un bedeau — il y en a de fort

bien, ma foi, au Dôme — et achetez-lui un comtat
romain ; vous aurez cela par le doyen, qui vous
estime.

Sombre, elle jeta :

— Je me moque du titre ! Comtesse du pape !
La belle affaire, quand on a de l'argent ! C'est le
nom de mes maîtres, des seigneurs, que je veux
porter... et que je porterai un jour !...

Un homme moins affaissé qu'Ugolino eût été
inquiet du geste affirmatif qui souligna ces paroles ;
lui, souriait, il n'espérait ni ne craignait rien, des
êtres ni du sort.

— Signora Sérafina, vous m'amusez et je ne
m'amuse pas souvent. Comment ferez-vous pour
me prendre mon nom ? Sichem peut me voler par
des hommes à lui : on détache une tapisserie d'un
mur, on déménage nuitamment bien des choses, et
cela est possible ; mais prendre un nom, vraiment
cela me semble difficile !

La paysanne restait muette, le regard fixe.

— Peut-être, reprit-il, avez-vous pensé à me
faire enlever et transporter dans le Maremme, et
là, par la faim, la soif, la torture au besoin...

Elle haussa les épaules.

— Vous avez trouvé mieux, signora Sérafina ?

Elle ne répondit pas ; ni amour ni haine ; une
idée fixe, vraiment immuable, pouvant tout ins-

pirer, même le crime, animait la rustique. Le comte
la contemplait curieusement, lorsque Baptista
vint annoncer :

— L'abbato !

— C'est le jour des visites ! fit le comte.
Signora Sérafina, vous pouvez vous retirer.

Elle sortit, la tête droite, cambrée, lourde et
puissante, et le plancher de marqueterie cria sous
sa pesée. Ugolino sourit :

— Dulcinée ! Et voici mon curé ! Rien n'y manque
que l'hallucination du chevalier !

Petit, vif malgré ses cheveux blancs, l'œil brillant
sous des lunettes, l'abbato, sur le seuil, regardait
la Sérafina s'éloigner.

— Venimeuse, venimeuse, cette sorcière : Jupiter, Saturne, amour des grandeurs, fanatisme,
obsession... venimeuse... Comment va, mon cher
comte Ugolino ? Je suis content : l'archevêque de
Gênes est mort à peu près au temps que j'avais
dit, à peu près de la façon que j'avais dite, et il
rôtit en enfer à la façon que frère Orcagna a dite.
Ah ! ah ! c'est la graine sacerdotale qui grésille
le mieux au feu éternel... Ah !... je me suis occupé
de vous... oui... Vénus vous regarde positivement.
Parions que vous allez avoir une aventure, une
vraie aventure. Vous ne croyez pas à mes
pronostics ?

— Mon pauvre abbé, vous m'avez prédit que je serais riche un jour et que je deviendrais fou aussitôt.

— C'est vrai ; je n'ai pas donné de dates, mais je certifie les présages.

— Que je devienne fou, c'est possible, mais riche ?

— Vous allez devenir amoureux !

— De Sérafina !

— Méfiez-vous de Sérafina, surtout si vous étiez amoureux : il y a du sang dans ses regards.

— Mon cher abbé, je ne crois ni aux physionomies ni aux horoscopes ; et vous ne me convaincrez pas, même si une de vos prophéties se réalisait. Vous avez tant vaticiné...

— L'imperfection de l'adepte ne prévaut pas contre l'infinie dignité d'une science. Songez donc, mon cher comte, je m'adonne à l'astrologie à peine depuis dix ans ; je ne l'ai connue que dans ma disgrâce, par un livre bien étrangement rencontré à la sacrée Pénitencerie, où il y a un Pinturrichio inconnu, de premier ordre, entre parenthèses.

L'abbato Pignatelli, neveu d'un évêque de Parme, n'était plus qu'un vicaire de San-Spirito, à Pise. Imaginatif, souple, mais décousu, capable de machiner une intrigue et trop versatile pour la mener, il avait travaillé à l'élévation de son oncle,

qui, une fois mitré, en fit son grand vicaire. Paresseux et ombrageux, retors et franc par accès, un
peu bohème, très bizarre, Pignatelli n'était ni un
mauvais prêtre ni un apôtre, mais un original, incapable de suite et trop étourdi pour réussir dans
une race et une carrière où la circonspection joue
un rôle décisif.

Pour décrocher la barrette convoitée par son
parent l'évêque, il avait fait des choses blâmables,
si blâmables qu'on l'avait envoyé à la Pénitencerie,
dès la mort de l'oncle protecteur. Là, il avait fouillé
une bibliothèque poudreuse, et dans l'ennui de la
retraite, un astrologue était né. Lorsqu'il eut étudié
le lot horoscopique égaré parmi les ouvrages théologiques, il écrivit une longue lettre au secrétaire
du pape et fut élargi le matin. Qu'y avait-il dans
cette épître ? Sans doute autre chose que des sup-
plications ; quelques-uns des secrets qu'il tenait de
l'oncle.

Il en savait assez long pour se faire libérer, non
pour obtenir un beau poste ; il demanda un vicariat
à Pise, sa ville natale, et se consacra à l'art de prédire. On souriait de sa manie ; dans le peuple il passait pour un peu sorcier. Son archevêque ne l'aimait
pas, mais superstitieusement le ménageait. Un Italien n'est jamais tout à fait sceptique aux prestiges
occultes.

Il s'était lié avec le comte Ugolino, en venant lui demander des dates familiales. Il pratiquait l'horoscope rétrospectif, cherchant les aspects du ciel à la naissance des hommes illustres. Il avait beaucoup travaillé sur les Gherardesca, et le comte lui représentait une de ses principales expériences. Si son horoscope se réalisait, l'astrologie devenait une science certaine pour lui. Il pensait s'offrir au Vatican comme astrologue, sans titre officiel.

Réellement, il avait un coup d'œil assez lucide ; il devinait le caractère sur la physionomie, et, parfois, au confessionnal, il stupéfiait le pénitent, en lui citant son péché.

— Baptista, cria-t-il au vieux domestique, vous êtes un brave homme ! Vous irez au ciel, je vous en donne ma parole. Eh ! il n'y aura pas tant de monde qu'on croit chez Notre-Seigneur !

— Je servirai encore Monseigneur, là-haut ? fit le vieil homme un peu goguenard.

— Oui et non. Vous serez son écuyer, vous monterez en dignité... Dites donc, Baptista, méfiez-vous de la dame qui sortait tout à l'heure... Méfiez-vous, c'est la pire ennemie de votre maître.

Et au comte :

— Vous me promettez de me dire vos confidences si Vénus survient dans votre vie ?... Venez donc fair un tour ; il faut prendre le soleil. Le soleil, c'est

la santé et la chance. Savez-vous pourquoi le
catholicisme n'a pas triomphé? Parce que nous
avons une robe noire, un vêtement qui absorbe
la chaleur au lieu de la rayonner, ce qui correspond à cette tristesse chronique du culte, de
la discipline, de l'ascétique. « *Hommes noirs, d'où
sortez-vous ?* » Nous avons tort d'être noirs, d'être
tristes comme la vie.

Et le prêtre astrologue et le comte Ugolino sortirent ensemble.

VII

AU SOLEIL DE PROVINCE

> Il y a un soulagement tel à parler de soi, que qui vous
> écoute vous rend service.

C'était l'habitude de l'abbé Pignatelli, lorsque le soleil poudroyait sur les dalles pisanes, de venir chercher le comte Ugolino pour une promenade.

De secrètes affinités existaient entre ces deux hommes anachroniques, tenant si fort au passé, l'un par ses études et l'autre par la religion de sa race.

Le comte ne croyait pas à la science du prêtre, mais le prêtre comprenait la passion du noble et respectait en lui les pages les plus belles de sa propre patrie.

— *Credo*, disait le vicaire, *credo sed non intelligo*. Je crois à tout ce qu'on m'a enseigné ; je ne comprends rien au train dont va le monde. On a exterminé et surtout fricassé de pauvres gens qui croyaient à un double principe : c'étaient de simples positivistes ; l'expérience de la vie sublunaire, que nous montre-t-elle ? Partout le règne du mal ! La Providence, comment la concevez-vous ?

Il s'arrêta, comme il faisait aux questions graves, et n'importe où :

— Prenez garde, dit Ugolino, en le tirant de côté.

Une voiture venait sur eux, qui les frôla ; le comte aperçut une jeune femme blonde, une étrangère sans doute, et il s'immobilisa à suivre des yeux le véhicule ; sous la lumière vive, la nuque de la femme avait jeté au passage des reflets dorés.

— Allons vers le Dôme, voulez-vous, abbato ?

— Allons ! fit l'autre, qui sans lunettes à ce moment n'avait ni vu la passante ni remarqué l'émotion du comte. Celui-ci espérait revoir la fugace apparition dans ce coin de la ville où les quatre monuments s'isolent comme pour se tenir hautaine compagnie et fuir la vanité des temps nouveaux.

— Dans vos remarques de physionomiste, que trouvez-vous sur les femmes blondes ?

— Elles sont plus faibles, plus douces, plus malléables et moins fidèles, moins vibrantes, moins personnelles ; elles sont plus femmes en bien et en mal ; il ne faut pas les juger aux cheveux : le teint, voilà la véritable signature Il devrait exister un consultateur des mariages : on lui présenterait les fiancés pour qu'il dise si ce sont éléments de bonne combinaison.

— Les intéressés corrompraient son diagnostic...

— Eh ! on peut tout corrompre, même le juge, même le prêtre. Dans n'importe quelle fonction, il y a l'homme, c'est-à-dire un arbre vivant du bien et du mal...

— Malgré votre prédiction, je n'espère pas rencontrer une femme que je puisse aimer et qui m'aime ; pauvre et triste, je n'inspirerai aucun sentiment.

— Erreur, comte, erreur. Il y a une espèce qui n'aime que les gens accablés, de votre sorte, et qui voit en eux une œuvre sublime à accomplir. L'office de la femme est consolatif encore plus que voluptueux, voire curatif pour les états de l'âme. Avec quelle facilité la fille de mauvaise vie se transforme-t-elle en sœur de charité au chevet de l'amant malade ! La femme du monde baignée de luxe, de paresse, entourée des cérémonies de la vanité, quitte soudain sa vie de chatte, et se dévoue et s'enivre de dévouement... Les saintes femmes croyaient plus que les apôtres à la divinité du Christ : la femme, qui peut souffrir plus que l'homme, disent les physiologistes, subit l'attrait de la douleur : une grande infortune, une absolue détresse deviennent des séductions pour certaines natures.

— Ces natures sont divines.

— Oui, puisqu'elles sont chrétiennes et que le christianisme seul révèle le mystère de la vie.

— Seul, dites-vous ?

— Seul, il le révèle complètement, par le gibet de Golgotha ! Renan, qui était un esprit très rusé, n'a-t-il pas dit que les autorités constituées ne se laveraient jamais de la condamnation de Jésus ? Et c'est vrai. Un Socrate refuse de fuir pour obéir aux lois ; vous ne retrouverez plus rien de semblable dans notre ère. Nous ne croyons plus à la loi puisqu'elle a frappé notre Dieu : de là, cet esprit de révolte spirituelle qui agite l'histoire moderne, et le fond anarchique de nos idées. Dites à la femme la plus écervelée : « L'être le plus noble que j'ai connu crevait dans un coin. » Elle ne fera aucune objection d'étonnement, l'être noble n'a pas de place dans ce monde ! Et nous, avec nos expressions, le monde, le siècle, nous avons achevé de dresser un autel à la misère, à l'isolement, en un mot, à l'exception. Tout cela en revient à vous démontrer que vous êtes bien propre à inspirer l'amour, car vous êtes exceptionnel.

— La misère ne constitue pas un prestige.

— La misère de n'importe qui, non. Mais la misère d'un Gherardesca ! Il y a une telle antithèse entre le capitaine de Pise et vous, qu'aucune imagination n'y résisterait.

— Mon bon abbé, Gherardesca n'est pas un nom
connu, hors de l'histoire italienne du moyen âge.
Combien peu savent que le sinistre Ugolino portait
ce nom ! Visconti, Médici, Sforza, Malatesta, même
Castruccio, sont dans les mémoires, mais Gherardesca !

— Le cadre recommande le tableau et en indique
la valeur par ses sculptures : or, vous avez un cadre,
votre palais, qui témoigne, non des vertus civiques
de vos ancêtres, mais de votre ancienne splendeur.
Votre palais, vous avez sagement fait de le conserver croulant mais complet. La seule chance
d'être moralement reconnu pour ce que vous êtes
gît dans ces objets du passé, dans ce décor ancestral qui constitue le titre sentimental que vous
présenterez...

— A Vénus ! fit Ugolino avec un triste sourire.

— Ne rien espérer, tout attendre, voilà ma devise.
Espérer fatigue l'imagination ; attendre est plus
aisé. Il n'y a qu'une chose qu'on ne saurait attribuer
à la mauvaise ou la bonne fortune, c'est sa constance : et il y a un être dont on peut tout augurer,
c'est la femme. Seule, elle discerne certains
mérites ; seule, elle intervient dans des destinées
qui ne doivent rien recevoir des hommes. Vous
êtes dans une situation où il n'y a aucun thème ni
pour la chance ni pour l'amélioration ; l'amour, lui,

logera encore chez vous et s'y trouvera bien ; car
l'amour, perturbateur des existences heureuses, est
réformateur des malheureuses. Il apporte d'ordinaire avec lui la contradiction, par un jeu si
mystérieux...

Le comte l'interrompit :

— Au nom d'une science vraie ou fausse, vous
dites : « Mystère ! » là où l'inconscience dit « hasard » et la foi « providence ». Ces trois noms dési-
gnent la même force et cependant n'ont pas le même
sens...

— La nature forme des êtres par paires ; il y a
quelque part une idéale comtesse de la Gherardesca
qui ne sait où vous êtes.

Ugolino haussa les épaules.

— Et que les mauvais génies détournent de mon
chemin. Conte que cela, conte pour la veillée des
campagnes !

— Les contes donnent l'image vive et colorée,
l'image esthétique des lois du monde.

— Si je meurs dans mon palais, si vous échouez
au vicariat de San-Spirito, c'est en exécution d'une
loi occulte ?

— Oui. Tout ce qui se produit en nous, autour de
nous est légal, normal.

— Et si Vénus vient frapper à ma porte, ce sera
en exécution d'une normalité...

— Parfaitement.

Sur la place du Dôme, des gamins jouaient à la marelle, un vieux prêtre courbé lisait son bréviaire, des touristes, la jumelle en bandoulière, le cartonnage voyant d'un guide à la main, regardaient, minuscules et falots, au pied des monuments.

— Et dire que c'est cette espèce — le comte montra les passants — qui a fait ces merveilles !

— L'homme est un dieu et une bête, un dieu quand il crée, une bête le reste du temps : mais une pauvre bête travaillée par des influences si contradictoires ! La lutte de Jacob avec l'ange, c'est l'état permanent de notre âme ; seulement Jacob est toujours vaincu !...

Puis, brusquement, l'abbé sauta à une chose oubliée et subitement revenue à son esprit.

— Il y a trois jours, la veille de mon départ pour Lucques, il m'est arrivé une aventure ici même. Je lisais mon bréviaire lorsqu'une dame française, très belle, très distinguée, m'aborde et me demande de lui expliquer les légendes du Campo Santo, en m'offrant un secours pour mes pauvres. Je crois qu'à l'inspection de ma soutane, elle a pensé que j'étais mon premier pauvre.

— Vous voilà cicérone ?

— Ah ! que vous auriez pris ma place avec enthousiasme, raison et justice ! Car cette femme, sous l'influence du soleil, naturellement blonde, la peau comme dorée et très claire, réalisait votre type complémentaire. Celle-là pouvait vous aimer, comte Ugolino.

— Nulle de celles que j'aimerais ne peut m'aimer. Pourquoi sans cesse évoquer l'amour devant un être qui en est séparé plus rigoureusement qu'un prisonnier de la lumière! Mon ancêtre, lorsque l'archevêque jeta dans l'Arno la clé de la Tour, était condamné à mourir de faim. Le palais de la Solitude fait pendant à la Tour de la Faim. Je vis avec la vermine qui ronge, avec l'humidité qui pourrit, avec la lézarde qui disjoint. Ma jeunesse s'émiette et poudroie, comme mes vieux meubles aux pieds vermoulus, aux cuirs éventrés. L'autre jour, je touchais un délicieux Amour qui bande son arc dans la niche d'un bahut, et une poudre brune remplit ma main, tel le son d'une poupée. La statuette conserve sa forme, mais elle est vidée comme moi.

— Mon cher comte, chacun console avec ses moyens. Vous me savez de bonne foi. Comme je vous ai prédit que vous pouviez devenir fou, je vous dis que Vénus se trouve dans votre horoscope. Je ne vous flatte point, je vous donne le résultat d'une science que vous ignorez, que vous niez, que je sais et à laquelle je crois. Or, je vous le répète, cette

femme, une Française qui voyageait seule, correspondait à votre tempérament, à ce point que si je
n'avais craint votre refus, et si je n'étais pas parti
le soir même, vous m'auriez vu disant : « J'ai aperçu
au Campo Santo une comtesse Gherardesca. » Une
autre circonstance m'arrêtait. Elle était à Pise depuis la veille et on ne reste pas plus de deux jours
en notre ville. Que signifiait de vous signaler une
passante que vous n'aviez d'autre occasion de rencontrer que sur cette place et qui prenait peut-être
le train le lendemain? Oh! j'aurais fait le Pandarus:
car j'étais intéressé. Oui, il y avait chez cet être une
faculté d'assimilation stupéfiante et une grâce... des
choses profondes dites simplement et une défense
contre ma curiosité. Ah! l'habile commère! Quand
les Françaises sont intelligentes, elles le sont prodigieusement. Par instants, je ne cachais plus mon
étonnement.

— Vous devez avoir du penchant pour le bleu
aux jambes des dames.

— Oh ! Oh ! nous possédons cet article en Italie.
La dame disait d'elle-même : « Je suis ignorante
comme une carpe, mais comme une carpe vibrante. »
Non, je ne me laisserais pas prendre à un pédan-
tisme. Elle n'a lu que des romans, celle-là, et certainement n'a pas emporté un Joanne dans sa valise.
C'était une pure impressive. Les fresques la fai-

saient penser comme le soleil fait chanter les
cigales. Très curieux phénomène, très séduisant.
Une telle personne doit donner beaucoup de
plaisir et du plus pur. L'Italienne, exubérante en
sa joie, s'assombrit dès qu'elle devient attentive;
et, passionnée, elle tourne au tragique : *comediante,
tragediante !* La Française montre un peu du génie
de Racine, elle ne sacrifie pas la grâce au sentiment.
Si fort que batte son cœur, elle discipline son ex-
pansion ; elle sait qu'en cessant de plaire elle perd
ses chances, et dans le désespoir même, elle s'agen-
cera à rester jolie. Merveilleuse femme que celle-là,
où il ne reste presque plus rien de la femelle,
tellement la civilisation l'a transfigurée. Sans doute,
elle est très loin de la nature, mais les sots seulement
proclament l'excellence de la nature naturante
qui nous donne l'églantine, tandis que l'homme a
fait la rose. Nos fruits n'existent pas à l'état
sauvage, l'homme les a corrigés et accomplis.
La société ressemble à un jardin. Quelles abjectes,
puantes et détestables choses, on met au pied du
pêcher ou de l'oranger ! Elles se transforment en
saveur délicieuse et en pulpe éclatante : ainsi de
l'être humain. Voyez l'individu élémentaire, la
Sérafina : prend-elle la peine de colorer son envie
démente ? A-t-elle jamais songé à vous flatter, au
moins, par un dévouement de serve ? Non, elle

possède un peu d'or et elle veut acheter votre nom.
Inlassable, elle offrira ce marché. Elle commettrait
un crime pour réaliser son dessein, et risquerait sa
tête, mais il lui est impossible de prendre une attitude touchante et de couvrir son calcul d'aucune
bienséance. M. Sichem, pour qui vous représentez
des millions, n'a pas su envelopper sa brocante de
courtoisie.

— Il m'a anathématisé quand je lui ai dit que je
finirais comme Sardanapale, dans un incendie qui
consumerait mes richesses.

— Un tel homme ne menace jamais par conges-
tion cérébrale, par un éclat d'humeur. Ah !... vous
avez deux ennemis.

— J'ai banni la Sérafina comme le Sichem.

— Parce que vous ne les verrez plus, croyez-vous
qu'ils cesseront de rôder, comme des corbeaux autour d'un animal blessé ?

— Eh bien ! l'abbé, je les regretterai peut-être, à
certains jours, tellement la solitude pèse, tellement on se désole d'être étranger à tous, et de
vivre au milieu de la totale indifférence des êtres.
Oui, on préfère un visage ennemi que pas de
visage, et la parole de la perfidie plutôt que le
silence.

— Dans votre situation il faudrait une étude, un
travail. Écrivez l'histoire de votre maison.

— Dites à Laurent d'augmenter le feu sous son
gril. Si je voulais enrager à mourir ou à perdre la
raison, je ne ferais pas autre chose. Me plonger
dans mon passé de gloire, de vertu et d'honneur,
ma raison s'y engloutirait. Si je pouvais oublier qui
je suis, je ne serais plus malheureux, je ne serais
que pauvre. Mon nom m'écrase, mes souvenirs
m'affolent : j'ai vu mon père exproprié de sa dernière ferme ; ma mère mourir dans le palais de Pise,
sans feu en hiver, avec la bise sifflant aux portes
mal jointes et répétant sans fin : « Mon enfant, j'ai
froid ! Oh ! comme j'ai froid ! » Si je pouvais oublier
mon nom, je serais employé à la mairie de Pise, je
vivrais grassement avec douze cents lires. Mais je
suis toujours le podestat de Pise, et le podestat de
Pise ne peut pas être employé à la mairie de Pise !
Il y a un an, on vint m'offrir deux mille livres par
an pour figurer au conseil d'administration de je
ne sais quelle assurance de Livourne. Pouvais-je
vendre mon nom comme enseigne d'une spéculation, fût-elle honnête ? Changez mon état
civil, appelez-moi Pantaleone ou Arlequino, et
je ferai docilement le plus humble ouvrage ; mais
Ugolino de la Gherardesca doit mourir immaculé.
Oh ! vous me direz qu'ainsi je n'ajoute rien à
notre histoire. Je le sais. Les dictionnaires, après
avoir honoré Rénier, capitaine du peuple à onze ans,

mort de la peste en 1348, ajoutent : « La famille
Gherardesca, affaiblie à cette époque par le grand
nombre d'hommes que le fléau lui avait enlevés, se
retira dans ses fiefs des Maremmes et ne prit dès
lors que peu de part au gouvernement de Pise. »
Depuis 1348, ma race décroît et agonise, ou plutôt
elle a péri avec Rénier, l'immortel enfant, cet ange
de la liberté pisane. Depuis 1348, les Gherardesca
ont orné le palais, c'est leur acte visible. Ce palais
est mon Campo Santo, à moi revenant lamentable
qui fait rire et non trembler. Vous me parliez
d'amour et d'une Parisienne. Regardez-moi donc,
long et maigre dans ces habits trop courts ; je ne
trouve pas ma mesure au rayon des confections
et vous ne la trouverez pas non plus au magasin des
cercueils, il faudra commander une bière ; j'en ai
les planches coupées dans le dernier chêne de ma
dernière motte de terre, il n'y aura plus qu'à les
équarrir et à les visser.

— Puisque vous remuez déjà votre propre cendre, une question ? Que deviendra le palais, quand
vous mourrez ? La ville vous a offert de le conserver à ses frais.

— A condition que j'en sorte de mon vivant...
pour une mince rente. Eût-elle été considérable, je
suis une pauvre tortue qui traîne sa maison trop
lourde, mais qui meurt si elle en sort. Nos peines,

mon cher abbé, font corps avec nous ; en arrachant
le javelot que la destinée vous a planté dans la poitrine, dès le berceau, on meurt de la plaie béante
par où tout le sang jaillit. Le malheur et moi, nous
sommes nés le même jour et, jumeaux de la destinée, nous finirons ensemble. Pour me servir de
vos expressions : dominés par les mêmes planètes,
au même degré, nous sommes solidaires.

A ce moment, un couple élégant passa ; l'homme
surtout se remarquait à sa tenue correcte et soignée. Cette vue attrista encore davantage le
comte.

— Voilà un quidam aussi élevé de stature que
moi, aussi maigre, sans rien de caricatural. Il est
habillé sur mesure et par un bon tailleur. Certes, je
dédaigne profondément le souci de la toilette, je
n'aurais pas été dandy étant riche ; cependant, on a
le droit de désirer d'être vêtu et non costumé en
meurt-de-faim. J'évite de passer devant une école, à
la sortie des enfants ; ils me raillent sur mon pantalon qui ne joint pas mon soulier, sur ma manche qui
laisse sortir mon poignet, sur mon veston qui ne descend pas assez. Le podestat de Pise fuit devant les
gamins de Pise. Et vous me parliez tout à l'heure
d'une dame élégante, d'une Parisienne qui aurait
pu faire attention à moi, comme si je pouvais mettre mon âme par-dessus mes habits. Miséreux et

pittoresque, en haillons fantaisistes, en rapin, voire
en Robert Macaire, on peut encore plaire, mais en
complet trop court, on doit vivre à l'écart.

L'abbé Pignatelli plaignait Ugolino et lui prêtait
une oreille patiente, quand la plainte, longtemps
contenue, s'exhalait. Puis, au lieu de banalités, il
tâchait de déplacer la causerie.

— Vous ne savez pas à qui attribuer la madone
de votre chambre à coucher ? Eh bien ! comme je
suis allé au musée l'autre jour, je puis vous assurer
qu'elle est d'Andréa di Firenze.

— Qu'alliez-vous faire au musée ? Vous auriez dû
venir me prendre.

— J'ai conduit cette dame dont je vous parlais ; à
la sortie du Campo Santo, j'aurais bien voulu vous
l'amener.

— L'amener chez moi ! Pourquoi ?

— Pour vous distraire et pour lui faire voir vos
belles choses.

— Suis-je en état de recevoir une femme élégante ? Elle me prendrait pour... Pour quoi me
prendrait-elle ?

— Comte, dans votre cadre, c'est-à-dire dans
votre palais, vous n'êtes plus le même que sur le
pavé ; entouré de merveilles, vous cessez d'être
pitoyable : vous passez pour un maniaque, ce qui
vaut mieux.

— Étrange destinée où il vaut mieux paraître
insensé que d'avouer sa détresse !

— Il ne faut jamais avouer ni ses fautes, ni sa
détresse : c'est le premier commandement pratique
du monde. Celui qui peut faire acte de bizarrerie
cache sa misère. Il est sage de n'y pas manquer.
On craint la contagion de la malchance autant que
la peste. Déclarez-vous toujours l'auteur de vos
maux ; qu'ils soient volontaires. Si vous accusez la
destinée, vous vous avouez lépreux ; les dieux sont
contre vous, et quel homme prendra parti contre
les dieux ? Si Jésus n'avait pas voulu sa mort, elle
eût été stérile : son supplice fut l'accomplissement
de son Verbe. Permettez donc à l'amitié de se faire
conseillère et de vous dire : Comte Ugolino, si un
jour vous êtes en présence d'un être que vous voulez
toucher, ne lui dites pas : « Voyez l'état où Jupiter
m'a réduit. » Soyez un malheureux volontaire, un
singulier personnage, un fol ; et vous intéres-
serez.

— Cette leçon, je n'aurai pas l'occasion de la
suivre.

— Il arrive toujours quelque chose de mal dans
la prospérité, de bien dans le sort senestre : c'est
une loi d'interséquence.

— Je ne vous ai pas demandé si votre sermon
avait obtenu des suffrages, à Lucques.

— Oui, beaucoup plus que d'habitude, grâce à la dame du Campo Santo.

— Encore cette femme ! Elle vous hante.

— Elle m'a fait des réflexions si justes sur les acteurs italiens qui multiplient trop les jeux de physionomie, qui grimacent et crient, que je les ai mises à profit : j'ai été plus sobre de gestes, plus ménager des éclats de voix, et j'ai été félicité.

— A votre coup d'œil d'observateur, qu'était cette femme ?

— Elle a défié mon coup d'œil. Je la crois honnête. A quel monde appartient-elle ? Question. Elle est bien distinguée pour une bourgeoise, bien profonde de pensée pour une mondaine !

— Veuve ou mariée ?

— Seule.

— Vous n'avez rien appris sur elle entre le Campo Santo et le musée !

— Rien, littéralement rien. Elle a vu ma curiosité et lui a opposé le silence pur et simple.

— Une femme supérieure enfin.

— Ainsi je la juge, puisqu'elle m'a dit ou à peu près : « Je sais que je suis intelligente, aujourd'hui. » Parole notable, la pensée étant intermittente dans le sexe.

— Et vous avez eu sérieusement la pensée de me l'amener ?

— Je l'ai eue, certes, mais elle se méfiait de moi comme Italien, comme soutane élimée...

— Elle doit être partie.

— Depuis quatre jours ? Sans aucun doute.

Ugolino regardait l'herbe drue qu'il foulait, passant et repassant entre l'abside du Dôme et le Baptistère, comme on se promène en province, pour prendre le soleil.

Le prêtre maintenant se reprochait d'avoir projeté cette image devant l'imagination d'Ugolino. Son but avait été de lui montrer une lueur d'espoir, lueur céleste, clarté des étoiles puisqu'elle venait d'un calcul astrologique ; et, au lieu de réconforter le déshérité, il l'avait poussé à se souvenir de sa détresse.

Combien de fois le comte, en pensant à l'impossible amour, avait vu ses rêves se disperser, à son propre aspect d'homme ridiculement mis ! Les gamins avaient crié ; les touristes, aussi, avaient souri, à le voir si long « comme un jour sans pain » et si las dans ses mouvements.

Les derniers visiteurs sortirent du Campo Santo et du Baptistère ; la place monumentale retomba au silence.

Côte à côte, le prêtre astrologue et le comte misérable, sans se parler davantage, se serrèrent la main ; l'un allait confesser à sa paroisse, l'autre rentrait dans son palais moisi et morne.

Sur la place des Cavaliers, Ugolino rencontra un des syndics de Pise, qui le salua. A la place où s'éleva jadis la Tour de la Faim, une horloge marque les heures. Démolie au xvie siècle, la Maison du Supplice, englobée en partie dans d'autres constructions, ne subsiste plus que dans les sextines de Dante.

Le descendant du condamné n'existait-il pas davantage dans l'ombre de sa vie sans issue ?

Lorsqu'il leva le marteau de bronze à chimère ciselée, il l'écouta retomber avec un frisson. La résonance lui sembla plus funèbre que d'habitude.

Baptista, en ouvrant, s'écria :

— Monseigneur, le portrait de votre père s'est décroché, il a glissé jusqu'au fauteuil sans s'endommager. C'est extraordinaire, le portrait s'est assis comme un portrait peut s'asseoir. Ça doit signifier quelque chose et de bon augure.

Le comte, très nerveux, suivit le vieux domestique et se plaça devant la médiocre peinture représentant un grand vieillard triste, mais moins triste ce jour-là ; du moins cela paraissait ainsi.

Que de gens ont vu les portraits modifier leur expression, qui n'oseraient en témoigner !

Derrière son maître, Baptista recueilli attendait.

Au bout de quelques minutes il n'y tint plus et, à voix basse :

— Moi, Monseigneur, je ne m'y trompe pas ; le comte, votre père, a meilleur air que d'habitude ; et je parie une lire contre un soldi qu'il nous arrivera quelque chose de bien.

VIII

L'ACCIDENT

Une cause n'est pas petite qui a un grand effet ; et
le hasard serait Dieu s'il était l'auteur de tout ce qu'on
lui attribue.

Malgré l'étonnement de l'hôtel, malgré la difficulté de sortir, dès le soir, sans être accostée (et en
langue inconnue ce qui est pire), malgré l'invraisemblance même, Mme Davenant était encore à
Pise au bout de quatre jours. Elle ne s'ennuyait
pas.

A prendre le train et à changer de place, que
verrait-elle ? D'autres dômes, d'autres fresques,
d'autres tableaux. Ceux de Pise lui étaient amis.

Elle ne s'expliquait pas ses motifs de conduite,
depuis qu'elle avait découvert en elle une nouvelle
femme, si supérieure à l'ancienne. Pourquoi allait-
elle au Campo Santo le matin, afin de ne pas rencontrer l'abbé cicérone ? Et pourquoi prenait-elle
maintenant ses repas dans sa chambre ? Pourquoi
se cachait-elle, ne connaissant personne, ne redoutant rien ?

Elle aurait pu raconter le demi-kilomètre de

fresques du Campo Santo, compartiment par compartiment. Aux heures matinales, elle avait visité
San-Caterina où saint Thomas professa, San-Paolo
avec ses colonnes en granit oriental, San-Stéfano
remplie de drapeaux, trophées de l'ordre de Saint-
Étienne.

Rentrée avant midi, elle prenait un bain et dé-
jeunait. Ensuite elle se jetait sur le lit et siestait ou
plutôt rêvait jusqu'au moment de prendre une
voiture et d'aller boire du lait à San-Rossore, ou
sur la route de Livourne.

Elle s'étonnait de demeurer en cette ville dont
elle avait épuisé le rayonnement et qui lui avait
révélé la volupté des chefs-d'œuvre. La chapelle
Médicis, la Tour du Bargello, le couvent de San-
Marco, la place de la Seigneurie et les Offices et le
Pitti l'attendaient, à deux heures de distance. Un
alanguissement inexplicable la retenait. Elle n'avait
plus rien à voir, elle était reposée, et elle restait.
Craignait-elle, en sortant du territoire de la vieille
république, de perdre le don de subtilité qu'elle y
avait reçu ?

Le quatrième jour, elle s'inquiéta de se sentir
mystérieusement retenue contre toute raison,
boucla ses malles et ordonna de les mener à la gare.
Quand elle eut le bulletin, elle prit son sac à main
et monta dans une voiture de place. Une grande

heure lui restait ; elle voulut revoir les murs du
Campo Santo, les murs du Dôme ; elle s'attarda à
cette contemplation, avec une mélancolie indéfinissable. Une demie qui tinta la rendit à la réalité :
manquer ce train c'était rester encore, pour n'arriver qu'à minuit à Florence. Elle pressa le cocher,
promettant un fort pourboire s'il arrivait à temps.
A cette invite, l'homme enleva d'un violent coup de
fouet son cheval surpris, qui galopa à travers les
rues dallées, faisant arrêter les rares passants, éton-
nés de cette allure plus extraordinaire à Pise qu'ailleurs.

Au tournant des rues, la roue raclait la borne, en
grinçant.

La montre à la main et fiévreuse d'arriver trop
tard, Simone harcelait le cocher de ses objurga-
tions. Soudain elle jeta un cri ; la roue gauche
se détachait et la jeune femme, se dressant
apeurée, tomba de la voiture que le cheval traîna
quelques pas encore. Le cocher sauta du siège et
saisit le marteau de la première porte aperçue :
car Mme Davenant gisait, inanimée, le long du
mur.

En attendant qu'on ouvrît, il s'approcha ; elle ne
paraissait pas blessée. Un ouvrier parut dont il demanda l'aide, et quand la porte de la maison s'ouvrit, les deux hommes avaient déjà soulevé Simone

et passèrent le seuil, sans prendre le temps d'un mot à Baptista stupéfait.

Car c'était au palais des Gherardesca que le *veturino* affolé avait frappé, par hasard ou fatalité.

— Où la mettre ? dit le cocher.

Baptista, étourdi de l'aventure, les précéda dans la chambre d'Ugolino ; on déposa Simone toujours évanouie sur le vieux lit ; les deux hommes descendirent précipitamment, avec le même instinct de fuir les enquêtes de police, et refermèrent la porte hâtivement.

Baptista se trouva seul, en face de cette femme étendue. Un nouveau frappement le ramena à l'escalier ; sur le seuil de la rue, le cocher lui tendit le sac à main et courut vers sa voiture où l'ouvrier s'essayait à remettre la roue. Cette aventure imprévue dans une ville aussi morte et surtout dans cette solitaire demeure ahurissait Baptista, moins empressé de prévenir son maître que de se demander s'il n'aurait pas dû s'opposer à cette entrée intempestive d'une femme en syncope. Il n'y avait au palais ni cordial, ni serviettes présentables, ni surtout l'argent nécessaire à n'importe quel achat, fût-ce pour un repas, fût-ce pour un pansement. Pendant qu'il se posait ces questions, Ugolino, au bruit des pas multipliés dans sa chambre, était descendu du second étage où il emménageait les

meubles vermoulus et les objets malades. Au seuil
de la vaste pièce, béant de surprise, sans voix, sans
pouls, toute sa vie se concentra en ses yeux démesurément ouverts et indescriptiblement angoissés.

« Suis-je fou ? » fut la première idée qui se détacha des autres, confuses et grouillantes. Était-ce
une hallucination ou une réalité ? Il oublia le
piétinement qui l'avait attiré, et cette femme lui
parut apportée comme par enchantement.

Le chapeau tombé dans la montée de l'escalier,
la chevelure blonde se répandait d'un côté sur
l'épaule, exaltant de son or chaud la pâleur du
visage. Simone évanouie rayonnait de cette beauté
des mortes où les traits spiritualisés semblent à
peine retenir l'âme, tant elle transparaît à fleur de
peau. Un bras pendait comme une liane brisée, et
la main, gantée de suède gris, touchait le tapis usé.

Ugolino approcha lentement, comme s'il eût
craint de l'éveiller ou plutôt de la voir disparaître.

Elle était belle ; elle lui sembla sublime ; et il la
contemplait émerveillé, craintif et si vivement extasié qu'il ne songeait qu'à son émotion.

— Eh ! Monseigneur, il faut la secourir ! murmura Baptista qui s'impatientait, le petit sac à la
main.

Le comte répéta :

— La secourir !

— Eh ! oui, Monseigneur, il faut la dégrafer, la coucher, la réchauffer et vite. Elle est tombée de voiture, elle est peut-être blessée !

— Blessée ! s'exclama Ugolino tout à coup venu à la réalité.

Et déjà il touchait au corsage de Simone, lorsqu'il arrêta son geste :

— Me le pardonnerait-elle ensuite ?

Baptista haussa les épaules.

— Elle vous pardonnera bien moins de la laisser mourir !

Une idée vint au comte.

— Va chez les Sœurs de Saint-Joseph. Cours ! Ramène celle qui saura le français : dis que je donnerai un tableau au couvent. Va, va vite !

Le vieux serviteur se précipita vers la porte.

— Donner un tableau, *per Baccho !*... Monseigneur est changé... Il ne l'aurait pas dit pour la reine de Saba.

Ugolino, avec un tremblement, ôta les épingles restées dans les cheveux, tira doucement les gants, défit le col, mais n'osa pas davantage.

Extasié, il ne pensa que tardivement à lui mouiller les tempes. Il se sentait inutile, impuissant, sans expérience, sans instinct. Absurdement, il pensait à ranger la chambre, pour qu'elle lui sourît à son réveil. Une crainte égoïste,une crainte affolée

de déplaire, l'immobilisa en face de l'évanouie.
Dominant tout, la peur de blesser une pudeur qu'il
estimait extrême, et de l'expier, le rendait inapte au
moindre secours. Les minutes passèrent ; un souffle
sortit des lèvres de Simone, puis elle gémit, murmurant d'une voix d'enfant :

— Mon pied, mon pied me fait mal !

Il lui ôta ses souliers, elle gémit plus vivement ;
il aperçut alors une entorse au pied gauche : il en
déduisit qu'elle n'était pas vraiment blessée, mais
condamnée à rester chez lui pendant une semaine ou
deux. Il joignit les mains et ses yeux se levèrent pour
la seule action de grâces qu'il eût rendue dans sa vie.

La religieuse parut au moment où l'étrangère se
ranimait.

— Ne prononcez pas mon nom à la malade ! souffla le comte en disparaissant.

Sœur Saint-Augustin était une de ces admirables
filles qui font le bien en chantant, sourient aux
plaies et bercent les malheureux comme des enfants. Laide, si la bonté jaillissante des yeux permet la laideur ; âgée, s'il y a un âge sous la cornette
qui unifie les filles de Dieu, elle s'empressa, tandis
que Baptista disait derrière la porte :

— Je suis là pour attendre les ordres.

— Des draps propres, une taie d'oreiller d'abord,
commanda la religieuse.

Baptista courait, gesticulant et grommelant.

— Elle demande ça simplement, une taie d'oreiller ! Elles sont toutes déchirées !

— Où suis-je ? faisait Simone, en gémissant.

— Dans la maison où on vous a portée, évanouie.

— Quelle maison ?

— La plus proche de l'endroit de votre accident.

— Ce n'est pas l'hôtel Nettuno, ici ? C'est poussiéreux... et riche. Oh ! que je souffre !...

— Vous avez une entorse... Je vais vous déshabiller, vous coucher, et on enverra chercher le médecin.

— C'est vous qui me soignerez ?

— C'est moi. Regardez ma vieille figure, elle inspire confiance !

Simone la regarda, et fit :

— Oui, ma Sœur.

Elle eut une défaillance.

Les meubles magnifiques en chêne sculpté n'offraient pas une place où mettre une blessée. Sœur Saint-Augustin dut l'installer sur un savonarole bas, pour que Baptista pût faire le lit.

Le vieux serviteur, toujours manches retroussées, avait un air grossier qui étonna Simone.

— Enfin, où suis-je ? demanda-t-elle en geignant.

— Chez le signor Raniero qui est absent ; son domestique a ouvert la porte aux coups de marteau du cocher, et ne sachant que faire il est venu me chercher.

— Mais si le signor Raniero revient ? Je suis une femme, et blessée, dans un pays qui n'est pas le mien. Je peux tout craindre.

— Je ne vous quitterai pas, Madame, que vous ne l'ayez permis.

— Jurez-le-moi sur la croix que vous portez au cou.

La religieuse gravement mit la main sur son crucifix.

— Je vous le jure sur mon salut, Madame.

Baptista se retourna :

— Què Madame me regarde : je ne suis pas beau, mais bon serviteur ; s'il arrive quelque chose à Madame, dans le palais, je veux bien être damné.

Sœur Saint-Augustin traduisit à la malade cette protestation tandis qu'elle le regardait.

— Bien, mon ami, je vous récompenserai.

Il se répétait en fermant la porte : « Mio amico, mio amico ! » Et déjà il était conquis, et butant contre son maître, il lui dit, tout allègre :

— Monseigneur, elle m'a dit : « Mio amico ! »

Et sur la gentille donna il ne tarit plus en *issima...*

Ugolino l'écoutait avec ravissement, opinant des yeux. Brusquement le serviteur devint grave.

— Une entorse n'empêche pas de manger... Il y a deux œufs au poulailler, mais pas de pain frais, pas de beurre, pas de lumière pour la nuit.

— Il faut pourtant, il faut tout cela ! gémit le comte.

— La bonne Sœur va dire exactement ce qui est nécessaire. Si Monseigneur voulait frotter un peu un des plats ronds, ceux qui ont des bêtes autour, pendant que je vais chez le médecin. Et puis, je prendrai un tout petit fiasco de septante centesimi d'orvieto, et si Monseigneur voulait prêter sa coupe, et puis tout ce qu'il y a de beau ; Monseigneur n'aura jamais meilleure occasion.

— Baptista ! appela la religieuse.

Il entr'ouvrit la porte, juste ce qu'il fallait pour bien entendre.

— Des œufs, du pain, seulement, ce soir, et le médecin. Allez chez Spavento, vous le trouverez sûrement. Dites-lui que c'est Sœur Saint-Augustin qui le demande.

Ugolino, arraché à son état où la torpeur et le ravissement se mêlaient pour l'accabler, descendit à la salle à manger et réfléchit à tout ce qu'il devait faire transporter dans la chambre de l'inconnue. Il réunit sur la vaste table une salière représentant Amphitrite et deux dauphins, des flambeaux de bronze où couraient les amours et les panthères

d'une bacchanale. A la clarté vacillante de la chandelle, cet argent et ce bronze s'animaient et jetaient
un reflet de richesse. On eût dit une vitrine de
musée vidée pour le nettoyage. Il voulait prodiguer
ce qu'il possédait et ainsi rassurer cette inconnue.
Une vague crainte pouvait lui faire quitter le palais,
dès le lendemain. Baptista rentra avec le docteur
Spavento. Ugolino était si troublé, si incertain de
ce qu'il devait dire, si anxieux de compromettre le
court bonheur survenu, qu'il attendit le départ du
médecin.

— Ce n'est qu'une entorse, lui cria Baptista ;
il faut de l'immobilité pendant quelques jours.

Et apercevant l'amas d'argenterie :

— Mais, Monseigneur, en combien de fois est-ce
que je monterai ça ? Il y en a cent kilos.

— Tu as des bougies, tu vas les faire tenir dans
les flambeaux ; tu traîneras la table en marqueterie
près du lit et tu y placeras les drageoirs. Puis tu
mettras sur le grand plat d'argent la coupe, les
plats ciselés, les burettes de vermeil, la salière, la
poivrière : et tu serviras les œufs dans le vieux
calice aux émaux. Ensuite tu viendras chercher le
reste.

Simone, qui avait souffert au massage du médecin,
ne prit pas garde au va-et-vient de Baptista. Elle
gémissait doucement, le dos tourné à la table.

Lorsqu'elle se retourna à l'invitation de la Sœur qui lui présentait à boire, elle fut éblouie et se passa les mains sur les yeux.

— Qu'est-ce que tout cela ? demanda-t-elle, une table des *Mille et une Nuits ?*

Sœur Saint-Augustin était Pisane et tenait un Gherardesca pour un homme qu'on sert à l'occasion, sans songer à scruter sa pensée.

— Vous avez promis à Baptista de le récompenser, Madame, et le brave n'a trouvé rien de mieux que de vous servir aussi bien que possible.

— Ma Sœur, si tout cela est authentique, cela vaut une fortune. Le signor Raniero ne serait peut-être pas content de voir de pareils objets à l'usage d'une inconnue.

Elle prit la coupe que lui tendait la Sœur, et regarda les lutteurs qui en formaient le pied.

— C'est un péché que de boire dans une pareille merveille. Le signor Raniero est donc bien riche... Ces chefs-d'œuvre ne vont pas avec le manque de soin qui s'accuse partout ; il y a des tableaux qui semblent fort beaux et où pendent des toiles d'araignées.

— Le seigneur Raniero est un original qui laisse tout à faire à ce vieux domestique.

— Je suis inquiète du zèle de ce serviteur, il sera blâmé ; remuer tant de choses précieuses !

— Mon Dieu, Madame, il a vaguement compris que vous aviez de la méfiance, et c'est tout ce qu'il a trouvé pour vous rassurer.

Elle sourit un peu.

— Je n'ai pas craint le vol, ma Sœur, je crains ce que toute femme jeune doit craindre.

— Je vous comprends, Madame.

— Un calice, à présent ? fit Simone, en voyant entrer Baptista.

— Non, des œufs ! fit-il.

Et il prit par la croix d'or le couvercle ; la fumée de l'eau chaude s'éleva.

— C'est insensé ! s'exclama Simone.

Elle regardait le vieux vase du xive siècle avec ravissement.

— Bello ! fit le domestique.

— Je crois bien que c'est beau, trop beau pour moi : c'est donc un musée, ici !

Mme Davenant mangea les deux œufs, but un peu d'orvieto dans la coupe et s'assoupit, la tête fatiguée de tant d'impressions diverses et confuses. Mais on gratta à la porte et Baptista parut, soufflant et tenant dans ses bras une magnifique madone en bois sculpté, qu'il posa en vue du lit.

— Pour la bénédiction de la nuit, dit-il.

Simone fut touchée. L'art du passé venait à son chevet la réconforter dans cette chambre où les

chefs-d'œuvre se pressaient, littéralement. N'était-
ce pas une volonté de l'Orcagna, et des maîtres
du Campo Santo ? Cela se brouilla bientôt, et elle
s'endormit sous l'œil de la vieille Sœur ; et, sauf
le sac à main posé près du lit, rien ne démentait
la parfaite image d'un intérieur princier de la
Renaissance : une dormeuse et une religieuse
n'ayant pas de date.

Un conciliabule avait lieu dans la salle à manger
où le maître, jubilant et fiévreux, trouvait un écho
dans la gaieté subite et l'empressement du domestique. Ce n'était pas aisé de donner l'hospitalité au
palais Gherardesca. Que mettre dans la vaisselle
plate ? Le linge manquait, point de serviettes
même grossières ou déchirées.

— Que Monseigneur invente une toilette... Le
petit sac à main doit contenir du savon, inutile d'en
acheter. Pour le pot à eau et la cuvette, nous ne
craignons personne, pas même les rois : seulement
la grande glace de Venise a perdu son tain ; la
petite servirait mieux, on y voit encore la moitié
de son nez.

— Oui, disait Ugolino, elle a une entorse, donc
elle ne bouge pas de son lit ; tout se passe dans sa
chambre, on fera encore figure... Baptista, c'est la
mienne qui m'inquiète.

— Monseigneur devrait mettre son vieux costume de chasse ; le dernier qui ait été fait sur mesure.

— Il est déchiré.

— Oui, mais il est à la mesure et il y a les boutons ciselés.

— Car il faut que je me présente devant elle.

— Oui, Monseigneur, quand elle permettra, on dira que vous êtes arrivé, à l'improviste, de la campagne, de la chasse.

— Écoute Baptista, ne parle de la dame à personne, et je n'y suis pas même pour Pignatelli. On jaserait sur cette dame.

— Oh ! fit-il, j'ai l'habitude du silence.

— Cette fois, il s'agit peut-être...

Il s'arrêta.

— Monseigneur n'a pas besoin de parler : le portrait du père de Monseigneur est descendu du mur, il s'est assis : je sais ce que cela veut dire, une visite heureuse...

— Fais tout ce que tu pourras, Baptista.

— Oh ! comme pour la Madone, car elle a dit : « Mio amico. »

— La baignoire de bronze, il faudra la frotter.

Une partie de la nuit, ils travaillèrent pour l'inconnue.

— Que Monseigneur aille dormir.

— Et toi, Baptista ?

— Moi, quand je suis content, je n'ai pas sommeil.

Le comte, avant de monter à la recherche d'un
grabat pour la nuit, quitta ses souliers et vint coller
son œil à la fente de la porte ; il lui sembla voir
une chapelle. Les deux bougies éclairaient mal,
mais elles allumaient partout des reflets de métal.
N'eût-il conservé ses trésors que pour faire un oratoire de cette chambre, où dormait cette radieuse
femme, il s'estimait payé de ses privations. Il était
impossible que l'inconnue ne fût pas frappée d'un
accueil si singulier et dissuadée de juger mondainement. Il redevenait, lui, pour un moment, l'homme
de son passé, le capitaine du peuple, podestat de la
République de Pise, et donnait une hospitalité respectueuse à une dame de haute vertu et d'incomparable beauté. Les circonstances romanesques,
malgré leur simplicité, le charmaient. Un cocher
qu'on presse et une roue qui se détache en heur-
tant une borne, une femme qui s'évanouit en tombant et qui s'alite pour une entorse : quoi de plus
banal ? Mais une femme jeune et belle, venant
tomber précisément devant la porte du palais de la
Solitude, et maintenant couchée dans son propre
lit, c'était bien un miracle de saint Renier.

Les grands événements font dans l'âme comme
la pierre dans l'eau, d'abord un giclement, puis des

cercles de plus en plus excentriques qui, en s'élar-
gissant, se prolongent harmonieusement.

Ugolino,. terrassé par l'événement, songe dans
l'obscurité, car il faut économiser la chandelle,
étendu sur un lit vermoulu qui craque de vétusté
et dont les matelas répandent une odeur fade et
humide. Au cours de sa délicieuse insomnie, il voit
en arrière les mystérieuses prémisses de l'aventure.
C'est bien la dame à la nuque dorée qu'il a vue sur
le Lung Arno, c'est bien la dame du Campo Santo,
dont Pignatelli fut le cicérone. L'astrologue a dit
vrai : Vénus est apparue. Qu'espère-t-il, lui, qu'on
n'a pas encore vu, lui qui tremble de se montrer ?
Déjà heureux, il contraint sa pensée à demeurer
dans le cercle rigoureux du présent : la plus belle
et la plus noble des femmes dort dans son lit. Et
c'est bien, pour lui, la plus belle et la plus noble,
même la seule qui soit au monde : Elle, avec cette
majuscule qui hausse un être au-dessus de l'humanité.

Quel tort de faire jurer à Sœur Saint-Augustin
de la veiller ; sa vertu eût été en même sûreté, avec
lui, au chevet.

Ce doux rêveur, brisé à toutes les articulations
sur le chevalet de la vie adverse, ne demande,
comme dit Musset, qu'une larme et pas même : la
permission d'adorer et de se souvenir ensuite.

Parmi ses pensées, aucune qui soit un doute ou même une interrogation sur la qualité de l'inconnue, venue du ciel comme une hirondelle blessée, vers lui, pauvre cœur agonisant de solitude. Inconsciemment, il estime si grande et belle la pureté de son sentiment qu'il ne suppose pas qu'on le repousse. Depuis qu'il l'a vue, il est à genoux, en esprit. Belle, une femme peut n'être pas vertueuse : il y a de séduisantes créatures qui ne sont point prudes femmes et d'autres fermées à l'idéalisme : il ne s'en souvient pas. Elle, car c'est Elle, s'élève au-dessus du jugement. Le pauvre isolé ne se permet pas de curiosité. Il adore l'inconnue comme le suave mystère de sa mystérieuse destinée. Même si elle disparaissait magiquement comme elle est apparue, il aurait encore vu son rêve ; et un fantôme lui tiendrait mélancoliquement compagnie, à lui, le revenant du XIIIᵉ siècle.

Déjà elle a dormi dans son lit, bu dans sa coupe, promené son regard sur les objets de cette chambre qui ne sera plus si froide. Elle y aura respiré, rêvé, elle se sera reflétée dans les vieilles glaces et laissera derrière elle le parfum de la vie aimable.

Et Ugolino, qui ne priait plus, se signant, magnifie la bonté infinie qui lui envoie ces heures de paradis.

IX

PRÉMISSES SENTIMENTALES

> Bien vaines sont les paroles d'homme à femme, les
> paroles tendres ; mais cette vanité est encore ce qu'il
> y a de plus passionnant pour tout être qui les profère
> ou les écoute.

LE soleil matinal entre par les quatre fenêtres du
levant ; la chambre étincelle des vieux ors réveillés,
des argents fourbis la veille ; les couleurs des panneaux s'avivent, la grande vierge de bois sourit, et
Simone se soulève en une exclamation.

— Mon Dieu, que c'est beau !

En effet, la chambre resplendit tout entière,
même la soie des toiles d'araignées ; même les poussières brillent et s'irisent : tout ressuscite. Pour un
être sensible à la beauté, la minute est émouvante,
la joie des choses remplit l'atmosphère. Tout est
heureux, le bois, le métal, les étoffes ; tout salue
Simone ; elle le sent et s'écrie :

— Ah ! ma Sœur, quel réveil vous m'avez fait !

Baptista survient, apportant du lait et du café,
dans des récipients de musée, oxydés et magnifiques.

— Madame a bien dormi ?

— Comme si j'étais un ange.

— *Chi lo sa ?* dit finement le rustre, qui a compris et qui couve la jeune femme d'un œil de chien fidèle.

Elle est bien rassurée maintenant.

Mais ses étonnements ne sont pas finis et Baptista apporte les ustensiles de toilette. La table est si chargée de belles inutilités, et ce qu'on a accumulé la veille restant là, Simone charmée finit par rire de cette chambre qui se change en Cluny dont on aurait vidé toutes les vitrines.

Elle se sent si bien, en ce palais, qu'elle serait désolée de partir, de retomber malade dans la banale chambre d'hôtel ; elle tire de son sac le bulletin de son bagage et donne un billet de cent francs en même temps.

Le vieux valet refuse l'argent.

— Monseigneur ne permettrait pas !

— Monseigneur ? fait-elle.

— Mio signor, Monsieur Raniero, corrige-t-il.

— J'arrangerai cela avec M. Raniero quand je le verrai ; mais jusque-là, je veux payer ma dépense ou je ne reste pas.

— Quelle dépense ! Deux œufs, deux sous de lait, fait Baptista.

— Eh bien ! alors, ce sera de la bonne main !

Le vieux domestique reste visiblement embarrassé; refuser, c'est obéir à son maître; accepter, c'est aussi le mieux servir : car avec cent lires on pourra bien nourrir la dame. Il porte le billet à ses lèvres et s'incline, un peu vexé. Désormais son zèle ne sera plus du zèle : il est tellement payé ! Il pense au comte, et généreusement il lui sacrifie sa physionomie de vieux serviteur légendaire. Ugolino ignorera tout. Tant de fois déjà, il a mis de l'argent, gagné à faire quelques menuiseries, dans le ménage et accepté quelque chose de Pignatelli et de la Sérafina, sans le dire !

Le comte, à ce moment dans la chambre de son domestique, achève sa toilette. Il a suivi le conseil de Baptista, il a revêtu un très vieux costume de velours à côtes, râpé aux manches, décousu sur le côté, mais qui peut passer, à la rigueur, pour une tenue de chasse très négligée. A sa main, belle et soignée, il met de lourdes bagues ; et puis longuement il se regarde dans la petite glace devant laquelle Baptista se fait la barbe ; il se trouve mieux qu'il ne croyait, tant une vision heureuse se reflète vite sur le visage. Ses grands yeux brillent très doux, rassurants, caressants ; ses lèvres un peu pâles s'ouvrent sur de belles dents. Enfin, avantage inappréciable à cette heure, il parle le français très aisément et sans accent. Maintenant qu'il n'a plus rien à faire pour se mieux arranger, il brûle de passer ce seuil qui n'est plus le sien, mais celui de la dame, unique, ineffable.

La religieuse allait quitter la blessée. lorsque Baptista monta la grande malle et dit :

— Madame, le signor Raniero vient d'arriver, je l'ai trouvé à la gare. Il va venir et attendra la permission de vous saluer.

— Vous lui avez dit ce que vous avez fait ?

— Il m'a beaucoup approuvé.

— Ma Sœur, ayez la bonté de m'aider à tirer quelque chose du bagage pour que je reçoive décemment celui qui me donne une si merveilleuse hospitalité.

Quand elle fut arrangée, elle se trouva jolie et dit à Sœur Saint-Augustin :

— Voulez-vous dire que je suis prête à recevoir et à remercier M. Raniero ?

Puis elle attendit, en promenant son regard sur le prodigieux amas de choses anciennes et précieuses. Malgré la juxtaposition exagérée, l'ensemble ne donnait pas l'impression du bric-à-brac. Visiblement, ces objets avaient tous servi à la même famille, les armoiries en témoignaient ; et il n'y avait pas de disparates, l'un était le fils ou le petit-fils de l'autre, et de pur style italien ; les dates seules les séparaient.

L'homme qui gardait ces trésors dans un palais presque abandonné ne pouvait être que très singulier, un véritable excentrique, peut-être un peu fou. Elle trouva l'attente longue, ne se doutant pas que, depuis le départ de la Sœur, Ugolino se tenait derrière la porte, tremblant comme un homme qui va jouer sa vie, sur une impression féminine.

Baptista frappa et annonça :

— Si la signora permet, voilà Monseigneur.

Ugolino fit un effort et parut ; il inclina sa haute taille profondément. D'un coup d'œil rapide, Simone se rassura. Ce grand diable lui inspira une soudaine confiance. A travers la chambre, elle lui tendit la main d'un geste qui parut spontané.

Baptista avait tiré la porte. Ugolino dut avancer, prendre la main offerte ; il l'effleura avec une timidité qui acheva de mettre la jeune femme à son aise.

— Monsieur, je suis confuse des bontés qu'on a pour moi et que vous avez approuvées, m'a dit votre Baptista. Vous avez là un serviteur comme il n'y en a plus que dans les contes.

— Oui, car, à votre sujet, il a deviné ma pensée et a fait d'instinct ce que je lui aurais ordonné.

— Si quelque chose consolait d'un accident douloureux, ce serait de se réveiller dans un cadre pareil.

— Souffrez-vous, Madame ?

— Un peu... Cela est supportable.

Les regards du comte excitaient au plus haut point sa curiosité : c'étaient des regards si dévots, si chargés de respect et de tendresse qu'elle se dit : « Cet homme m'aimerait à la folie qu'il ne me contemplerait pas autrement ; et il ne peut aimer, comme cela, en coup de foudre ! »

— Vous avez fait un gros chagrin à Baptista, fit-il avec un sourire : il vous a entendue faire jurer à la religieuse de ne pas vous quitter cette nuit ; et le pauvre vieux n'a pas encore digéré ce soupçon.

— Monsieur, je suis seule, étrangère, je m'évanouis dans la rue, je me réveille dans un palais merveilleux, mais singulier, blâmez-vous ma prudence ? Au reste, mon soupçon ne vous touche pas, je ne vous avais pas vu.

Il la regarda de ses yeux sincères.

— Et maintenant, Madame, que vous m'avez vu, vous croyez-vous en sécurité ?

Elle but ce regard comme un rayonnement de soleil, tellement la sincérité s'en imposait, et gravement, avec lenteur, elle lui retendit la main.

— Entièrement, fit-elle.

— Vous venez de payer bien généreusement mon hospitalité, Madame, et pour ce mot, je demeurerai éternellement votre obligé. Le plus haut plaisir d'une âme n'est-il pas d'être reconnue par une âme... telle que la vôtre ?

— Mon âme, vous l'ignorez, elle vous décevrait peut-être.

Il sourit :

— Votre âme est un mystère que je respecte, mais que je sens. Maintenant, Madame, je n'abuserai pas de la circonstance qui me favorise ; je perdrais tout droit à votre gratitude, si, parce que mon palais a l'heur de vous plaire, je vous imposais un peu trop longtemps ma personne.

— Vous avez quelque affaire ?

— Non.

— C'est par discrétion que vous sortez ?

— Sans doute.

— Voulez-vous m'approcher ce savonarole ?

Il s'empressa d'obéir.

— S'il vous plaît de m'obliger tout à fait, vous considérerez qu'il y a deux Baptista ici, pour vous servir.

— Vous vous mettez à mes ordres, Monsieur Raniero. Eh bien ! asseyez-vous.

Elle lui montra le siège.

Si troublé qu'il fût, il était de trop haute race pour éprouver de l'embarras ; il s'assit, comprenant la sympathie exprimée par cette invite.

— Vraiment, Monsieur, les circonstances qui

nous mettent en présence appartiennent plutôt au
conte qu'à la réalité. Figurez-vous que dégoûtée
d'un séjour à Monaco, déçue à Gênes, je trouve
Pise conforme à mon rêve, j'y passe quatre jours :
c'est plus qu'on ne fait d'ordinaire, quand on se
propose de voir l'Italie entière. Enfin, comme il
fallait partir, j'envoie mes bagages à la gare et je
prends une voiture pour revoir encore certains
aspects qui m'ont séduite. J'oublie l'heure et
quand j'y songe, je harcèle le cocher ; il lance
son cheval à travers les rues, accroche, je tombe
évanouie, et me voilà installée chez vous. Si c'est
le hasard, il se joue avec l'invraisemblance. Autre
hypothèse : tout ce qui s'est passé advient, mais
vous restez à la chasse et je guéris et pars sans
vous avoir vu ; que cela est étrange !

— Pour moi, c'eût été une grande perte, non
pour vous.

— Oh ! Baptista a bien du mérite, j'agrée son
service, mais sa compagnie, non.

— La mienne est un peu mélancolique,
Madame.

— Comme toute noblesse ; il n'y a que le vulgaire qui connaisse la joie pleine et paisible. Nous,
en cessant de souffrir personnellement, nous souf-
frons en autrui. Souffrance, c'est le nom de la vie ;
effort, celui de l'art.

— Quel est le nom de l'amour ? demanda-t-il d'une voix profonde.

— Il n'en a pas, il se nomme selon celui qui aime. N'est-ce pas que les Grecs avaient deux Vénus, l'une pour la vraie passion et l'autre pour le désir ?

— Dans la vraie passion, Madame, il y a encore des degrés.

— Il n'y en a qu'un, celui de la personne qui aime : car on aime selon ce qu'on est. L'amour est l'œuvre, le chef-d'œuvre de l'âme, de celle qui s'y livre tout entière et donne son accent suprême : « Dis comment tu aimes, je te dirai qui tu es. »

— Sait-on comment on aimera, avant d'avoir aimé ?

Elle le regarda.

— Vous n'avez jamais aimé ?

— Jamais !

Et il baissa ses paupières.

« Cet homme singulier sera amoureux avant ce soir ! » pensa-t-elle ; et aucun souci ne s'éleva à cette idée.

Elle n'osait questionner par délicatesse cet excentrique qui certainement n'oserait pas mentir ; elle jugea plus sympathique de conduire la conversation, comme si elle avait lieu entre anciennes connaissances. Son humilité la touchait. Qui-

conque vit à l'écart prouve sa fierté ; et cette façon
si respectueuse valait comme le meilleur hommage.

Baptista vint frapper :

— Que mangera Madame ? fit-il.

— Les œufs étaient délicieux ; une côtelette.

— *Con patate.*

Elle sourit.

— Oui, et des fruits.

— *Vino biancho Orvieto.*

— Oui.

Et s'adressant à Ugolino :

— Et vous, Monsieur, vous allez bien me tenir
compagnie ?

— Vous m'excuserez, je suis obligé... fit-il, en
pensant à la dépense.

— Tant pis, dit-elle, je ne puis que le regretter, mais vous dînerez avec moi.

Et à Baptista :

— Ce soir, un plat italien, de ceux qu'aime ton
maître.

Le domestique souriait, saluait, si visiblement
joyeux.

— Il est bien gai, votre Baptista.

— Lui, non pas. Gai, il ne m'eût pas été fidèle ;
il est égayé, c'est bien différent.

— Et qu'est-ce qui l'égaye ?

Le vieux, avant de refermer la porte, dit :

— La Bellezza !

Elle trouva cela charmant, dans son imprévu.

— Si j'étais Pisane et non Parisienne, je viendrais souvent ici, tantôt pour les choses, tantôt pour le seigneur au palais dormant, car vous vivez dans la poussière, Monsieur Raniero. Vous avez tort.

— Que ne puis-je secouer une autre poussière, celle qui s'accumule dans ma pensée !... Parlons de vous... J'admire que vous fassiez si bon cœur contre une telle fortune.

— Sauf mon pied, je ne m'estime pas si infortunée... J'aimerais mieux parcourir votre hôtel... votre palais... que d'être là, clouée, certainement. Toutefois, puisqu'il me fallait tomber, que c'était écrit, je me trouve admirablement tombée.

Il aspirait ardemment de telles paroles et s'efforçait d'en obtenir d'autres, semblablement douces.

— Cependant, Florence, Rome vous hantent : ces cités où les pavés eux-mêmes sont illustrés, ces capitales de l'humanité, vous devez brûler de les connaître.

— Je vous répondrai par un mot latin que je sais mal, fit-elle.

— *Ubi bene, ibi patria*, souffla-t-il.

— C'est cela. Mettez *Italia* au lieu de *patria* et vous aurez l'opinion de toutes les femmes sincères : *Ubi bene, ibi Italia.* Où l'on est bien, c'est là l'Italie. Car, de par les romances et la musique, on n'aime que là : ou quand on aime, on vient là.

— Ne jugez-vous pas, Madame, que notre terre offre de beaux cadres pour la tendresse ?

— Je ne connais que Pise, moi.

— Pisa-la-Morte !

— C'est plutôt la Belle au bois dormant et quelles délices de l'éveiller ! Menez un tramway jusqu'au Campanile, séparez les quatre monuments par des rues et des boutiques, supprimez la solitude et le silence : il n'y aura plus rien pour la sensibilité, et les édifices ne parleront plus qu'aux spécialistes.

— La solitude et le silence conviennent aux pierres, non aux hommes. Le solitaire ne sait plus se manifester quand il voudrait, et, à force de silence, on perd presque la faculté de s'exprimer.

Elle secoua la tête gracieusement.

— Ce qu'on dit ne vaut jamais ce qu'on pense ; ni les paroles n'égalent le regard ; ni le regard ne reflète la subtilité du rayonnement. Je ne sais qui vous êtes, vous ignorez qui je suis, et nous parlons pour la première fois comme nous ferions pour la centième. Pourquoi ? Cela contredit à votre caractère qui est sauvage, à ma conduite toujours circonspecte : plus forte que votre sauvagerie et que ma circonspection, la sympathie supprime les préliminaires, ce que Stendhal appelle la cristallisation ; et je vous parle comme à quelqu'un dont je saurais toute la vie, et vous me répondez de manière à me faire croire que,. quelle que je sois, je vous plais ainsi.

— Oh ! quelle que vous soyez, fit-il, grande dame probablement, grande âme certainement.

— Ici, je vous arrête. Grandeur d'âme est un gros mot. Avoir une âme, cela vous distingue déjà de la masse des êtres. L'avoir grande, on ne le sait qu'à l'épreuve, si la vie impose un effort...

— Cependant, Madame, on a devant une personne, comme devant une chose d'art, telle impression ; elle constitue notre jugement. A me voir, vous avez tout de suite senti la profondeur de mon respect, la réalité de ma courtoisie et que vous pouviez confier votre honneur à mon honneur, comme si ce n'était qu'un seul honneur et qu'il portât le même nom.

Il avait bien dit cela, avec une progression sur le mot honneur où le capitaine du peuple reparut.

— Eh bien ! au charme de vos paroles, à vos gestes, à vos regards, à tout ce qui émane de vous, je découvre les signes de la grandeur d'âme. De quel droit repoussez-vous mon opinion ? Subissez-la.

— Non, elle m'engagerait trop. Vantez la beauté
d'une femme, elle ne se défendra pas, elle sourira
toujours. Cela ne la compromet pas de s'avouer
belle, tandis que ce que vous attribuez à son cœur
la contraint à justifier, par de la magnanimité, un
tel encens. Que ferait la magnanimité ?

— Ce que vous faites, Madame. Elle reconnaît
les siens, elle les traitera comme vous me traitez
et, sans faire davantage, elle opérera beaucoup,
elle réalisera peut-être, sans autre effort que son
naturel rayonnement, le rêve de bien des jours.

Elle comprit la protestation sincère qui se voilait
en ces termes. Ce Raniero ne ressemblait à personne de la réalité ! C'était ce personnage de roman
de chevalerie capable, pour sa dame, d'incroyables
prouesses, accomplies avec une indicible modestie.

Ce respect réel toucha Simone plus que toute
démonstration : elle n'était pas troublée, elle
éprouvait un contentement profond de plaire si
gravement et de découvrir tant de pouvoir à son
sourire. Reconnaissante de la douceur qu'Ugolino
ressentait, elle éprouvait pour lui une bienveillance
sans borne ; et elle la manifestait en n'interrogeant
pas, en se confiant au seigneur Raniero, sur sa
mine. Lui, ne satisfit qu'un point de sa curiosité.

— Il y a-t-il quelqu'un que vous vouliez prévenir de votre accident ? demanda-t-il.

— Personne ! Je suis veuve.

Ugolino baissa les yeux et resta un moment à regarder les lames du parquet, pour cacher sa pensée.

— Et vous ? fit-elle.

— Je suis plus que seul : je suis la solitude elle même.

— Nous nous ressemblons d'autant plus, fit-elle. Le monde me laisse toujours plus vide et plus désenchantée, mais il faut courir le monde, pour retrouver les membres épars de sa vraie famille. Certainement il existe un être qui doit rompre votre solitude. Viendra-t-il ? Voilà l'énigme de votre vie.

Comme il eût voulu lui crier : « Il est venu, je le vois, je l'entends, je l'adore ! » Mais ce cri aurait fait évanouir son espérance. Il n'avait qu'un moyen de prolonger son bonheur, c'était de le dissimuler. Cette femme sans aucun doute adulée, recherchée et fuyant les hommages ne comprendrait pas la brusquerie d'amour d'un homme esseulé et misérable. Il raisonnait bien. Il fallait connaître sa vie et la mentalité d'un rejeton obscur qui survit à une souche illustre, pour s'expliquer ce coup de foudre passionnel, et comme il avait été préparé par dix années d'attente et de déceptions journalières. Il eut le courage de rompre, lui-même, ce premier entretien. Elle s'en étonna un peu.

— Puisque vous ne pouvez déjeuner avec moi, je compte sur votre visite après midi. Songez qu'hospitaliser n'est qu'une moitié de votre devoir, il faut aussi me distraire.

Et la petite main vint se presser à ses lèvres qui s'y appuyèrent cette fois.

X

CRISTALLISATION D'AMOUR

> Raconter ses peines, c'est un peu les rejeter ; raconter
> ses joies, c'est les doubler. Nous avons besoin de témoins ;
> ce sont des complices momentanés, par l'attention qu'ils
> nous accordent.

Un premier mouvement conseilla à Ugolino d'aller
chez l'abbé Pignatelli, cet ami véritable, cet
astrologue véridique et de lui rendre son touchant
intérêt, en lui apportant la vérification de ses pronostics. Ce n'était que justice ; et lui, éprouverait la
joie de la confidence, si vive aux premières heures
d'une passion, que la raconter c'est revivre les impressions reçues. Un autre motif le poussait vers le
presbytère de San-Spirito : n'avait-il pas besoin
d'avis, pour ne point compromettre son court
bonheur ? Tout cela disparut devant un scrupule de
délicatesse et de jalousie mêlées ; il eut peur aussi
de discours trop raisonnables qui auraient pu lui
ouvrir les yeux sur la folie de son espoir ; il redouta
également que l'astrologue enivré de sa prédiction et plein de zèle ne le poussât à quelque tenta-
tive détestable pour retenir cette passante. Car

c'était une passante ; et son entorse guérie, l'affaire
d'une semaine ou deux, un matin, elle prendrait le
train pour Florence. La suivre, se faire son *patito*, il
n'y fallait pas songer ! Espérer son passage au
retour et la retenir quelques jours, n'était-ce pas
la plus haute espérance ? Puis, il retomberait à son
destin ; le palais de la solitude redeviendrait plus
morne, plus silencieux. Tout lui rappellerait la
femme à jamais perdue, et tandis qu'il agoniserait
d'avoir entrevu le paradis et d'y renoncer, elle se
remarierait certainement ; et lui et le Campo
Santo se confondraient, dans un souvenir romanesque, sans regret.

Après cette descente aux enfers de l'avenir, il
remontait vivement aux joies du présent. Un intermède féerique s'intercalait dans son existence
d'emmuré : un être de beauté, d'intelligence et de
bonté venait le consoler, l'éblouir et lui laisserait
en partant un ineffaçable souvenir. Il ne serait
plus seul ; au soir, un fantôme passerait devant ses
yeux ; et les choses précieuses, vivifiées par son
contact, lui rediraient les grâces de la chère dis-
parue. Le regret ne vaut-il pas mieux que le vide,
malgré la sentence dantesque ? Il aurait un souvenir heureux pour la suite de ses malheureux
jours. Même à l'état d'indicible humilité où il se
tenait devant elle, il avait senti sa sympathie vive,

spontanée, il avait plu. A cette idée il s'aperçut qu'il marchait plus vivement, la taille redressée, la tête droite, le pas allègre; il se trouva à l'extrémité du quai, au pont de la forteresse, sans s'apercevoir de l'espace parcouru.

Sa résolution était prise : il ne parlerait pas à l'abbé Pignatelli ; il garderait jalousement, en grand secret, son vivant trésor et se ferait pardonner son mutisme, au titre de sa passion.

Au cours de la vie, l'Occasion au front chauve doit être saisie par son unique mèche, et encore passe-t-elle plusieurs fois où beaucoup peuvent croire qu'elle passera à nouveau. Le comte Ugolino savait que, cette femme partie, il n'y avait plus d'amour possible, pour lui, au monde. Ce qu'il n'inspirerait pas à celle-là, il ne l'inspirerait à nulle autre. Elle était bien l'unique pour l'idéalité et aussi par les circonstances.

Il pensa à ces contes, où un trésor s'offre à celui qui le ravira, pendant les douze coups de minuit. Une dizaine de jours lui était accordée pour conquérir la seule âme qui pût le comprendre.

Son histoire ressemblait à celle du marin maudit, sauf qu'il n'ait jamais blasphémé ; il subissait une épreuve, et non un dam. Errer sans trêve ou rester emmuré, avoir pour prison le pont d'un navire ou les salles d'un palais, ces extrêmes se tou-

chent et, parallélisme plus vif, ni le Hollandais
volant ni le Gherardesca emmuré ne pouvaient
échapper à leur destin que par une femme aimant
jusqu'à la mort ou jusqu'à la folie ; car c'était aussi
insensé de s'enterrer dans le palais de Pise que de
monter à bord du voilier rouge.

Ugolino tremblait même à la pensée que son rêve
pût se réaliser. L'argent qui, malgré les phrases
vertueuses, les motifs de la paix et de la dignité,
de la vertu et du noble amour, l'argent qui seul
permet de penser, de sentir et de vivre, l'argent
manquait et ne pouvait venir de nulle part.

Le peu de terres qui restait au comte payait
l'impôt et lui laissait de quoi manger pour lui et
Baptista.

Le malheureux se demandait même comment il
nourrirait pendant deux semaines l'être aimé.
Comment se charger de cette destinée ?

En revenant vers la ville, les pensées plus brouil-
lées que jamais, incapable d'envisager en face
aucune des occurrences, aussi épouvanté que son
rêve se réalisât que de le voir s'évanouir, il ne prit
d'autre résolution que celle commune aux témé-
raires et aux désespérés, il s'en remit au destin.

L'idée de consulter l'abbé Pignatelli, de lui arracher toute la vérité de son horoscope, le fit retourner
vers San-Spirito ; mais il dévia, avant d'y arriver,

craignant tout, aussi bien les motits d'espérer
que ceux de craindre, et voulant au moins vivre
pleinement les heures bénies qui s'offraient, pleines
de joie, dès l'instant où il ne les obscurcissait pas
des menaces de l'avenir Il savoura donc jalousement son irrésolution et résolut de dérober au
destin, comme un Oreste, le moment où les Eu-
ménides lassées s'endorment.

Tandis que le comte Ugolino passait par les
phases diverses d'un radieux espoir à un navre-
ment indescriptible, et ne parvenait pas à concevoir l'issue de sa romanesque aventure, Mme Davenant, en regardant la vieille poussière du palais
danser dans les raies du soleil, se demandait aussi
quelle issue aurait cette rencontre.

Plaire, même vivement, est pour la femme l'exercice même de son activité native ; plaire à quelqu'un qui satisfait aux exigences de l'imagination
et qui, en d'autres circonstances, pourrait inspirer
de la tendresse : c'est un plaisir.

Ici, l'événement dépassait de beaucoup le jeu
sentimental ; en partant, elle laisserait peut-être le
désespoir dans ce vieil édifice que sa présence vivi-
fiait. Sans connaître aucun détail de cette existence où elle entrait si inopinément, elle était trop
femme et trop fine pour n'avoir pas perçu deux
aspects : l'extrême misère et l'extrême bizarrerie,

se combinant pour former le plus étonnant chapitre
de roman, mais propre aussi à donner des alarmes
vives à un être raisonnable. Laisser derrière soi un
amoureux navré et qui devra, pour oublier, selon
la formule mussétique, six mois voyager, cela
n'arrête guère une coquette et même une autre !
Mais ce Raniero, qui se présentait en costume de
chasse déchiré, avec des souliers usés, qui laissait
périr une collection merveilleuse faute de soins,
qui vivait avec un seul domestique dans un
vaste palais, était un personnage énigmatique et
presque inquiétant.

Comme il possédait d'inestimables objets, dont
une part eût suffi à lui procurer l'aisance, c'était,
en un certain point, un maniaque possédé par une
idée fixe.

Misère et démence. Quelle femme écouterait
l'aveu d'un pareil homme ! Et cependant, comme
personnage, il était séduisant, avec sa beauté d'ancien portrait, la distinction de ses manières et un
inexplicable prestige douloureux.

Toute chose à son paroxysme devient une force,
même la pire. La détresse à l'état tragique fascine
certains cœurs et les entraîne à des dévouements
dont ils ne se savaient pas capables.

Quand le docteur Spavento lui dit qu'elle mar-
cherait au bout de huit jours, elle éprouva une

espèce d'inquiétude indéfinissable ; un pareil diagnostic était prévu et cependant il la surprit ; elle
s'inquiéta d'avoir à porter, si vite, un tel coup à ce
pauvre être. La pitié pénétrait dans son cœur,
comme une huile et l'amollissait. Des projets
fort inconséquents traversèrent son esprit. Avant
de partir, elle aurait voulu améliorer cette existence,
y laisser la trace d'une bonne fée ; déjà elle se
promettait des actes imprécis d'amie.

Sœur Saint-Augustin lui trouva si bon visage
et surtout la vit acclimatée, si à l'aise, qu'elle
s'écria :

— Allons, je ne viendrai que pour vous aider à
votre toilette.

— Je n'ai plus peur ! fit Simone en souriant.

— Je connais le comte et je jugeais votre souci
inutile, mais il fallait que vous le vissiez.

— Le comte ?

— Vous ne saviez pas même son nom ? Le comte
de la Gherardesca est le dernier d'une des plus
grandes, on peut dire de la plus grande famille
pisane.

— Pauvre jeune homme ! fit-elle.

— Oui, il mériterait un meilleur sort ! fit la religieuse ; et on parla d'autre chose.

Ce titre sans signification actuelle n'impressionna
pas Simone. Une Parisienne n'attache pas grand

prestige aux neuf pointes, tellement elle les a vues, légitimes ou non, briller en compagnie douteuse et en affaires louches, mais l'historicité du nom, la gloire d'une race, cette noblesse faite avec des pages d'annales et non par un titre octroyé pour des services de courtisan, parlèrent à son imagination. La prouesse, et non le bon plaisir d'un roi, décerne une distinction valable. Le noble qui a ramassé son titre dans le zèle d'une domesticité douce, qui a présenté la chemise ou vaqué aux offices de bouche, diffère du héros qui a conquis la célébrité dans les périls, en présentant sa poitrine aux ennemis de la cité, et qui a combattu pour quelque grande idée de justice ou de liberté. Il y a un abîme que l'on doit mesurer entre les noms de l'histoire et ceux de la nobiliaire, entre les personnages du passé et les fonctionnaires royaux, entre les individus qui ont surpassé leurs contemporains jusqu'à les guider, et les habiles qui trouvèrent un haut prix de leur souplesse. Cette ancienneté tardivement révélée expliqua à Mme Davenant, mieux qu'un autre commentaire, quel homme s'éprenait d'elle ; et cela augmenta son souci. La splendeur d'autrefois rendait plus poignante la déchéance actuelle et décourageait la compatissance.

Mme Davenant se trouvait prise, elle aussi, entre le désir de mettre quelque baume sur les plaies d'une pauvre âme et la crainte de les envenimer, malgré la pureté de son intention.

Pas plus que lui, elle ne s'arrêta à un parti. S'en aller eût été cruel, ingrat, et c'était impossible avant quelques jours. En restant, elle n'éviterait pas la déclaration, et pour la repousser elle ne savait quelles délicatesses inventer.

Tous deux constituaient, l'un pour l'autre, une menace. Ugolino rêvait une folie et pouvait devenir fou, et la jeune femme s'étonna du danger des passions véritables.

Il est légitime d'avoir peur de ce qu'on inspire, autant que de ce qu'on éprouve.

XI

UN DESCENDANT D'UGOLIN

> Rien au monde n'est comparable au plaisir que nous
> donne un être, par sa seule présence, si nous l'aimons ;
> c'est comme un soleil pour soi seul.

QUAND il entra dans la chambre, elle l'accueillit
en souriant :

— Depuis ce matin, j'ai appris votre nom. Je
vous avoue que je l'ignorais.

— Pas tout à fait, dit-il, pas tout à fait. Vous
connaissez au moins un des comtes de la Gherardesca : celui que Dante a immortalisé, qu'un
sculpteur français a représenté dans un groupe
célèbre, le plus beau morceau de la statuaire moderne.

— Pardonnez à mon ignorance, je ne devine pas.
Aucun Gherardesca ne m'est connu.

— Si fait, Ugolino.

— Ugolino ?

— En français, Ugolin.

— Celui qui fut condamné à mourir de faim avec
ses fils ?

— Avec ses fils Gaddo et Uggucionne, et ses

petits-fils : Nino, enfant de son fils Guefo, et Nuncio, fils de son autre fils Lotto.

— Vous descendez d'Ugolin ?

— Je suis le dernier de cette race.

— Mieux vaudrait ne pas avoir d'histoire que d'y trouver une page aussi lugubre. Quels hommes monstrueux que ceux qui purent infliger un tel supplice à des innocents !

— Ugolino n'était pas un innocent... Cela vous intéresse-t-il ? demanda-t-il.

— Oui, certes.

Le comte hésitait.

— Il est bien difficile de comprendre aujourd'hui les ambitions du xiiie siècle. Celui qu'on appelle en France arriviste ne veut qu'une place toute faite dans la hiérarchie sociale, il poursuit un but pacifique et il le poursuit selon les règles, légalement, officiellement. Actuellement, les plus avides ne réclament qu'une situation privilégiée dans l'ordre établi. Autrefois, on voulait être prince et régner, satisfaire pleinement ses amours et ses haines. Il ne s'agissait pas d'être le préfet ou le maire, ou le trésorier-payeur de Pise, mais d'en devenir le tyran redouté. Au moment où les Della Scala, à Vérone, et les Visconti, à Milan, se mettaient des couronnes sur la tête, Ugolino voulut être le podestat de Pise. Cette ville, qui a

l'honneur de vous plaire, fut séculairement le
théâtre de luttes acharnées entre un parti démocratique, le parti de la liberté que commandaient les
Gherardesca, ardents gibelins, et le parti de la ty-
rannie ou des Visconti. On appelait mes ancêtres
les comtes, tellement le peuple les aimait, car ils
soutenaient le régime républicain quoique seigneurs. Ugolino, par une succession d'intrigues trop
longues à raconter, donna sa sœur à Jean Visconti,
le chef des guelfes pisans. On découvrit ses trames,
on l'exila ; mais avec l'appui de Florence, il revint
pour le malheur de la cité. Sans doute, on ne vous
a jamais parlé de la bataille de la Meliara, qui ruina
la puissance pisane. Ah ! l'histoire de l'Italie
n'offre pas l'unité magnifique de l'histoire de
France où les événements se succèdent dans un
même sens, comme coulent les ondes d'un grand
fleuve. Chez nous, ce sont des tourbillons locaux
d'une vitesse vertigineuse. Les hommes d'énergie
furent moins nombreux ou endigués par l'unification royale, chez vous. Vos annales n'offrent pas à
l'aventure ces petites couronnes civiques, difficiles
à garder, mais faciles à conquérir, du moins sans
disposer d'armées et de trésors. Nos condottieri
faisaient d'une bataille une véritable partie de
barres, dont les harnachements étaient l'enjeu.
Quand les Français franchirent les Alpes, l'Italie

fut stupéfaite et appela leur façon la mauvaise
guerre. La nôtre, faite par des mercenaires, changeait moins les fortunes que la trahison, grand ressort
de la politique de ce temps. La bataille d'Anghiari,
que peignit Léonard, n'eut qu'un mort, et encore
était-il tombé de cheval ! En Italie on s'est battu
entre voisins, non de frontières, mais de rues : les
ambitions, au lieu de se rencontrer dans des plaines,
à la pointe des piques et à la gueule du canon, se
colletaient au poignard, quartier à quartier, maison
à maison. Les adversaires se connaissaient. On ne
frappait jamais un inconnu, un instrument, un
soldat ; les combats réels étaient des guet-apens.

— Vous regrettez ce temps ?

— Un mort regrette la vie ! En ce temps, un Gherardesca vivait ; aujourd'hui, il projette à peine une
ombre sur le mur quand il passe. Il est moindre
qu'un autre parce qu'il porte une renommée que
les autres ignorent et dont lui se souvient.

— Seriez-vous maire de Pise, vous n'en seriez pas
le podestat.

— Oh ! Madame, mon ambition est éteinte depuis
bien des années. Descendant d'une race d'action, je
n'ai jamais eu l'illusion de faire refleurir mon nom :
je l'ai conservé, comme ces restes de l'opulence,
pieusement. N'ayant plus de place dans le présent,
ne fallait-il pas avoir mon Campo Santo, ce palais

avec ces choses de jadis ? Ne lui dois-je pas de vous
connaître ? Et cette circonstance suffit à me donner
raison.

— Non, pas celle-là seulement. Beaucoup d'autres s'y ajoutent, et à votre place, j'eusse peut-être
agi aussi... idéalement... Mais...

— Mais... fit-il, anxieux.

— Mais je suis inquiète de vous.

— Parole bien douce à entendre.

— Moins agréable à prononcer. Je parle égoïste-
ment, en totale franchise ; me voilà seule confidente
de votre âme que je ne puis guérir, peut-être unique
témoin d'une infortune que je voudrais soulager ; et
cela m'effraye.

— Quelque joie que je ressente à vous apitoyer,
je ne veux pas la prendre à votre détriment. Ne
pensez pas à l'avenir qui nous sépare, mais au présent qui nous réunit. Traitez-moi comme vous avez
traité ma ville et je vous bénirai. Qu'avez-vous
fait ? Vous lui avez accordé le tribut qu'on lui
accorde, à l'ordinaire. Eh bien ! souriez-moi pendant ces quelques jours et vous serez quitte envers
la Pitié.

Sa voix s'abaissa, ses yeux se voilèrent.

— Et vous partirez le cœur léger, car vous aurez
été bonne, infiniment.

Le ton des discours se sentimentalisait avec une

trop grande vitesse. Simone feignit une légèreté
qui n'était pas de sa nature, pour secouer l'attendrissement qui la gagnait.

— A propos, je me suis fait expliquer les scènes
du Campo Santo par un prêtre qui, plusieurs fois,
prononça votre nom. Il voulait m'amener ici. Je
devais y venir autrement, d'une façon plus tragique.

— Vous avez été jetée au rocher, comme une
Andromède, mais aucun monstre ne vous garde.

— Ce serait plutôt saint Georges ! fit-elle.

Elle trouva que ce mot dépassait sa pensée et
surtout la prudence. Pour ce solitaire, les paroles
avaient tout leur sens, à l'encontre du génie italien
qui exagère et demande, dans la conversation surtout, à être écouté très au-dessous du ton.

— Parlez-moi de cet abbé un peu étrange, intéressant, plein de réticences.

— C'est un des rares êtres qui franchissent mon
seuil. On l'a relégué dans une petite paroisse ; il
n'était bon qu'aux grands emplois et, naturellement, se trouve condamné aux petits.

— Je songe au Campo Santo, à l'Orcagna. Le
Triomphe de la Mort est bien à sa place dans un
cimetière ; mais, si on concevait un temple dédié à
la Vie, quel triomphe y peindrait-on, avec justesse ?

— Le Triomphe de l'Amour !

— Où a-t-il lieu, ce triomphe ? Vous êtes un cœur capable de beaux sentiments et vous êtes vaincu. Non, comte Raniero ou Ugolino, je ne sais quel prénom vous plaît mieux...

— Raniero.

— Non, l'amour ne triomphe pas de la vie : c'est elle qui décide de lui, c'est elle qui impose sa puissance ; l'amour partout se voit vaincu, comme le génie, comme la vertu. Ce monde n'est-il pas la vallée d'injustice ?

— L'amour, Madame, tient lieu de toute autre chose ; transfigurateur par nature et habitude, il colore l'eau en vin, il multiplie les pains : c'est le thaumaturge par excellence.

Baptista frappa à la porte et, sans ouvrir, cria :
— C'est l'abbé.

— Mon abbé ? interrogea Simone. Dites qu'on l'introduise !

Baptista n'attendit pas que son maître lui transmît l'ordre.

— Cela semble vous déplaire, seigneur comte ?

— N'êtes-vous pas ici maîtresse ?

— Je suis une invitée... Vraiment, je ne pensais pas vous désobliger...

— Vous ne me désobligez nullement. L'abbé est mon ami, je l'estime, c'est même mon unique ami !

La porte cria et presque aussitôt une exclamation

retentit si vive, si profonde que Ugolino se leva de
son savonarole et vint à Pignatelli, qui raffermissait
ses lunettes sur son nez et, bouche bée, semblait
en proie à une émotion violente.

— Vous ne me reconnaissez pas, Monsieur l'abbé?
dit la jeune femme.

— La dame du Campo Santo !

— Ne dites pas cela de ce ton tragique. Le Campo
Santo est plein de soleil et de rayonnement d'art :
c'est un musée plutôt qu'un cimetière. Vous fais-je
peur, Monsieur l'abbé ?

— Excusez, Madame, un trouble que je vous
expliquerai, si le comte le permet.

Ugolino acquiesça de la tête, sans plaisir.

— Madame, j'étudie l'astrologie judiciaire, l'art
de prévoir les destinées, art perdu et qu'il s'agit de
retrouver. Or, votre présence ici correspond, pour
moi, à la pensée qui fit crier : *Eurêka* ! (j'ai trouvé)
à Archimède. Oui, j'ai lu, dans l'horoscope du
comte, que Vénus allait survenir dans sa vie.
Souvenez-vous de ma gauche insistance à vous
parler de lui ; vous me représentiez sa complémentaire, au point de vue des astres. Vous êtes ici, au
palais des Gherardesca, tout est vrai, tout est vrai,
et j'ai trouvé! Ah! Madame, ce que vous m'apportez
n'a pas de prix, c'est la certitude...

— Je pencherais fort à penser qu'il y a de la fata-

lité en jeu... Vous savez comment je suis entrée ici ?
Non. Évanouie, portée par un cocher et un ouvrier.
Je partais, mes malles étaient déjà à la gare. La
fantaisie me vint de prendre encore un air de Pise ;
je m'attardai et, pour rattraper le temps et ne pas
attendre le train de nuit, je pressai l'automédon ;
une roue se détacha, et je roulai par terre, évanouie.
La porte la plus proche était celle-ci : on y frappa,
et j'ai repris mes sens dans ce lit.

— Admirable, ô très admirable !

— Puisque je vous sers de démonstration vivante, vous me devez un spécimen de votre art,
vous me ferez mon horoscope.

— Ne demandez pas cela, Madame, dit le
comte ; l'appréhension du malheur cause plus de
trouble que l'attente de la chance ne donne de
force. Croyez en votre étoile, sans vouloir la
connaître. Si l'avenir est noir, attendez d'apercevoir
ses nuages ; s'il est bleu, laissez-vous surprendre
par sa sérénité.

— Peut-être avez-vous raison.

— J'ai certainement raison. Craindre et espérer,
deux supplices ; et le second, lorsqu'il se prolonge,
égale le premier. L'homme doit vivre activement,
dans le présent, réaliser sa volonté aux douces
heures du jour et non se consumer aux hypothèses
du destin. Le palais Lombrancchi, sur le quai, qui

fut habité par un de mes ancêtres, porte *Alla Giornata* et au-dessous pend une chaîne. Ce symbole signifie que nous sommes tenus par des liens invisibles, qu'on ne peut pas les rompre, s'ils ne se défont d'eux-mêmes, et qu'il faut circonscrire sa pensée au moment même. Si j'avais cru à la prophétie de Pignatelli, il y a plus d'un an que j'attendrais l'apparition de Vénus, chaque soir me disant : « Ce sera demain » ; je me serais lassé, j'aurais épuisé à vous attendre, Madame, la sensibilité que j'emploie à jouir de votre présence.

— Je n'ai aucun rapport avec Vénus, je ne suis ni belle ni déesse, et surtout, je n'apporte pas l'amour ; je ne suis qu'une passante, qui rend la sympathie exprimée.

L'abbé expliqua :

— Madame, en horoscope, toute femme s'appelle Vénus ou la Lune, comme l'artiste se dit Soleil, le vieillard Saturne, le guerrier Mars, le fonctionnaire Jupiter, et le commerçant Mercure.

— C'est un guignol planétaire, une comédie italienne des étoiles ; vous m'appelez Vénus, comme vous diriez Colombine.

— A peu près, Madame : le comte est Arlequin, et moi, le docteur bolonais.

— Et Baptista ?

— Les gens du commun n'ont pas de destinée.

— Voilà une science aristocratique, certes ; toutefois l'homme du commun peut devenir extraordinaire par le crime ou la vertu. Cela m'ennuie que ce bon Baptista compte si peu pour les astres !

— Un domestique est un satellite.

— Dévoué, il devient une telle anomalie, un tel anachronisme ! Pour Baptista, votre science manque de justice.

Puis, changeant de sujet :

— Vous aviez raison de vouloir me montrer le trésor des Gherardesca.

— Le trésor, hélas ! est perdu, enfoui quelque part, dit l'abbé.

— Ce qu'il appelle trésor, expliqua Ugolino, est un butin de guerre enlevé à Alfonse d'Aragon, à Luco Casterna, au XIVe siècle, et dont toute trace manque. C'étaient des joyaux magnifiques, provenant des rois maures ; j'en possède la nomenclature avec les carats des pierres : sur le parchemin, c'est éblouissant... à lire.

— Vous n'avez pas tenté des recherches ?

— Dans les terres des Donoratrio, des Montescudaio, dans toute la Maremme, de Pise à Piombino, c'eût été impossible. Ce trésor a été caché primitivement dans ce palais. A-t-il été volé ? Est-il enfoui dans un caveau de nos anciens fiefs ? S'il était **ici,** ce serait d'une singulière ironie, conclut Ugolino.

— Comment un trésor se perd-il ? fit-elle.

— Celui qui le connaît meurt subitement et cela l'abolit ; celui qui le vole le disperse. Ce n'est que dans les légendes que les dragons veillent. Un trésor composé de pierres précieuses tient dans un sac et voyage dans un portemanteau.

— Bah ! il vous reste un autre trésor...

Et elle montra du geste les objets d'art.

— Ce n'est plus l'or ou le diamant de la richesse. Ce qui reste ici, ce sont les reliques, les uniques témoins du passé. Vous devez vous demander, Madame, pourquoi je conserve ces choses, sans la fortune qu'elles supposent ?

— Non, je ne me le demande pas ; elles tiennent la place de tout ce qui manque.

— Depuis tant d'années, je n'ai plus eu d'autre compagnie : je les aime, sans penser jamais ni à leur valeur ni à leur rareté ; je les aime comme des preuves que je suis le fantôme d'autres, qui ont existé. A ma place, jugeriez-vous ainsi ?

— A votre place, comte, il est difficile de se mettre, par la pensée. Vos sentiments sont trop individuels pour qu'on les juge. Votre ascendance vous domine ; moi, fille d'un colonel, je n'ai que des souvenirs bourgeois : nulle part les Vernet n'ont marqué, ils n'appartiennent pas à l'histoire et je suis plutôt leur apogée que leur décadence.

— Pour une femme, la naissance ne signifie rien, déclara Ugolino ; il n'en est pas de même pour un homme.

— Quand il s'en souvient ! Combien qui sont nés, archinés, et qui ne marchent pas plus droit pour cela ! Rien d'aussi rare en nos temps que la mémoire du passé, et c'est un prestige à mes yeux que votre mysticisme de la race.

— La race meurt avant la cité ! Pise est vivante encore, visitée. Nul ne conteste son antique splendeur, tandis qu'un Gherardesca, qu'est-ce ? Moins que rien, un nom étranger à presque toutes les mémoires.

— Le sentiment de la race oblige à envisager la suite d'une famille comme un seul individu, et à y avoir une adolescence, une maturité et une vieillesse.

— Oui, finalement, le triomphe de la mort !

— Ne triomphera-t-elle pas d'ici peu d'années de mes quelques appas ? Dans dix ans, je ne serai plus une femme !

— Vous serez encore belle.

— Comme vous êtes encore le capitaine du peuple, pour l'abbé et pour moi.

— Ah ! Madame !...

Il s'arrêta.

Elle devina sa pensée, mais il lui plut de la travestir.

— Vous me donneriez des divertissements et vous prendriez part au tournoi. D'abord, je serais fort empêchée d'y assister avec mon entorse ; ensuite, je ne retiens du passé que son héroïsme et son art. Un carrousel me laisserait indifférente. Les ballets sont ce qui m'amuse le moins, au théâtre ; et aucun podestat aujourd'hui ne donnerait de concert égal à celui offert au public. Les planètes qui nous dominent maintenant sont-elles les mêmes qu'autrefois ? Certainement non ; le ciel bouge et par conséquent change d'aspect, comme la terre.

L'abbé approuva.

— Les regards célestes modifient, de période en période, l'humanité. On dit : âge d'or de celui influencé par le soleil, âge de fer de celui que domine Mars.

— Et ainsi de suite jusqu'à sept, finit Simone un peu moqueuse.

— Ne raillez pas une science dont votre présence démontre la vérité.

— Raisonnons ! fit-elle. Si j'avais pris l'omnibus de l'hôtel, ou une autre voiture ; si je n'avais pas pressé le cocher ; s'il avait mieux pris son tournant ; si seulement je ne m'étais pas évanouie, je ne serais pas ici. Il a donc fallu que les planètes me persuadent de jeter encore un coup d'œil au monument, de m'y attarder, de presser le cocher ; en

outre, le ciel a choisi une voiture avec une roue mal
attachée et un cocher maladroit : il a empêché
Baptista d'être absent, ce qui eût tout arrêté.

— L'événement est le total des circonstances,
dit sentencieusement Pignatelli.

— Comme on ne peut faire ce total qu'après
coup, comment baser la prévision ?

Puis, s'adressant au comte :

— Je suis bien curieuse de visiter ce palais.

Il fit un geste d'embarras.

— Je me doute bien qu'il y a des toiles d'araignées aux coins : mais une femme en mal de curiosité s'accommode de tout ; ma première promenade
sera dans vos caves et vos greniers ; nous cherche-
rons le trésor d'Aragon, et si nous ne le trouvons
pas, du moins, je verrai d'autres belles choses,
sœurs de celles qui m'entourent ici.

L'abbé sourit.

— Vous ne savez pas ce que vous projetez, Madame.

— Rien que de très faisable, si j'ai plein pouvoir,
si je suis capitaine du palais, pour un moment.

— Vous en avez pour un mois ! dit l'abbé.

— Avouez qu'à cette heure, le capitaine du
peuple, l'abbé horoscopiste et la Parisienne forment la plus étrange société qui soit à Pise. Les astres ont dû épuiser d'étonnantes combinaisons pour

nous réunir ! Croyez-vous, Monsieur l'abbé, que lorsque Renier della Gherardesca mourut de la peste, ma venue dans la vie de son descendant était déjà écrite aux cieux ?

— Vous m'embarrassez, Madame : prévoir les événements d'un être dont on sait l'heure, le lieu et la date de naissance, à cela se borne mon art.

Quand elle s'adressait au vicaire, le comte en profitait pour la contempler, en laissant libre cours à ses regards. Il ignorait qu'une femme n'a pas besoin de regarder pour voir, qu'elle a, comme on dit, des yeux autour de la tête. Or, la passion qui coulait des yeux d'Ugolino agissait profondément sur la jeune femme ; jamais elle n'avait vu une telle tendresse, même dans la contemplation de Davenant. Pour la première fois, une comparaison ne tournait pas à l'avantage du défunt. Quel dommage que cet Ugolino, si aimant, fût si excentrique ! L'illogisme de cette vie de privations, au milieu de cette richesse d'objets, décourageait toute idée d'union. Elle n'était pas assez vaine pour priser beaucoup le poids de la couronne de comtesse.

Elle flattait sa manie en lui donnant le titre de capitaine du peuple, mais c'était sa personnalité douce, fière et si triste qui lui plaisait, au point de la forcer à une gentillesse qu'elle jugeait trop prompte et trop vive.

L'abbé les regardait tous les deux, avec une attention profonde ; spectacle curieux, en effet, que le terrible jeu de ces deux destinées. Pour le prêtre, la folie ou le suicide se profilait derrière le dernier des Gherardesca. Aimé ou quitté, il n'échapperait à sa destinée que par un miracle, et l'astrologue ne croyait pas aux miracles.

Quelque chose de sa pensée lui passa sur les traits.

— A quoi pensez-vous, Monsieur l'abbé, vous êtes presque sombre ?

— Je pense aux astres, Madame.

Et il montra les raies du soleil où follement, comme d'impalpables éphémères, les poussières dansaient.

XII

SCIENCE ET SENTIMENT

> La science est une activité de luxe qui fait grand
> honneur à l'espèce, mais qui n'apporte rien à l'individu :
> elle ne change pas ses motifs de sensibilité.

LE comte Ugolino et Pignatelli, chacun d'un
côté de la table, suivaient leur pensée, sans
doute obsédante, car depuis un grand moment, ils
n'échangeaient aucune parole.

Des livres poudreux et sans ordre s'étageaient
jusqu'au plafond. Il y avait aussi, chez le vicaire,
beaucoup de poussière, quoique moins vénérable.

— Eh bien ? finit par dire Ugolino.

— Eh bien ! divisons le problème : Peut-elle vous
aimer ? Qu'adviendra-t-il de cet amour ? Au premier point, je dis : oui, sans hésitation.

— Vraiment, elle peut m'aimer, c'est bien votre
opinion ?

— Et aussi ma certitude. Mais qu'adviendra-
t-il ? Aimer et être aimé, cela ne dispense pas de
vivre.

— Si j'appelais M. Sichem, j'aurais de quoi
vivre.

— Sans doute, mais votre vie est liée à ce palais, comme celle de l'escargot à sa coquille.

— Je sacrifierais tout à Simone.

— Prenez garde. L'acte doit être jugé sur ses conséquences. Vous ferez ce sacrifice ; et, même aimant et aimé, même heureux, vous mourrez de l'avoir fait : et la comtesse de Gherardesca sera veuve bientôt.

— Cependant, avec une femme adorée, je surmonterai bien le regret d'objets qui n'ont pris tant d'importance que dans ma solitude.

— Cette importance, ils la conserveront toujours. Vous avez trop vécu avec eux et par eux. Il vous faut mourir ensemble. En les dispersant, vous vous suicidez. Ah ! ce n'est pas aussi facile à démontrer qu'un problème de géométrie, et cela est aussi clair pour moi, cependant. Vous vous êtes cramponné et crispé à ces objets, vous ne pouvez plus les lâcher, ils font corps avec vous. C'est un trésor de Nessus, si je puis dire : disparus de ce palais, vous les chercheriez sans cesse ; et il deviendrait inhabitable pour vous. Or, si vous épousiez cette Parisienne, il ne faudrait pas songer à devenir Parisien. Vous ne serez aimé qu'ici, car ici seulement vous parlez à l'imagination. Le passé témoigne en votre faveur ; or, vous êtes le fils du passé, il vous écrase et il vous pare ; il vous

asservit et il vous sert. Vous me le disiez vous-
même : «On meurt si on arrache le javelot planté
dans la poitrine dès le berceau, la plaie reste béante
et tout le sang s'écoule. »

Le comte passait et repassait la main sur son
front pâle, comme pour atténuer une souffrance
aiguë.

— Votre conclusion enfin ? Me conseillez-vous de
mourir plutôt que de courir des hasards qui peuvent être heureux ? De moi-même je ne renoncerai
pas à Simone, tandis que je renoncerais à mon palais. Je ferai donc la seule chose qui me soit possible :
et je n'ai pas tant à hésiter vraiment... Une lueur
brille dans ma nuit, je la suivrai ; si elle s'éteint, je
serai repris par la ténèbre, voilà tout ; si la ténèbre
est éternelle, eh bien ! mes maux seront finis. La
solitude et la misère président à ma vie : l'une des
deux me quittera.

— Elles sont jumelles et inséparables. Cette
femme d'un jugement clair, qui connaît la vie et
l'amour, acceptera-t-elle la misère ? Même si elle
l'accepte, vous ne supporterez pas le spectacle perpétuel de ses privations. Nous en venons toujours
à la vente des objets. Supposons qu'elle soit gra-
duelle, morcelée : ce sera toujours l'idée fixe ; ou
qu'elle se fasse d'un coup : et ce sera la place vide,
muet reproche auquel vous ne résisterez pas. Au

reste, si elle vous aime, elle ne voudra pas que vous vendiez ; une intuition l'avertira que votre vie tient à ces choses. Ma conclusion est qu'il faut conserver les trésors et prendre la femme.

— Ces débats que l'extrême souci excuse, ces débats ne la décevraient-ils pas, si elle les entendait ? Et cependant Dieu sait à quel point je suis dédaigneux des réalités ! Mais ici elles s'interposent entre mon cœur et mon amour.

— Les passions les plus sincères ont, toutes, leurs coulisses où les héros cessent leur beauté et payent tribut à la dureté du sort et à l'humaine faiblesse.

— N'importe ! Je souffre de parler d'elle autrement que pour la louer !

En hésitant à venir chez l'astrologue, Ugolino prévoyait quelles lassantes causeries naîtraient de l'angoisse qui s'exhale et du conseil qui s'acharne. L'arrivée du prêtre et le désir de Simone avaient rendu vaine sa prudence ; il n'était plus seul à posséder ce beau et redoutable secret. Quelqu'un de bonne intention, mais enfin quelqu'un, une tierce personne saurait les péripéties de cette passion ; et cela le désolait comme une profanation.

— Quand on n'a pas la chance pour soi, mieux vaut s'abandonner au sort que de tant raisonner.

— Au contraire, disait l'abbé, plus la chance nous manque, plus la sagesse s'impose. Les fautes

ne sont permises qu'aux gens d'heureuse fortune ; il
s'agit de votre salut en ce monde, il s'agit de vivre.
En laissant aller les choses à leur cours, vous vous
perdez, si leur cours mène au désespoir. Cette
femme ne sera pas votre maîtresse, et c'est une de
ses originalités que cette vue honnête et logique
qu'elle promène sur les autres et sur elle-même. Elle
vous épousera ou elle partira. Pour qu'elle vous
épouse, il faut qu'elle vous aime absolument, et
dans ce cas, elle ne permettra pas que vous vendiez
vos trésors. L'avenir se présente donc ainsi : vous
vivrez de ce qu'elle possède, dans le palais que vous
conserverez tel quel. Que possède-t-elle ? Si peu que
ce soit, ce sera suffisant pour vos habitudes. Tout
dépend d'elle, elle tient votre vie entre ses mains :
si elle les ouvre, c'est le gouffre sans fond, à moins
que le trésor d'Aragon ne tombe un beau jour à
vos pieds, avec le pan de mur qui le contient peut-
être.

— Ne dites pas de folies à une heure aussi tragique.

— Mon cher comte, les folies ont lieu, tout aussi
bien que les choses sensées. Qu'y a-t-il de plus fou
que cette femme couchée dans votre propre chambre, quelques minutes avant l'heure où elle quittait Pise pour toujours ? C'est plus extraordinaire
qu'une Parisienne vienne dans le lit de l'homme

qu'elle doit aimer par un tel concours de circonstances, qu'une cachette dans un vieux palais italien.
Rien n'arrivera d'aussi fantastique que ce qui est
déjà arrivé : et du reste, comme suite d'invraisemblance, vous étiez trop en jeu pour observer
l'incroyable et subite tendresse que vous avez inspirée. Quand je suis survenu, elle vous voyait pour
la seconde fois, n'est-ce pas ? Et déjà quel touchant
intérêt ! Elle ne sait pas elle-même combien vite
elle coule à la sentimentalité, elle ne voit pas ses
regards, elle n'entend pas le son de sa voix.

— Vraiment est-ce aussi caractérisé que vous le
dites ? Je suis tellement troublé devant elle ! Le battement de mon cœur me voile les yeux et m'étour-
dit l'oreille. Avez-vous fait parfois de ces rêves dont
on a peur de s'éveiller, tellement ils réalisent votre
désir ? Comme on s'enfonce dans le sommeil, en
fermant nerveusement les paupières ! Je fais un
rêve semblable et je tremble de revenir à l'état de
veille.

L'abbé l'interrompit :

— Quand une aventure revêt la transcendantale
importance de la vôtre, il faut la mener en politique et prévoir. Vous avez deux amis, moi et Baptista ; vous avez deux ennemis, la Sérafina et M. Sichem. Si la paysanne découvre qu'une comtesse
Gherardesca est possible, vous voilà condamné aux

œufs et aux précautions contre l'empoisonnement.
En outre, une comtesse de la Gherardesca, c'est la
conservation de vos trésors ou leur morcellement,
c'est-à-dire une perte considérable pour le brocanteur. Votre mariage rencontre deux adversaires, dont l'un veut votre nom, l'autre vos biens.
J'ignore la famille de Mme Davenant et si elle peut
intervenir, mais je ne doute pas qu'on ne dénonce
votre intention sitôt connue à ceux qui pourraient
la traverser. Nous sommes sûrs de la fidélité de
Baptista, non de sa subtilité. On ne pourra le corrompre, mais on peut le duper.

— Averti providentiellement, j'ai chassé ces
deux êtres.

— Ce n'est pas leur présence que je redoute.

— Que voulez-vous qu'ils fassent ?

— Si je le savais, je ne craindrais rien. Il est impossible d'avertir Mme Davenant du danger à
courir ; on veillera sur elle.

— L'être qui toucherait à cette femme adorable,
je le frapperais sans merci.

— Vous la vengeriez ? La belle affaire ! Si elle
était morte ou blessée, ou seulement épouvantée,
la mort du coupable ne réparerait pas le mal.
Venger, beau verbe de théâtre ; en réalité, il faut
préserver.

— Mon cher abbé, vous m'alarmez. Mme Dave-

nant a quitté l'hôtel Nettuno en voiture de
place... Croyez-vous que le cocher ait raconté
l'accident ? Non pas. Quant à l'ouvrier qui a aidé
à la transporter, à qui voulez-vous qu'il dé-
peigne cette inconnue ? Les malles ont été retirées
par Baptista, c'est vrai ; mais, à la gare, qui connaît
Baptista ? Il n'y a que vous qui sachiez la présence
d'une femme chez moi.

— Les achats de Baptista étonneront un peu,
croyez-le ! On sait votre existence parcimonieuse.
Si la Sérafina en recueille quelque bruit, l'espionnage commencera, et cette paysanne avare sait dépenser à l'occasion. Ne m'a-t-elle pas offert une
somme pour me mettre dans ses intérêts ?

— Vous ne m'en avez rien dit.

— Je ne dis que ce qui est utile.

— A votre sens, la Sérafina serait une menace
pour Mme Davenant ?

— Non. Du jour où Mme Davenant sera la comtesse Gherardesca, la Sérafina perd tout espoir, car
elle attribuera à cette élégante étrangère un pécule
supérieur au sien ; il s'agit donc de mener votre élue
à l'autel de San-Spirito, saine et sauve.

— C'est une dérision que j'aie des ennemis !

— On a pour ennemis les passions qu'on inspire,
et celles qui s'adressent à nos biens sont plus fortes
que les autres dédiées à la personne. Une femme

têtue et brutale veut votre nom, un homme patient
et habile veut vos objets d'art. Celle qui vient dans
votre vie prend votre nom et deviendra maîtresse
des richesses de votre palais. Nous roulons dès
lors dans l'atmosphère des bas feuilletons, plus
vrais qu'on ne croit, puisqu'ils intéressent si vivement les lecteurs ingénus.

Ugolino secoua ses longs cheveux.

— J'aurais eu tant de plaisir à vous parler d'elle,
à caractériser sa grâce, à...

— Ayez-en à défendre sa vie, avant de jouir de
votre amour. Assurez-la, comme on dit en style
tragique. Un devoir impérieux vous contraint à
parer les coups qu'on porterait à l'être aimé ; et
croyez-en ma prévision, on tentera de lui en porter.
Le moins qu'il faille craindre, c'est un peu d'intimidation : on s'efforcera de la faire partir. Or, la
dame est méfiante ; je n'ai pu lui arracher, en deux
heures, un mot sur elle-même ; je l'ai quittée, sans
savoir si elle était mariée ou veuve, avec ou sans enfants, et à quel monde elle appartenait.

— Écoutez, Pignatelli, je crois à votre intelligence et à votre amitié ; faites ce que vous jugerez
utile ; mais, de grâce, ne remuons plus, autour de
mon amour, toute cette terre, ces viletés. Laissez-
moi jouir de mon heur, surtout s'il doit être bref !

La lampe à pétrole n'éclairait que la table

chargée de paperasses ; ils se parlaient sans se bien voir ; et cette ombre environnante correspondait bien à l'ombre, certes plus épaisse, qui gênait leur pensée.

L'abbé Pignatelli n'était pas une âme tendre ; sa vie active passée dans les intrigues compliquées des ambitions sacerdotales, sa vieillesse dédiée à l'horoscopie ne lui permettaient guère de comprendre les transes amoureuses du comte Ugolino.

En revanche, il appliquait ses facultés à servir le descendant des capitaines du peuple, avec un zèle sans défaillance : il accomplissait un devoir civique, dans le sens patriotique, puisque l'Italie du moyen âge eut la Cité pour patrie, comme la Grèce de Périclès. Un Gherardesca, dernier du nom, avait droit au dévouement d'un prêtre pisan qui se souvenait, même en dehors de la sympathie inspirée.

Le comte Ugolino reprit :

— Ce n'est pas à l'heure de la Nécessité que l'on acquiert, tout à coup, des facultés nouvelles ; mieux vaut exalter les naturelles. Ma vie n'a qu'un mérite d'idéalité, et mon amour n'a pas d'autre chance de toucher, sinon par sa perfection, le cœur de cette femme et, oserai-je dire, le cœur de Dieu. Je suis pitoyable et je ne dois attendre que pitié d'elle et du sort. Quant à surmonter les événements ou à les prévoir, cela dépasse mes forces de vaincu.

J'en suis réduit à ce qu'on appelle « un beau désastre ». Ne m'incitez pas inutilement à trouver les combinaisons d'un Ulysse. Soyez mon génie, si vous voulez, si vous pouvez, mais comme malgré moi et sans que je vous obéisse, car un instinct m'avertit qu'ayant tout sacrifié à la conservation de ma personnalité, je ne dois, à aucun prix, la diminuer.

Entre l'amoureux et le conseilleur, entre l'homme qui est à un commencement de passion et celui qui observe, il y a une telle disparité de jugement que la flamme de l'un se heurte au sang-froid de l'autre. Pignatelli ne sentait pas les choses avec la délicatesse qui vient du cœur ; son intelligence seule l'avertissait des torts de sa sécheresse native. Toutefois il offrait une inestimable qualité : c'était un homme sûr. Il avait eu maintes fois à choisir entre sa fidélité à son oncle l'évêque et son intérêt, il n'hésita jamais. A ce moment où il tenait la destinée de Gherardesca, il ne l'eût pas trahi pour l'archevêché de Pise. Cette vertu prenait sa source dans la race même qui, agitée sans cesse par ses fonctions locales, avait développé, comme un point d'honneur, une constance de complicité et une incorruptibilité dans l'intrigue.

Au reste, quoi qu'il dût faire, Pignatelli s'estimait payé d'avance par le triomphe de sa perspicacité et de son art horoscopique.

Sa joie grave et contenue de savant durerait longtemps. N'avait-il pas reconnu le type complémentaire d'Ugolino, en rencontrant Mme Davenant ? N'avait-il pas prédit la survenue de Vénus dans le palais de la Solitude ? Maintenant, accomplir cette union se présentait comme une entreprise passionnante, digne de son souci. Peu importait que le comte rendît plus ou moins justice à sa subtilité ; il était de ceux qui savent se féliciter eux-mêmes. Appartenant par tempérament au type du politicien et du savant, son imagination singulière le portait à espérer ou craindre des éléments imperceptibles ou lointains.

— Il n'est pas dit encore que le trésor d'Aragon soit à jamais perdu.

Ugolino eut un mouvement d'impatience, quand cette phrase tomba, après un long silence.

— Je ne vous reconnais plus, Pignatelli, vous rêvez. Comment tablez-vous sur une pareille chimère ? Un ange ou un démon va-t-il nous révéler le lieu où il dort ? D'indications aucune. Une liste de gemmes que je tiens pour véridique : c'est tout ce qui reste de cet étonnant butin de guerre, juste ce qu'il faut pour estimer l'importance de la perte.

— Mon cher comte, l'impossible arrive aussi bien que le possible ; la vie physique forme des

phénomènes et des météores ; il y a dans la nature
un énorme imprévu, moins énorme toutefois que
celui qu'on constate aux destinées humaines.
Après un demi-siècle bientôt d'observation sociale,
je me garderais de dire qu'une chose n'adviendra
pas, parce qu'elle est bizarre, fantastique, même
folle ! La logique des choses, disons-nous couram-
ment : celle-là n'a aucun rapport avec la vie. Les
termes de l'action, en changement perpétuel,
raillent le compas de l'abstraction. Apporter la
méthode scolaire dans la réalité des conflits pas-
sionnels est une stupidité : car passionnellement,
en règle générale, il n'y a que des exceptions et des
surprises ; l'événement n'a qu'une épithète : imprévu, c'est-à-dire paradoxal.

Ugolino n'écoutait pas : ces théories ne corres-
pondaient nullement à son état d'esprit.

— Je rentre vite ; il est si doux de penser qu'elle
dort sous le même toit, où je veille, joyeux à l'évoquer, à me souvenir de ses regards, de ses paroles,
de ses jolis gestes et de sa grande âme ! Oui, on peut
dire qu'une âme est grande quand elle se penche
vers un malheureux et se plaît à relever les vaincus.
La bénignité de Mme Davenant m'enivre ; mais je
n'en serais pas l'objet, que j'admirerais, comme un
mouvement très noble, celui que fait une femme
jeune et belle vers un déshérité. Que ferais-je, moi,

en face d'une coquette? Elle a été douce et bonne, et elle l'a été tout de suite.

— Oui, accorda l'abbé, elle unit le charme de la Parisienne à une sensibilité poétique et digne, et je l'admire à votre suite ; c'est certainement la personne du sexe la plus accomplie que j'aie rencontrée. Elle mêle l'épouse à l'amante ; *rara avis*, oiseau de paradis : il ne s'agit plus que de lui assurer votre poing ou, si vous voulez, votre cœur pour perchoir.

XIII

PROPOS SINCÈRES

Nul ne se raconte qu'il n'en conte ; plutôt que d'être vrai, on se calomnie, tellement la réalité est odieuse à notre nature.

— UNE femme qui s'applique à une chose quelle qu'elle soit, sans nécessité, n'est pas aimée. Les grandes amoureuses ne filaient pas, à moins que l'amour ne leur fît une loi du travail. Celles qui prennent plume ou pinceau, par plaisir, n'ont pas trouvé leur homme, sinon elles n'auraient point de littérature que sa parole, ni de souci d'art que de lui plaire. Que la femme cultive l'esprit, comme le corps, coquette en subtilité comme en mondanité, qu'elle veuille inspirer les uns et imposer son opinion sur les autres, cela est bien de son domaine ; les muses, la renommée, la gloire sont des femmes. En son principe supérieur, la féminité détermine l'action et ne l'accomplit pas ; et chaque fois qu'elle le fait, elle accuse les hommes de son temps. On n'écrit pas de romans si on en vit, on ne fait pas de peinture quand on est belle ou jugée belle. La floraison d'autoresses et de peintresses a sa source

dans la décadence masculine. Oui, le contemporain
ne remplit pas le vide que la femme porte en elle,
vide sans doute plus profond à mesure qu'une civilisation vieillit.

Ainsi, Simone se répandait en considérations
d'ordre général et dissertait pour éviter la senti-
mentalisation croissante des causeries. Effort inutile. Ugolino revenait toujours à des personnalités
amoureuses.

— L'amour n'est-il pas le chef-d'œuvre du sentiment et le chef-d'œuvre n'est-il pas rare? On est
artiste parfois, quoique sans sublimité; on se contente de s'appliquer et on produit quelque à peu
près. Décider si les hommes d'un temps sont inca-
pables de noble amour, cela suppose une connaissance de ce temps que je n'ai pas. La femme ordinaire n'aspire même pas à la passion. Son désir
reste plus près de la terre et se morcelle en petites
aspirations de vanité et de divertissement. Tout
dépend des rencontres. Un être s'ignore lui-même
jusqu'à l'heure où il se trouve en face de tel être, le
seul au monde qui puisse l'inspirer : et combien
vont au Campo Santo sans avoir rencontré celui ou
celle qui aurait éveillé et enchanté leur cœur!
Chacun est-il fiancé à un autre, selon de mystérieuses lois ? L'humanité proclame par ses annales,
témoins de ses mœurs, par ses poèmes, reflets de

ses désirs, que le·bonheur n'a pas d'autre formule
que d'aimer et d'être aimé ; c'est dans la simulta-
néité du sentiment ressenti et de celui inspiré que
réside le secret paradisiaque ; car aimer sans être
aimé, ou être aimé sans aimer ne sont pas des moitiés de bonheur, mais des moitiés de malheur.
L'amour est la fusion de deux désirs ; il ne se forme
que de leur unification, c'est l'enfant spirituel qui
naît du cœur de l'homme et du cœur de la femme
accolés et confondus. Au lieu de laisser l'amour aux
profanes, pourquoi n'a-t-on pas montré son caractère sacré ? La religion et la morale ont eu peur de
l'amour, comme on a peur du feu. En honorant le
foyer, ils ont exorcisé la flamme, et voilà pourquoi
tant de foyers n'ont pas même de cendres !

Et Simone répondait rêveusement :

— Pourquoi l'amour est-il un péché ? Pourquoi
efface-t-on ce mot devant les yeux de la jeune fille,
puisque c'est celui de l'énigme que toute femme
doit deviner ? L'homme a cent autres choses à
faire en ce monde, la femme n'en a qu'une ! Pourquoi a-t-on ravalé l'amour jusqu'à la notion du
plaisir ? Que de luttes, que d'attentes, que d'épreuves pour payer au destin le droit de se réunir !
Et lorsqu'on est deux, la souffrance vous frappe
dans le cœur et le corps d'autrui, plus cruellement
qu'en s'acharnant sur vous ! Un poète a dit que

la douleur est la noblesse unique ; unique est donc
la noblesse de l'amour. Les rustres émus, et ne
sachant pas s'exprimer et n'osant pas se caresser,
se bourrent de coups de poing ou se pincent, avec
des éclats d'hilarité ; les gens très cultivés, émus
et ne voulant pas le montrer, se jettent à la face
des théories, des aphorismes, et semblent préten-
tieux et pédants lorsque, en réalité, ils rougissent
et palpitent à l'abri de cette causerie, sans intérêt
réel que le son de la voix et la rencontre des yeux.
Pourquoi n'avez-vous pas secoué votre doulou-
reuse oisiveté ? Il y a deux voies où le plus grand
nom ne déchoit pas ; et après avoir été presque roi,
on peut encore être d'Église ou d'armée.

— Pour prononcer des vœux il faut vouloir les
observer : on ne revêt pas la livrée sacrée par pis
aller. Quant à l'autre, légère et honorable en cas
de guerre, en temps de paix elle devient lourde. En
France, les plus nobles servaient dans les gen-
darmes du roi ou étaient gentilshommes de la
chambre ; et nul ne se souvenait de sa Bourgogne
ou de sa Provence. Je suis Pisan, beaucoup plus
qu'Italien ; cela dérange vos conceptions et correspond cependant à notre histoire où les cités se sont
disputé la suprématie, sans merci et sans trêve.
Les Borgia, les premiers, des Espagnols cependant,
conçurent l'unité de l'Italie ; duché ou république,

nous avons été de petits États belligérants et non
des confédérés comme les cantons suisses ; sans
cesse nous avons appelé l'étranger contre les Italiens d'à côté ; querelles de cathédrales, comme on
dit, querelles de clochers, qui usèrent les forces de
la race, mais suscitèrent un nombre extraordinaire
d'hommes hardis. Votre Bonaparte n'est que
le dernier des condottières italiens, celui qui a
pu tailler dans la meilleure, la plus large étoffe.
Descendant des capitaines du peuple pisan, je
n'aurais nullement l'impression de continuer ma
race, dans un régiment de garnison ; et puis même
là, un grand nom sans fortune, sans aucune fortune,
rend la vie plus pénible. J'aurais dû, comme don
César de Bazan, quitter ma ville et changer de titre,
et m'appeler Raniero ou Zafari. Je ne serais pas
devenu un joyeux compagnon, étant mélancolique
de nature ; mais j'aurais mené une vie ordinaire et
calme.

— Oui, vous êtes au moral aussi lourdement
drapé par votre ascendance que vous le seriez physiquement par une armure du moyen âge. Vous
n'êtes pas libre de vos mouvements intérieurs ; en
somme, c'est un cas de possession que le vôtre : le
démon de la race habite votre cerveau.

— Qui prendrait sa place ?

Elle le regarda curieusement.

— Vous n'avez jamais aimé, même passagèrement ?

— D'aucune façon, pas même fugitive.

Ils baissèrent les yeux, en même temps, et tous deux rougirent, pris d'embarras.

— Votre pied, dit-il, nous n'en parlons pas. Qu'a dit le docteur ?

— Il l'a massé, il désenfle ; il prescrit le repos et les mêmes compresses ; j'en ai encore pour plusieurs jours avant de me lever ; car rester étendue, assure ce Spavento, c'est guérir sûrement. Il manifeste une curiosité de femme, ce médecin, et m'a demandé ce que je pensais de bien des choses, et ce que je faisais à Paris : j'ai éconduit un plus subtil que lui, Pignatelli. A mon tour de vous demander : que pensez-vous du docteur Spavento ?

— Pignatelli vous renseignerait mieux que moi. Spavento appartient à la cabale dévotieuse, il mérite plutôt la méfiance.

— Il n'est pas votre ami, voilà ce que je puis affirmer. A l'occasion, prenez-en plutôt un autre.

— Vraiment ? fit Ugolino en pensant à sa conversation avec le vicaire et en évoquant le nez crochu de M. Sichem et la face dure de la Sérafina. Et ne pourrez-vous me rappeler quelque chose qu'il ait dit ?

— Il insiste pour savoir si j'ai de la famille ; il

s'offre sans cesse pour télégraphier à qui je voudrai
et il calcule le jour de mon départ.

— Chaque fois ?

— Chaque fois. Sinon, je ne l'aurais pas remarqué.

Ugolino se promit d'avertir Pignatelli de cette
première ombre projetée sur son bonheur. Était-ce
une menace ? Il ne s'y arrêta pas ; il jouissait trop
de la chère présence, pour la déserter, même en
pensée.

— N'est-ce pas un privilège vraiment féerique
que de répandre de la paix et de la joie, par le seul
effet de sa grâce, et de rayonner, comme un foyer de
chaleur et de lumière ? Si vous saviez comme je me
réchauffe près de vous et la lueur que vous laisserez
dans ma vie, dans ma maison, dans mon esprit !

— Je voudrais vous croire, disait Simone, non
par vaine gloire, mais en vertu du véritable intérêt
que je vous porte. Je vous l'ai dit, je voudrais, de
mon passage, laisser ici un souvenir heureux.

— Eh ! Madame, sur ma tête la poussière est
amassée ; en moi, les tristes araignées de la solitude
tissent leur toile.

— Il est malaisé, comte Ugolino, de toucher à
votre destinée.

— Non, puisque votre seule présence y suffit.

Chaque fois que les paroles arrivaient au tré-

fonds de l'aventure, il se produisait un long silence.
Dans les parties amoureuses, l'enjeu dépasse tellement l'apparence ! Les mots couvrent de leur sens
incertain des pensées ardentes et claires comme le
feu intérieur qui les génère.

XIV

UN CORBEAU

*Regardez un peu longuement un arbre du jardin ;
vous verrez combien de bestioles l'attaquent pour conquérir leur frêle existence.*

— Baptista, tu diras à ton maître qu'il ne change
pas de costume ; au point de vue décoratif, ce velours de chasse, quoique vieux et précisément parce
qu'il est usé, se combine mieux avec le ton des tentures et des meublés, tandis qu'un costume neuf
détonnerait ici dans ce cadre. Il comprendra cette
idée d'artiste, que je ne peux guère lui exprimer
moi-même.

Ce peu de mots renfermait beaucoup de tendresse. De détail en détail, la jeune femme avait
découvert que la pénurie et non l'incurie régnait au
palais ; et quand, au troisième jour, elle avait revu
Raniero encore vêtu de ses vêtements de campagne, elle avait eu cette charité. La misère fait
peur, les animaux domestiques eux-mêmes fré-
missent à son aspect. Un homme dans le besoin
menace par ce besoin même tous les êtres. Compter

sur la résignation de quelqu'un, n'est-ce pas lui ouvrir un crédit d'idéalité étourdiment ?

Le chien, le mammifère le plus identifié à notre espèce, voit, comme le législateur, un danger dans le vagabondage. L'homme social se sent désarmé contre l'homme errant, parce que ce dernier n'a point d'intérêt qui réponde de lui. Au moyen âge, le pauvre faisait partie des personnages ordinaires, il avait place dans les mœurs. Aujourd'hui, des institutions ont été fondées pour lui défendre la rue où il promène un double aspect séditieux : l'injustice de la Providence et l'insensibilité des hommes.

A un étage plus élevé, la misère menace encore. Que de fois on a résisté à un premier mouvement de protection, par peur de s'engager trop avant ! Celui qui se noie se cramponne nerveusement au sauveteur et l'entraîne avec lui. Mondainement, on hésite à tendre la main au malheur, par crainte de ne pouvoir la dégager.

Simone se sentait entraînée vers Ugolino. Isolée du monde, ne voyant que cet homme étrange qui, plusieurs fois le jour, manifestait, avec une discrétion profonde, l'adoration la plus vive, elle se serait abandonnée à ce sentiment, sans une crainte, motivée par mille indécisions : mêler sa destinée à celle d'un déshérité, d'un malheureux qui s'accrocherait à elle, comme à l'être de salut.

« Un palais et un cœur. » Mais le palais était croulant, dispendieux à entretenir, la misère s'y était
installée depuis si longtemps ! Comment déloger
cette terrible occupante ? Un palais, le beau mot !
Et Simone cependant ne pensait pas à la toiture
endommagée, aux tuiles cassées, aux chevrons
pourris, aux gouttières crevées, à cette question de
couverture qui décide de la vie d'un édifice. Le
palais était malade, et même ses plaies fermées à
grand frais, il fallait un entretien coûteux. En ven-
dant une partie des objets d'art, on sauverait l'habi-
tacle, mais Simone jugeait la situation. comme
Pignatelli, l'intuition égalant le raisonnement en
cette occurrence. Si le comte accomplissait ce sacrifice, un remords d'un caractère tout individuel le
tenaillerait ; il ne se croirait pas aimé de cette
femme qui aurait accepté ce reniement d'un vœu si
ferme ; les ancêtres lui apparaîtraient, le geste
lourd de reproches.

Aimer Ugolino au prix de la vente de ces objets,
ce n'était pas le sauver ni le consoler. Mme Davenant le comprit. Or, une seule idée la séduisait :
celle de créer un bonheur absolu, sans mélange,
d'entrer dans cette existence lamentable comme une
fée. Elle n'en avait pas la puissance ; ses rentes
assureraient à peine une vie tranquille, à Pise ! Par
instants, elle aurait voulu être guérie et partir, se

dérober au sentiment qui la pénétrait et qui pouvait
la perdre. Puis, une peur superstitieuse la prenait
de ne plus retrouver l'amour sur son chemin, si elle
le méconnaissait cette fois, et de porter le poids
d'une malédiction d'Éros, qui éloignerait d'elle les
êtres dignes et aimants. A quoi se résoudre ? Les
deux perspectives, également menaçantes, la main-
tenaient dans une indécision pénible : elle ne voulait pas se sacrifier ni désespérer Ugolino. Ces
réflexions occupaient péniblement les heures de
solitude.

Le docteur Spavento vint au quatrième jour et,
après avoir massé le pied et estimé qu'il était en
bon état, demanda tout à coup :

— Êtes-vous superstitieuse, Madame ?

— Qui ne l'est pas un peu ?

— Croyez-vous aux maisons hantées, aux revenants ?

— Eh ! eh ! fit-elle, résolue à ne jamais répondre
franchement.

— Enfin, connaissez-vous la peur ?

— Je ne suis pas la sœur de Siegfried.

— Vous ne répondez pas, Madame ?

— A midi, je suis vaillante ; à minuit, un peu
moins.

— Enfin, je dois vous dire qu'il y a une légende
sur ce palais. Moi, positiviste par état, je n'ajoute

nulle foi à ces sortes de rêveries ; mais pas un homme du quartier, à plus forte raison pas une femme ne consentirait à veiller ici.

— A veiller ! J'y ai dormi, fit-elle en souriant. Dites-moi l'histoire.

— Il paraît qu'on entend des bruits inexplicables et qu'une femme, un fantôme, passe d'une pièce à l'autre, sans bruit, toutes portes fermées d'ailleurs. Ce serait l'âme d'une jeune fille séduite autrefois par un comte de la Gherardesca.

— A-t-on fait dire des messes ?

— Je ne sais. Comme la Marguerite de *Faust*, elle aurait tué son enfant dans un accès de folie et l'aurait caché dans un mur. Au reste, on a dû ensevelir ici (il regarda autour de lui, en haussant les sourcils), comme dans une auberge rouge, plus d'un ennemi attiré dans un guet-apens.

Le docteur Spavento essayait de l'effrayer. Pourquoi ?

— Enfin, dans quatre ou cinq jours, vous pourrez reprendre la ferrovia et vous le ferez avec plaisir, après cette claustration et cette immobilité forcées.

— Certes ! dit-elle.

— Vous nourrissez-vous bien ?

— Très bien !

— Le comte, qui vit en reclus, doit bénir la

— Singulier, en effet.

— Un grand marchand lui a offert des centaines de mille francs.

— Et il a refusé ? fit-elle.

— Oui, il a refusé. Cela suffit à juger son état mental.

— Son état mental ? répéta Simone.

— Je ne dis pas que ce soit un fou, mais il peut le devenir.

— Il peut le devenir ? répéta-t-elle interrogativement et puis grave. Docteur, si vous avez un avertissement à me donner, faites-le sans ambages.

— Eh ! Madame, il y a des choses qu'il faut comprendre à demi-mot. Vous êtes trop intelligente pour qu'il soit besoin de rien ajouter.

Palais hanté, fantômes, cadavres dans les murs, propriétaire dément et dangereux, c'était beaucoup, c'était trop, pour un esprit aussi lucide que celui de Simone. Le médecin représentait des intérêts. A peine fut-il sorti, qu'elle sonna Baptista.

— Va chez l'abbé Pignatelli, dis-lui que je veux lui parler. Si tu le trouves, ramène-le.

Certainement quelqu'un avait stylé le docteur, mais qui ? La plupart, sous l'influence de leurs lectures, attribuent à la vie italienne une acuité d'intrigue, voire une noirceur de desseins sans pareille, sans songer que cette race ne produit plus ni monstres ni génies, et qu'elle tend à se fondre dans l'uniformité occidentale.

« Quels intérêts suis-je venue traverser ? » se demandait Simone, car elle avait perçu sous les questions de Spavento les fils d'une trame ennemie grossièrement tissée. Ayant vécu bourgeoisement, loin des compétitions, Mme Davenant ne savait pas si elle était capable de soutenir le jeu de l'intrigue. Toutefois, elle avait conscience d'être brave, prête à opposer aux tentatives d'intimidation une lucide sérénité. Un nouveau plaisir d'orgueil lui vint de cette persuasion qu'elle saurait se mouvoir au milieu des complications sombres ou bizarres d'une aventure à l'italienne, et de ce chef, elle fut encore flattée.

L'abbé, en trottant vers le palais, avait déjà deviné une manifestation des adversaires. Il écouta très attentivement les questions et les insinuations que lui répéta Simone. Attribuant l'idée du fantôme à la Sérafina et l'accusation de démence à M. Sichem, il ne s'expliquait pas comment ces deux personnages avaient pu sitôt se joindre et charger tous deux de leur bizarre message le médecin. Comme il restait silencieux, Mme Davenant s'écria :

— Cela semble vous frapper. Qu'y a-t-il là-dessous ?

Ramené à son rôle, Pignatelli sourit.

— Cela me frappe, en effet, de trouver un cas
aussi curieux de reversibilité. Le docteur Spavento
a été médecin d'un asile d'aliénés, sa thèse traitait
de certaine démence, et il a gagné à ces études un
dérangement d'esprit désagréable au prochain.
Tout lui est symptôme pour son diagnostic, et
nul homme ne lui semble à l'abri de l'aliénation
mentale. Certainement il me ferait enfermer en
sécurité de conscience et, quant au comte, c'est
pour lui un être de cabanon...

— Bien, fit Simone, mais le docteur Spavento
a un but en m'engageant à partir ?

— Un but, lui ? Dites que sa manie le tient et
que vous lui offrez une occasion de la manifester.

— Non, Monsieur l'abbé, cette insinuation représentait des intérêts.

— Ah ! fit le vicaire, il vous a parlé d'un marchand qui avait offert la forte somme... Il se peut
fort bien que ce marchand, qui ne vous a pas vue,
vous prenne pour une concurrente. Il y a tant de
femmes, de tous les mondes, aujourd'hui, qui font
de la brocante et s'entremettent dans le commerce
des bibelots ! Vous êtes Parisienne, vous savez donc
mieux que moi que les dames souvent jeunes et
qualifiées, auxquelles on ne peut offrir de l'or
acceptent des objets qu'elles revendent du reste,

cadeau ou *pretium stupri* ! J'aurais dû vous avertir
que Spavento était *mezzo-matto*, à moitié fou, mais
comme il ne s'agissait que d'une entorse, je ne pré-
voyais pas qu'il en donnerait une au sens commun.

Mme Davenant, incertaine, demanda :

— Vraiment, vous attribuez toutes ces insinuations à une bizarre mentalité ?

— Vraiment oui !

Et après quelques banalités qu'il jeta exprès
pour achever de détruire l'impression d'inquiétude,
il prit congé.

A Baptista, en le regardant bien dans les yeux :

— Écoute bien : tu t'arrangeras pour rester dans
la chambre quand le docteur viendra.

— Mais...

— Tu renverseras de l'eau, tu frotteras une
tache. Ingénie-toi ! Le médecin est envoyé par la
Sérafina : pour elle, pas besoin de consigne.

— Oh ! maintenant qu'il y a une Madame ici, je
ne laisserai pas entrer la signora Sérafina.

— Ni Sichem, ni personne. Ne pourrais-tu pas
te procurer un chien de garde pour la nuit ?

— Un chien mange, dit le domestique.

— Mais il avertit.

Une exclamation assourdie fut la réponse. Il
ouvrit les yeux tout grands, puis il les cligna. Il
avait compris l'imminence d'un danger.

XV

CONVALESCENCE

D'amant à amante, il y a des rapports tellement subtils que tous les autres semblent médiocres, même ceux de l'homme à l'univers.

PENDANT neuf jours, Ugolino vint s'asseoir sur le savonarole, au pied du lit de Mme Davenant, aux mêmes heures, avant le déjeuner, dans l'après-midi et le soir. Sous des prétextes divers et qui étaient acceptés bénévolement, et, en réalité, pour diminuer la dépense, il refusait obstinément de manger avec elle.

Les visites de la journée conservaient un caractère à peu près semblable. On phrasait beaucoup de part et d'autre, définitions de l'amour sans cesse reprises et commentées, aphorismes sur la vie et toute la menue monnaie de philosophie sentimentale que des esprits souples et cultivés ont toujours à leur disposition.

Le soir, dans la pénombre, qui remplissait la vaste chambre d'une résonance singulière, les paroles ne faisaient plus assez de bruit pour couvrir le battement des cœurs ; ils s'entendaient vibrer nerveusement, et chaque fois le comte s'attardait, incapable de se lever avant qu'elle le lui dise. Il aimait de toute son âme, il aimait en désemparé, et par instants la force de ce sentiment se dégageait avec une intensité subite, comme ces feux qui semblent tout cendre et qu'un souffle fait rougeoyer. Elle se sentait aimée si absolument, qu'elle n'avait pas la force de repousser un tel hommage.

Les moralistes peignent l'homme asservi par ses passions, ils ne vont pas jusqu'à voir qu'on obéit à celles qu'on inspire et qu'elles disposent de nous tout autant que si nous les éprouvions. Combien de femmes se sont données sans aimer, magnétisées par l'ardeur d'une supplication, l'effet d'une constance ou le spectacle d'un désespoir !

L'amour, comme un aimant, attire l'âme aimée, si celle-ci ne subit point d'attraction contraire, comme la coquette qui vire à la moindre galanterie. Dans les conditions de solitude où se trouvait Mme Davenant, elle ne pouvait se défendre.

On ne résiste pas au charme de son propre reflet coloré et idéalisé. Jamais Simone ne s'était vue si belle, si bonne, si grande que dans les yeux d'Ugolino, miroirs qui transfiguraient son image jusqu'à l'apothéose. L'amour, puissant personnage, a une sœur plus séduisante encore, l'idolâtrie. L'amour

raisonne, combat, exige, tantôt soumis, tantôt conquérant, tantôt calme, tantôt terrible ; l'idolâtrie,
plus rarement aperçue, donne à l'être qui l'inspire
une impression étrange et blasphématoire d'usurpation sur la divinité même.

L'idée d'aveuglement traduirait mal cet état plus
voisin de l'extase mystique. L'adorateur voit, mais
en beau et d'une façon perpétuelle ; il croit d'abord,
jusqu'à l'absurdité, et douterait du témoignage de
ses sens en contradiction avec l'idole. Il espère,
mais si humblement, sans plus connaître son mérite ;
il espère en la miséricorde seulement : et les trois
vertus théologiques se trouvent réunies dans la
passion.

Pour en être capable, il ne suffit pas qu'une sensibilité exquise collabore avec une imagination
ardente ; la vie, seule, prépare un être à cet état
prodigieux, la vie adverse et tortionnaire.

Ruy Blas est moins agenouillé devant Marie de
Neubourg que Ugolino ne l'était devant Simone, et
Ugolino était un autre homme, incapable certes
de ramasser du pain dans une déchéance. A moins
de génie, nul ne pouvait être plus qualifié que le
comte de la Gherardesca : ancienneté historique de
nom, distinction de manières, étrangeté d'allure, et
par-dessus tout, une pureté de jeune fille sage.
L'isolement avait préservé cet être de la souillure.

Trop fier pour descendre, il s'était gardé jalousement, rageusement Le prestige de l'homme chaste
existe pour les âmes élevées ; et en dépit des ma-
ximes de la corruption, des cynismes de l'expérience, il y a des lèvres qui préfèrent les coupes pures.
Être le premier amour de Chérubin ne convient
qu'à une femme blasée, ou qui cherche des prétextes
honnêtes à un sentiment coupable, comme la
comtesse Almaviva ; mais inspirer le premier
amour d'un homme fait, qui a beaucoup pleuré et
qui s'est réservé pour une admirable aventure,
cela peut séduire une femme qui connaît la vie
sans le vice, qui a été mariée et n'a point eu d'amant,
qui est à la fois honnête et romanesque.

Davenant avait été le mari parfait concentrant
sa préoccupation sur l'épouse et remplaçant par
une douceur constante le prestige absent : Ugolino, avec son nom historique, son palais plein de
chefs-d'œuvre, son malheur immérité, représentait
l'amant des romans et des romances, le chevalier
du moyen âge, le Chatterton de nos temps, et il promettait encore plus. Aux mouvements de la prudence qui la tiraient en arrière, Simone résistait.

« Jamais je ne serai aimée comme cela : il n'y
a pas un autre homme au monde capable d'adorer
aussi éperdument ; je suis la Madone pour Gherardesca. Si je pars, je regretterai sans fin un tel

amour ; son souvenir me gâtera toute rencontre,
puisque l'image de Davenant qui dominait ma
vie s'efface jusqu'à une sorte d'oubli. »

La crainte n'était pas vaine. Elle ne retrouverait
pas un comte Ugolino macéré dans le désespoir
comme l'Esther de la Bible le fut dans les huiles et
dans les baumes.

Elle avait craint que cet homme assoiffé d'amour
ne fût pressant et qu'elle dût essuyer des trans-
ports désordonnés. Il est si naturel de se précipiter
à genoux, de saisir une main et de s'écrier : « Je
vous aime ! » A l'éclat de cet aveu, la femme se
trouve forcée à un refus ou bien elle s'engage en
quelque manière, par son silence ou la mollesse de
sa défense. En l'occurrence, l'ingénuité se compor-
tait comme l'habileté, et la sincérité aboutissait
au résultat d'une conduite subtilement raisonnée.
Pas un mot qui alarmât la prudence, pas un geste
qui inquiétât la pudeur, pas un regard qui inspirât
l'idée de se défendre. Aucune manifestation d'attaque, ni d'impatience, ni de fatuité. Cette contenance servit Ugolino, plus que ses mérites. Chez
lui, le désir était trop profond pour s'extérioriser à
la façon ordinaire ; il l'avait tellement refréné dans
sa vie vraiment cénobitique ! Semblable à un qui a
beaucoup jeûné et pour qui un peu de nourriture
suffit, il trouvait à la contemplation de Simone une

joie déjà écrasante. Il n'était plus seul, et il espérait. L'incertitude et l'angoisse le poignaient, dès
qu'il voulait préciser son espoir ; il s'efforçait de
ne pas s'éveiller de ce beau songe, laissant à l'avenir
son secret redoutable, vivant à la journée et
savourant les fruits d'une tendre intimité. On ne
résiste pas aisément à l'adoration de toutes les
heures tant qu'elle demeure agenouillée. Au hui-
tième jour, le comte observait la même réserve
qu'au premier. Amoureusement, il offrait l'état
d'humilité parfaite, ne demandait rien, reconnaissant de tout ; et malgré elle, Simone donnait, ou
plutôt elle se donnait en bienveillance, en affec-
tueuses paroles, en sympathie de regards, en sincérité de manifestations. Il eût suffi d'un geste
d'Ugolino retenant la main qu'on lui tendait, ou
la baisant trop ardemment pour que la jeune
femme se rejetât violemment en arrière et se
défendît. La galanterie, telle qu'on l'observe en
Occident, offre une étrange ressemblance avec
un combat plein de feinte, voire de traîtrise, où
la femme, sans cesse menacée d'être entraînée plus
loin qu'elle ne veut, épuise ses nerfs à se maintenir sur un terrain d'escarmouches. Sous des
formes plus ou moins raffinées l'homme attaque
et la femme se défend, et la gloire de l'un sort de
la confusion de l'autre. Mme Davenant se trouva

chaque jour plus désarmée, devant cet homme si
humble, qui ne s'asseyait pas sans son invitation,
qui ne parlait pas de lui ni de son amour et qui
jouissait tellement de sa seule présence. Flattée,
attendrie, la jeune veuve ne pouvait pas repousser un hommage aussi respectueux. Le moyen
d'interdire le chevet de son lit à celui qui lui
offrait l'hospitalité? Et l'eût-elle pu qu'elle ne
l'aurait point fait. On ne renonce pas à un roman
qui n'offre aucune page dangereuse et qui dégage
une telle odeur d'encens. Ne serait-ce que pour
enrichir son souvenir d'impressions rares et pour
se dire aux soirs mélancoliques : « J'ai été aimée
comme au théâtre, comme dans les poèmes. »
« L'or va à l'or », ce dicton se vérifie pour les
passions ; l'amour, s'il est absolu, s'il dispose de
toute la force d'un cœur comme celui d'Ugolino,
influence profondément l'être qui en subit la
chaleur, quels que soient son jugement et son
caractère. Les mystiques vantent la fuite comme
seule façon de vaincre la tentation.

En cela, ils devinent quelle puissance positive, et
très analogue au radium, un sentiment vif dégage,
en émettant une fluidité dont la source ne tarit
pas.

L'amour, lorsqu'il se manifeste dans des conditions de recueillement, développe une force in-

connue aux mondains ; et telle femme, qui serait
à peine émue d'un discours pressant dans l'agitation du bal, se trouble aux mêmes paroles pré-
cédées et suivies de solitude et de réflexion.

Mme Davenant se trouvait à la merci d'une
prière sentimentale dans cette claustration et
cette immobilité du palais, où elle ne voyait personne, ne lisait rien et pensait sans cesse à cet
homme qui l'adorait d'une façon si agenouillée.

Dans la vie parisienne, on trouve une vivacité
d'amour-propre, des accès de nervosité et de vertige, des coups de tête ou des lâchetés qui manifestent fortement la passion. Mais nul ne s'enferme
avec son sentiment comme le moine avec son rêve
sacré, personne ne se défend du courant dispersif
qui corrode la sensibilité. Telle est la conséquence
de l'agitation moderne que l'individu ne s'appartient plus assez pour se donner complètement à un
autre être. Comment une Parisienne qui consacre
dans une journée tant d'heures aux modistes, au
monde, aux soins de son foyer et aux divertissements, peut-elle se préparer au rendez-vous bref et
bousculé, et ensuite en revivre la pénétrante douceur ? Elle court à l'amour et y arrive étourdie de
sa hâte ; à peine le quitte-t-elle que les obligations
sociales la reprennent. Elle essayait un nouveau
manteau, un instant avant de rejoindre l'aimé, elle

le quitte sous l'inquiétude de l'heure, et le vertige enveloppe toute sa vie.

Mᵐᵉ Davenant songeait à la réelle beauté de cette retraite amoureuse où elle vivait des instants si différents de ceux qu'on représente dans les pièces du boulevard, quand le docteur Spavento entra.

— Allons, Madame, c'est ma dernière visite, dit-il après avoir tâté la cheville nue de Simone, et vous pouvez dès demain reprendre votre voyage.

Baptista s'escrimait, en soufflant, à nettoyer le parquet.

— Que vous dois-je, docteur, pour vos soins ?

— Oh ! rien, Madame, rien ; je suis au mieux avec le comte et nous réglerons cela ensemble.

— Le comte n'a pas qualité de payer pour moi.

— Eh bien ! Madame, vous me donnerez cela à la gare, où je viendrai vous saluer encore... Quel train prenez-vous ?

— Jamais je ne me fixe d'heure sans nécessité.

— Il n'y a que trois express dans la journée.

— Je ne sais pas si je prendrai l'express.

— Vous allez donc vous arrêter en route ?

— Je n'en sais rien, je consulterai le guide. Combien vous dois-je ? fit-elle, laissant percer son agacement.

Le docteur Spavento s'aperçut alors qu'il déplaisait.

— Quarante-cinq lires, cinq par visite.

Elle fouilla dans son sac, y prit du papier-monnaie et le lui tendit.

— Oserai-je, Madame, vous avouer une manie ? Je collectionne les cartes postales de mes malades. Voulez-vous m'en envoyer une à votre arrivée à Florence ?

— Docteur, je n'y penserai probablement pas.

— A quel hôtel descendez-vous ? Je vous le rappellerai par un carton d'ici !

Baptista frottait très fort ; il comprenait que le médicastre exaspérait la dame et celui-ci sentait qu'une fois sorti, il ne saurait plus rien. Il se résigna et voulut entraîner le domestique.

— Baptista, viens donc m'ouvrir la porte, les gonds sont rouillés.

— Je vous en prie, laissez-le finir son ouvrage, sinon il reviendra, et cela me gêne.

Cette fois le médecin dut sortir, sans même savoir s'il avait inspiré de la méfiance ou seulement de l'ennui.

— Demain, Baptista, nous commencerons le grand nettoyage.

Il leva les bras avec un comique désespoir.

— Peut-être trouverons-nous le trésor dans un coin, ajouta-t-elle en riant,

Il accueillit la boutade sérieusement. Il ne nia pas.

— *Chi lo sa ?* fit-il.

— Tu dois être mal monté en balais, en brosses ; tu en achèteras.

— Oh ! oh ! j'en ai encore.

Il sortit de son gilet une marge de journal qu'il déroula comiquement : c'était le compte de la semaine.

— Combien cela fait-il ?

— Trente lires vingt-six soldi.

Cette économie étonna et inquiéta Simone. A quelles privations était-on donc habitué en ce palais ? Elle avait fait d'assez bons repas avec des fleurs dans un vase. Baptista ne possédait aucune provision. Il avait donc tout acheté, même les bougies.

— Je ne pars pas encore, fit-elle à une question muette.

— Il ne faut pas partir ! jargonna-t-il.

Seul, le dévouement du domestique rendait possible la vie du comte. Égayé, excité par la présence d'une jeune femme qui paraissait presque aimer son maître, il se surpassait, ne buvant pas un fiasco de plus, malgré que cela n'eût pas marqué dans la dépense.

Il faudrait partir, cependant, un peu plus tôt, un peu plus tard, et dans le souci que lui inspirait Ugolino, en redoutant son désespoir, elle ne s'avouait pas quelle serait l'amertume de son propre regret.

XVI

LE FANTÔME.

Ce qui a porté nerveusement autrefois porte encore
aujourd'hui ; hallucination ou poignard !

Au matin, Simone guérie se lèverait, se chausse-
rait, posant par terre ce pied étendu depuis dix
jours. Il n'y aurait plus de prétexte pour qu'Ugolino s'assît auprès du lit et veillât une femme bien
portante. Comprit-elle l'inestimable valeur des
heures passées auprès d'elle, pour le malheureux
Gherardesca ? Voulut-elle lui donner cette grande
preuve d'estime ? Ou bien fut-ce une conséquence
de sa parfaite sécurité ? Elle ne le sut pas elle-
même. La causerie s'éteignit lentement comme un
feu sans aliment, le sommeil vint sans qu'elle
songeât à renvoyer le comte, et elle s'endormit
réellement.

Quand Ugolino s'aperçut que la jeune femme
avait oublié de le congédier, il s'inquiéta d'abord.
Profiterait-il de la circonstance pour prolonger la
contemplation délicieuse ou bien quitterait-il la
chambre, par respect pour la dormeuse ?

Se lever et sortir, c'était l'éveiller. Aux vieux logis, les parquets crient sous le pied et les portes craquent sous la main.

L'éveiller, n'était-ce pas alarmer sa pudeur ? Un homme passionné qui ne répond plus de lui-même se sauve ainsi, incapable de dominer son désir. Après beaucoup de tergiversations, il resta. La lampe posée sur une petite table de marqueterie, à la tête du lit, n'éclairait que le bord de l'oreiller et une partie de la chevelure blonde et un avant-bras abandonné qui émergeait d'une manche large. Sous la couverture légère, la ligne du corps se profilait, distincte, intime et idéalisée par l'encadrement du lit en chêne sculpté, qui dressait un baldaquin sur quatre colonnes torses enguirlandées de lierre. Une paix inexprimable, faite d'ombre, de silence et de sommeil, emplissait la vaste chambre, une paix de chapelle. Il s'étonna d'être assis et non agenouillé.

La dernière parole échangée avait été douce, confiante, un peu fade. Plus l'émotion abonde, plus l'expression s'appauvrit. Il faut penser aux mots pour les trouver, et si les grandes douleurs sont muettes, les grandes amours n'ont pas d'autre éloquence que l'accent. Il ne faut pas que le cœur saute dans la poitrine pour bien dire ; et qui entendrait le duo des couples vraiment épris aurait surtout une impression musicale. Les romances profondément sentimentales n'ont pas de paroles et se forment de sons, de notes voilées. Il y a encore une raison pour que ceux qui s'aiment dédaignent de bien dire : le propre de l'amour dans son intensité, c'est de se traduire par rayonnement. Le feu a-t-il besoin de crépiter, de lampasser sa flamme et de jeter des gerbes étincelantes pour témoigner de sa chaleur ? Il se manifeste en s'allumant, ensuite il ne luit, ni ne bruit, il irradie. Dans le tête-à-tête amoureux la parole, si décisive quand l'un doit encore persuader l'autre, devient superflue dès qu'il y a communion ; elle ne sert qu'à déblayer autour du sentiment tout ce que l'imagination y jette pêle-mêle de doutes et de craintes. Ugolino jouissait de Simone endormie et comme si elle eût été éveillée et répliquante à ses pensées ; mieux peut-être. Ainsi elle faisait acte de confiance, elle livrait beaucoup de son intimité sans qu'on touchât à sa personne. Quel amant ne tressaillerait de joie à l'offre de veiller l'Aimée, de s'emplir les yeux de sa forme abandonnée et les oreilles de l'imperceptible souffle émané de sa bouche, et surtout un être d'imagination qu'une vie solitaire a préparé aux longues rêveries ?

Le comte était plus heureux qu'il n'avait jamais espéré, ce soir-là. Il passerait la nuit à côté de

l'Aimée, dans la même atmosphère. Son genou
frôlait la couverture ; en étendant la main il eût
touché ce pied guéri et dont la blessure lui avait
valu tant de joies et lui valait encore cette nuit
d'amour. Pour l'esseulé, c'en était une.

Les douze coups de minuit tintèrent étrangement, sonores et distincts.

Les mains sur les bras du savonarole, immobile
comme une statue, Ugolino écouta couler l'heure la
plus douce de sa vie. Le présent souriait et l'avenir
contenait un espoir. Il regarda autour de lui, pour
prendre à témoin de son bonheur ces choses amies,
belles et antiques, ces seules compagnes de tant
d'années ; et ses yeux s'étonnèrent soudain. A une
fenêtre du petit jardin, une figure humaine, mais
comme voilée, apparaissait. Quelqu'un se serait
haussé à l'aide d'une échelle ? Était-ce un jeu
d'optique ? Il n'osa se lever. On eût dit l'ombre
chinoise, la découpure d'une madone, ayant un
voile étendu sur la tête et sur les épaules. Était-il
halluciné ? Brusquement la vitre reprit son aspect
ordinaire. Il se creusa la tête, se souvenant des pro-
digieuses inductions d'Edgar Poe, sans s'expliquer ce phénomène. Sa pensée revint à la dormeuse ;
lui présent, elle ne courrait aucun danger. Elle
était là, il surmonterait les pires embûches et il
se remit à la contempler, comme on se rendort.

Sa tête blonde brillait sur l'oreiller ; dans un repos
sans rêve, elle conservait sa grâce délicate de beau
fruit, et autour du lit, comme à l'environ d'un
autel, les vieux bois, l'argent, le bronze mettaient
des notes de richesse. A cette heure recueillie, la
chambre dégageait un arome d'oratoire et, en
effet, l'amour du dernier Gherardesca s'y élevait,
aussi pur qu'une prière.

Tout à coup, à l'extrémité de la chambre, un
craquement se produisit : Ugolino frissonna. Ce
bruit net, précis, d'une porte qu'on ouvre partait
d'un coin où se trouvait un petit dégagement qui
ne servait jamais.

Il força ses yeux à percer l'ombre. La porte lentement tourna et une forme humaine se détacha
plus noire dans l'obscurité du mur. Ugolino ne
croyait pas aux fantômes.

Si les morts pouvaient revenir, quelqu'un de ses
ancêtres ne l'eût-il pas visité dans sa détresse et ne
lui eût-il pas révélé où gisait le trésor d'Aragon ?
Pour lui, un revenant s'appelait un voleur. Naturellement brave, la présence de Simone achevait de
lui ôter la moindre idée de crainte ; il n'eut pas l'idée
de chercher une arme. Il s'agissait d'elle et dès
lors sa confiance en lui s'égalait à tout péril. Mais
son souci, et combien grand ! était de ne pas
réveiller la chère femme et de se débarrasser du

brigand sans qu'elle interrompît son sommeil.
Cela semblait difficile.

La porte était ouverte maintenant ! Quelqu'un
allait la franchir. Un sordide individu chaussé d'es-
padrilles, le couteau à la main ?... Ce fut un fantôme.

Contre la tradition, celui-ci était noir, corpulent.
Ugolino reconnut le buste voilé qui s'encadrait,
quelques minutes avant, dans la vitre. C'était la
carrure d'un homme trapu ; la largeur du linceul
sombre ne correspondait pas au squelette classique,
au désincarné des apparitions.

Sur le seuil, l'étrange figure s'orienta. Puis elle
marcha, les pieds glissant sans bruit mais non
sans poids, car le parquet gémissait à chaque mouvement du mystérieux personnage.

Cela rassurait l'imagination, mais la réalité
restait terrifiante. Pourquoi ce costume de pénitent noir, moins les trous des yeux ? L'être râblé
ainsi déguisé se manifestait robuste, redoutable
pour une lutte.

Et une lutte réveillerait Simone et l'épouvante-
rait. Ugolino désespérait de trouver un parti pour
son dessein. Chose singulière, il ne vit à ce moment
aucun danger pour elle ni pour lui ; il ne s'inquiétait que de son sommeil et de la paix de ce
sommeil.

Pour le bandit, Ugolino se confondait, grâce à son vieux costume de chasse, avec le bois du savonarole, avec la lourde colonne du lit. Son immobilité, qui durait depuis des heures, était complète.

Le fantôme avança, lentement. L'espace à parcourir mesurait sept à huit mètres ; il devait frôler Ugolino au passage. La forme noire se tint un instant sans bouger, hésitante. Le voleur comptait-il sur une impression d'effroi, pour faciliter son crime ? Savait-il donc qu'une femme vivait au palais ? Ces réflexions brèves traversaient l'esprit du comte comme des éclairs, sans déchirer le mystère de cette agression. Comment s'était-on introduit, comment savait-on qu'il y avait une échelle dans la cour, et de la cour comment était-on arrivé à découvrir cette petite porte de couloir ?

Ugolino entendait distinctement la respiration un peu forte de l'apparition. A un mouvement il aperçut un pied nu assez blanc, mais large et lourd.

Aux instants tragiques, les images se succèdent, rapides et cependant précises. Les aspects simultanés se mêlent comme un éclair à un autre éclair. En perdant pied et avant de rouler dans le précipice, le malheureux revoit sa vie, le clocher de son village, le seuil de son foyer, ses fautes comme ses espoirs, les êtres chers et les choses commencées : il n'y a plus de passé, l'avenir n'a qu'une seconde, tout

est présent. Ugolino récapitula sa lugubre existence, ses insomnies rageuses ou défaillantes dans
cette même chambre, l'apparition initiale de
Simone couchée dans son propre lit, et le salut, le
bonheur qu'elle incarnait.

Si elle avait peur, si elle ouvrait les yeux, elle
fuirait ce palais fatal et l'homme qui l'habitait. Il
la perdrait enfin, si elle s'éveillait. A cette idée,
son sang coula très vite dans ses veines, puis il se
condensa : les mains crispées aux bras du siège, il
pria Dieu d'un élan, il pria les ancêtres.

Le fantôme le toucha de son drap noir. Par une
détente de ressort, il se dressa, les bras levés, les
doigts courbés en griffes, et ses mains saisirent au
cou l'apparition, d'un mouvement sûr. L'étoffe
creva sous l'étreinte, les ongles entrèrent dans la
chair molle et chaude. Il n'y eut ni un cri ni un
mouvement. Le fantôme fléchit. Il était lourd
comme un corps inanimé.

Ugolino respira : il avait étranglé le voleur au
pied du lit de Simone, sans la réveiller. Maintenant
il s'agissait de tirer ce cadavre hors de la pièce.
Le parquet allait crier. N'importe ! il souleva le
cadavre, il se courba et fit tomber le mort sur ses
épaules ; et en glissant, le front en sueur, péniblement, il se dirigea vers la porte. Ce trajet de
quelques mètres parut interminable. Simone pou-

vait se réveiller à chaque gémissement du vieux
chêne sonore et craquant. Le poids du corps acca-
blait Ugolino ; il atteignit cependant le seuil ; et
sans poser son macabre fardeau, il longea le couloir,
rejoignit l'escalier et descendit les marches de
marbre. D'un mouvement impitoyable, il rejeta le
corps, qui s'étendit avec un bruit mou, sur la dalle
du vestibule. Puis il s'assit sur une banquette et
souffla longuement. Il avait réussi. Soudain, il en
douta et refit en grande hâte le même chemin. A la
porte, il contempla Simone endormie. Ceci vraiment était digne des anciens Gherardesca ; se débarrasser sans bruit, sans aucun bruit, d'un bandit,
l'étrangler net d'une seule étreinte : c'était de la
Renaissance pure !

Il passa dans une chambre pour y prendre une
bougie et l'alluma. Au bout de ses ongles, il y
avait du sang ; il se regarda dans une glace et se
trouva pâle, épuisé de l'effort physique, harassé de
la tension morale. Simone dormait, c'était l'essentiel ; mais il y avait un mort au palais. Il supposa
l'arrivée de la police, puis de la justice, les consta-
tations, les interrogatoires. S'il s'en tirait sans
ennui, que de bruit, de scandale ! Il fallait que le
mort disparût. Il se le disait en revenant dans le
vestibule ; et posant le bougeoir sur la dernière
marche, il remua du pied le pantin cassé qui gisait,

la loque humaine, sinistre et.dérisoire. Faire disparaître un cadavre, cela fut la méditation où
bien des êtres s'appliquèrent. Ugolino n'éprouvait aucune curiosité de voir le bandit, scélérat
impersonnel, puni justement. Cacher le cadavre
était aisé dans les greniers ou dans les caves ; mais
les cadavres révèlent leur présence et crient vengeance par tous les pores, en se décomposant.

Un mort appartient à la terre : elle seule le garde
bien et étouffe sa puanteur accusatrice. Il voulut
descendre aux caves et chercha vainement les clés ;
il n'y touchait jamais ; Baptista seul aurait pu les
donner.

Baptista ? Fallait-il le réveiller ? Certes, il ne
craignait pas de révéler son secret. Le vieux domestique professait un dévouement sans mesure
pour son maître et, mis à la torture, il ne l'aurait
pas dénoncé.

Revenu dans le vestibule, il posa le bougeoir
sur une encoignure et s'assit, perplexe. La lueur
vacillante jouait sur la forme noire. « Je veille le
bandit », pensa-t-il. Une détermination était difficile à prendre. Quatre heures de nuit restaient
encore. Il eût voulu estimer le temps nécessaire à
creuser une fosse profonde. Le fait d'avoir tué ne
troublait pas cet homme si nerveux ; et en cela, la
race se manifestait, race dominatrice, à l'occasion

juge et bourreau également impassibles et en dés-
accord d'autant plus vif avec le temps présent. La
présence d'un cadavre ne le gênait pas plus qu'un
caillou qu'il aurait dû briser pour se livrer légitime passage. Les minutes coulèrent sans qu'il prît
aucun parti. Une demie sonna ; minuit et demi, ou
une heure et demie ? Il se décida à éveiller Baptista,
et doucement monta les degrés.

A son nom, le vieux domestique sursauta, en-
sommeillé.

— Qu'arrive-t-il, Monseigneur ?

— Allume la bougie, j'ai à te parler.

Quand ce fut fait, il s'assit au pied du grabat, et
raconta simplement :

— Je veillais Mme Simone endormie ; la petite
porte à droite soudain s'est ouverte, un fantôme
noir est entré, il a marché vers le lit : je l'ai saisi
au cou et je l'ai étranglé. Je l'ai emporté dans le
vestibule et je ne sais qu'en faire.

Baptista croyait au fantôme.

— Monseigneur a donc vu la fille séduite qui
revient. Mais comment Monseigneur a-t-il étranglé
un esprit ?

Ugolino avança ses mains près de la bougie.

— Le sang des esprits ressemble singulièrement
au nôtre.

— Alors ce n'est pas un fantôme ?

— Non, c'est un voleur, mais ce voleur est maintenant un cadavre et il me gêne.

Baptista passa sa lourde main dans ses cheveux taillés en brosse.

— La justice, la justice, ici !

L'exclamation ne marquait aucune confiance dans le sort réservé aux innocents. Le vieil homme rejeta son drap, enfila son pantalon et descendit le premier dans sa préoccupation croissante. Ugolino le suivait lentement.

Baptista rôda autour de la forme noire, comme un chat méfiant, se baissant, et se relevant, et n'osant y toucher. Cependant, il s'approchait graduellement ; et d'un geste vif, comme s'il eût peur de se brûler ou d'être mordu, il releva un pan du drap.

— Corps du Christ ! une femme, mâchonnat-il. Il arracha le voile qui couvrait le visage à l'instant où Ugolino atteignait la dernière marche, et recula de stupéfaction.

— La Sérafina !

Alors, Ugolino se souvint qu'en portant le cadavre il avait senti des formes charnues étranges chez un homme, mais, sa pensée tout entière appliquée à un effort, il avait oublié cette impression.

Baptista, toujours accroupi, se grattait la tête. Ensuite il tâta Sérafina et dit dubitativement :

— Elle n'est pas morte !

— Tant pis ! fit Ugolino.

— Tant mieux ! osa répliquer Baptista. Que Monseigneur aille se coucher, j'en fais mon affaire.

— Que veux-tu dire ?

— Je vais la ramener, la ramener chez elle, avec force excuses, et dire que c'est moi, moi, oui, qui l'ai étranglée. De moi, elle ne songera pas à tirer vengeance : je suis le chien, j'ai gardé. De vous, elle concevrait une haine contre Madame.

— Brave cœur ! dit le comte.

— Que Monseigneur s'en aille et me laisse seul avec elle ! C'est le plus sage.

En effet, puisqu'elle vivait et qu'un cadavre gêne si fort, le parti ouvert par Baptista était le seul à prendre. Avec un regret de laisser cette vipère vivante, Gherardesca gagna sa chambre et se jeta sur son lit.

Suffoquée, la fermière avait perdu connaissance, l'air lui avait brusquement manqué. Après que le vieux serviteur l'eut délacée, frictionnée, elle commença à respirer et rouvrit les yeux. Elle ne se souvint pas tout de suite et porta une main à son cou.

Baptista, accroupi sur ses talons, attendait le choc de sa colère et de ses questions. Elle le reconnut :

— Que fais-tu ?

— Je vous soigne, signora.

— Où est le comte ?

— Il dort.

— Sait-il que je suis ici ?

— Non ! Il vaut mieux qu'il l'ignore !

— Oui, souffla-t-elle en se redressant. Qui m'a portée ici ?

— Moi !

— C'est toi aussi ?

Elle toucha son cou qui lui faisait mal.

— C'est moi aussi.

— Tu as failli me tuer.

— Oui, comme un voleur, comme un brigand.

Il l'aida à se remettre debout et à s'asseoir sur un coffre ; elle geignait. Le comte l'avait jetée par terre comme une loque et elle souffrait par tout le corps.

Elle ne fit pas de reproches. Dans son esprit étroit, Baptista avait agi en bon domestique ; elle aurait dû acheter à tout prix sa connivence ; comme c'était impossible elle s'était risquée ; et vaincue, elle se taisait.

— Tu vas me ramener chez moi, et tu te tairas.

— Pourrez-vous marcher ? dit-il.

— Il le faut ! murmura-t-elle.

Et elle se mit debout, s'appuyant au mur.

— Ouvre ! dit-elle, impatiente de sortir de ce palais où elle avait vu la mort de si près.

Appuyée de tout son poids sur le vieux valet, geignante, elle se traîna à travers les rues comme une limace à demi écrasée ; farouche, acceptant les conséquences de son coup manqué avec une résignation singulière. Baptista songeait à d'autres dangers prochains et peut-être plus terribles.

XVII

LES TROUVAILLES DE SIMONE

Le passé a une expression différente, suivant les personnes ; il y a de vieux objets qui vous sourient et qui vous demandent de les prendre à votre usage.

Il était à peine huit heures du matin lorsque Simone habillée sortit de sa chambre et commença à ouvrir les portes au hasard et à rôder dans le palais avec une curiosité d'enfant.

La poussière entassait dans les coins ses houppes grises ; aux cadres sculptés et dorés, les toiles d'araignées ajoutaient de ternes dentelles ; des traces d'infiltration pourrissaient les boiseries, et partout des écornements, des flétrissures, des taches ; le temps et l'incurie en collaboration avaient fait une œuvre déplorable.

Un grand lit à colonnes, plus beau d'ornementation que celui où elle couchait, trembla au contact de sa main, tellement il était vermiculé. Les fresques de l'escalier, anciennes sinon belles, se tachaient des dartres du salpêtre.

Elle monta au grenier et ne put retenir une exclamation devant l'amoncellement de débris d'autant plus impressionnants que ces rebuts étaient des fragments de choses précieuses.

Dans un casque rouillé, des bras, des têtes sculptés, jetés comme des noix dans un panier ; de vieilles armes achevaient de crever des toiles de valeur indéterminable sous l'épaisse crasse. Il y avait de vieux panneaux peints à l'œuf, fendus dans leur hauteur, des côtés de coffres blasonnés parmi des vieilles bottes et des casseroles hors d'usage.

Un chien mal empaillé gisait à côté d'une coupe de porphyre brisée ; des grands éperons dédorés traînaient sur un morceau d'ancienne chasuble.

Découragée devant ce fouillis, elle se sentit en présence de la fatalité. Un énorme coffre encore solide, en bois inconnu, l'attira par sa plaque de serrure délicieuse de dessin ; elle essaya de lever le couvercle, il résista par son poids seul. Cela suffit pour exciter à nouveau sa curiosité : elle avisa une pertuisane au manche brisé et inséra la lame de façon à opérer une pesée ; il lui fallut, en se salissant les mains, insérer d'autres ferrailles entre le bord du coffre et son couvercle pour y glisser la main ; elle tâta des étoffes. Une forte odeur de santal se dégageait de l'intérieur. Elle s'acharna à découvrir d'autres leviers afin d'augmenter l'ouver-

ture ; une rondache, un chenet, des pieds de meuble
aidant, elle put plonger le bras et aperçut des
étoffes fanées mais brodées curieusement, d'inestimables chiffons. En s'écorchant un peu au coude,
elle tira une manche hors de la caisse, une manche
de drap d'argent parcourue d'une palme en sa lon-
gueur.

Elle aurait chanté, sans la crainte d'avaler de la
poussière ; elle aurait dansé, sans le souci de son
pied et de l'encombrement.

Elle appela à toute voix, ne se rendant pas compte
que Baptista ne pouvait l'entendre.

Une joie puérile, débordante, la grisait : elle avait
trouvé les robes des comtesses de la Gherardesca et,
vu la nature du coffre, dans un parfait état.

L'idée de revêtir ces magnifiques vêtements lui
était venue en apercevant la manche à la longue
palmette ; et il lui tardait déjà de voir l'air qu'elle
aurait, ainsi costumée.

Lorsque Ulysse, à Scyros, cherche Achille mêlé
aux filles de son hôte, sans le découvrir, il montre
un glaive, certain que le héros se relèvera au seul
aspect de l'arme. La coquetterie de Simone s'éveilla
à la trouvaille de ces vieux et splendides costumes.
Elle redescendit en fredonnant ; sur le seuil de sa
chambre, elle trouva Baptista qui ouvrait de grands
yeux ; il ne l'avait jamais vue debout et la haute

taille de Simone l'impressionna, d'autant qu'il avait la tête vague et lasse par les événements de la nuit. Elle n'y prit pas garde.

— Baptista, tu vas me descendre le coffre du grenier, celui qui est en bois odorant et qui contient les robes.

Il passa la main sur son front, il ne se souvenait pas, et puis cela le stupéfiait tellement que, pour ses premiers pas, la dame fût allée au grenier !

— Ce coffre est tout au fond, près de la statue sans tête, de grandeur naturelle.

— Ah ! fit-il. Puis piteusement : *E impossibile.*

— Impossible ! Pourquoi !

— *Non posso !*

— Oui ! fit-elle, c'est trop lourd. Alors tu prendras par brassées ce qu'il y a dedans. Fais autant de voyages qu'il faudra. Tu jetteras tout sur mon lit.

L'ordre l'étonna ; n'avait-il pas assez à faire, lui qui reconduisait à domicile les personnes étranglées par son maître ? Comme il ne pouvait expliquer sa pensée, il dit : « *bene* » avec résignation et monta l'escalier avec ce dos rond et ce pas lourd du valet qui sert malgré lui.

Le désir de Simone était trop vif pour qu'elle prît garde à la contenance du vieil homme, ni aux stigmates de sa fatigue. Dans son mouvement étourdi et amusé, elle chercha où installer cette garde-robe d'antan ; elle avisa la petite porte qui avait livré passage quelques heures auparavant à un fantôme et puis à un homicide. Elle s'ouvrait sur une pièce sans attribution appréciable mais peu encombrée ; elle décida d'en faire sa loge, car déjà elle rêvait de se travestir.

Bravement, elle aménagea le réduit, avec une impatience d'action explicable par son alitement prolongé.

Quand elle revint dans sa chambre, son lit formait un tertre d'habits, un empilement de brocart de soie, de velours, d'étoffes lamées, brodées, découpées ; des boutons ciselés, des aiguillettes brillaient au bord des piles, et une forte odeur de santal s'en dégageait et remplissait la chambre.

A Baptista qui apportait un dernier paquet :

— *E tutto !*

Elle fit signe d'un doigt sur ses lèvres souriantes qu'il devait garder le secret.

L'autre inclina sa grosse tête.

— Tu diras au comte, quand il rentrera, que je le prie de ne pas me faire sa visite du matin, mais que je veux déjeuner avec lui : des œufs, des côtelettes, des fruits.

Un ordre semblable compliquait les efforts du

domestique. Comment mettrait-il la table de façon
décente ?

— A propos, ajouta-t-elle, je veux aller au bain.

— Sortir ! s'écria Baptista.

— Oui ! tu iras me chercher une voiture vers onze
heures.

Le pauvre homme s'ahurissait de plus en plus ;
physiquement épuisé, il avait encore à résoudre de
dangereux problèmes. Il ne fallait pas que la dame
sortît, il le devinait ; c'était l'intérêt du comte, car
on devait surveiller le palais.

— Tu veux me dire quelque chose ?

— Non, signora.

Il se frappa le front et fit une grimace de soulagement.

— Il y a ici une baignoire de bronze ; si Madame
veut remettre son bain à l'après-midi, j'aurai de
l'eau chaude.

Et, comptant sur le goût de la jeune femme pour
l'objet ancien, il répéta :

— Elle est en bronze, en vrai bronze, et vieille,
vieille et ciselée.

— J'aime mieux cela, dit-elle ; prépare le bain
pour six heures du soir. On trouve tout dans ce
palais bizarre.

— On pourrait trouver le trésor, insinua-t-il.

Elle rit.

— En remuant, en rangeant, peut-être, par hasard...

Elle revint au lit et déplia la première robe du tas. Elle la tint droite au bout de son bras ; la manche collante, la taille prise sous les seins et une ampleur en cloche dans le bas donnaient un caractère bizarre à l'étoffe bleu clair, brodée de fleurettes plus foncées en fil d'argent ; elle ne s'y vit pas à son avantage. Bouleversant le reste, dépaysée devant ces modes du XVIe siècle, elle commença à se dépiter. Rien de cela ne lui siérait et la grande surprise qu'elle réservait à Ugolino, dont elle se promettait tant de joie, lui parut impossible. Nerveuse, elle brusquait les beaux habits d'autrefois qui semblaient se refuser à sa parure. Il y avait là pour elle une pique d'amour-propre, une véritable vexation, et sans la beauté de ces tissus, peut-être les eût-elle chiffonnés. Elle pensa aux femmes qui avaient porté ces habits somptueux, à leurs passions sans doute plus vives que celles de maintenant, à leur vie dramatique et semblable à ce que représente le théâtre.

Angelo, tyran de Padoue, et Lucrèce Borgia lui fournirent des images fausses comme les évocations d'Hugo, des images de propagande démocratique : la phrase sur les galériens et les cardinaux, les imprécations de Gennaro contre Lucrèce d'Este, qui fut douce, passive et entourée de crimes, sans

en avoir voulu aucun. Ce fatras d'esprit révolution-
naire se combinait dans l'esprit de Simone, avec la
Cour d'Amour, que menace la mort dans la fresque
d'Orcagna. Elle revoyait les cinq couples devisant ;
l'homme au faucon et la femme au petit chien,
tous deux en robe longue, lui représentaient le
comte et elle-même.

Plus soigneusement pliée que les précédentes,
une robe de drap d'or l'éblouit de ses reflets somptueux ; elle la déplia. Le vêtement parut se tenir
droit de lui-même. D'une coupe bizarre, elle n'avait
pour manches que de longs pans attachés à l'épaule
et semblables à des ailes repliées. Le devant du
corsage manquait, car elle ne pouvait croire qu'on
eût porté un treillis de fil d'or comme gorgerette.
Son imagination prit essor. Cette robe dorée, qui
laissait le sein nu sous des lacs étincelants, avait
dû être la fantaisie amoureuse d'un des comtes de
la Maremme, le vêtement qu'un homme amoureux
combine et commande pour l'être aimé, qu'on ne
revêt que pour les fêtes du tête-à-tête, comme
l'ornement sacré d'une idolâtrie, la chasuble d'un
rite, où l'imagination exaltée cherche à confondre
les formes de la foi avec les folies de la passion.

La robe d'amour, ainsi l'appelait-elle mentale-
ment, elle l'étala avec ravissement. Ce n'était que
du drap d'or mais mince, presque souple, à peine

cassé aux plis. Quelle chaussure pouvait sortir de
dessous cette robe de féerie ? Quel parti prendre
pour ce corsage ouvert jusque sous les seins ? Ce
n'était plus du décolletage, mais une franche découverte impudique.

Une pèlerine de dentelle en point de Venise,
qu'elle plierait en double, sauverait l'audace de la
robe, sans éteindre son caractère.

La matinée se passa à installer cette garde-robe
de la Renaissance dans la pièce du couloir ; et
quand Baptista vint annoncer le déjeuner, elle se
trouva lasse, les bras cassés, d'avoir tant déplié, les
mains ternies par tant de contacts, les cheveux
dérangés, le teint trop vif, et se déplut à elle-même.
Son dessein se dessina dans toute son étourderie.
Revêtir un costume de comtesse de la Gherardesca,
n'était-ce pas se compromettre, engager l'avenir ?
Elle mesura son indécision. L'idée de partir ne se
formulait plus qu'évasivement, sans date. Le grand
voyage d'Italie disparaissait de ses projets, sans
que le retour à Paris fût résolu. Un moment
Simone éprouva un vertige intérieur. Elle n'avait
plus de volonté : surprise par la fatalité souveraine
en ce palais et soumise à l'influence de ces vieux
murs, de ces antiques objets, touchée et presque
séduite par l'amour d'Ugolino, elle eut un instant
l'idée de fuir le jour même. Mais quel regret elle

eût emporté et aussi quel remords ! On ne rencontre pas impunément le véritable amour, et l'idée de laisser après elle le désespoir lui était insupportable. « *A la Giornata !* », se dit-elle.

A l'apparition de Simone sur le seuil de la salle à manger, Ugolino eut une exclamation. Il ne l'avait vue qu'au lit, et c'était une autre personne, plus vivante, plus réelle, qui venait à lùi. C'était aussi une autre période qui commençait. Jusque-là Mme Davenant avait obéi à la nécessité ; blessée, on se soigne où l'on tombe ; l'accident a tout fait. Guérie, on ne demeure que par sa volonté, et les premiers pas de l'étrangère dans ce palais italien prenaient une signification grave.

La vit-il plus belle, ainsi, ou plus sienne ? Une joie profonde anima ses traits amaigris, et du rose monta à sa joue brune.

— La merveilleuse minute où je vous vois en pied, où je vous reçois, où vous daignez vous asseoir à ma table ! Jusqu'ici, Madame, je profitais d'un hasard. Hirondelle qui s'était heurtée à mon seuil, vous ne l'aviez pas choisi, vous l'habitiez par force. Maintenant, je peux croire que vous êtes chez moi de votre plein gré, et ce m'est une joie sans mélange.

— Le hasard fait quelquefois mieux que notre volonté ; je n'ai pas seulement été soignée, mais

aussi distraite, intéressée. Neuf jours de chambre
à l'étranger sans ennui, c'est un miracle des Gherardesca, car les vôtres ont aidé, au moins par les
chefs-d'œuvre réunis, à me faire les heures sinon
vives, du moins légères.

Elle attendit un mot du comte sur ses intentions
qui permît d'exprimer une volonté qui l'eût engagée. Soit habileté, soit discrétion, Ugolino se con-
tenta de la regarder, comme on regarderait la
Madone, de la servir avec des attentions et des pré-
venances continuelles.

— Vous ne me demandez pas ce que je vais faire,
maintenant que je suis guérie ?

— Vous allez faire votre bon plaisir, Madame.

Son bon plaisir était de rester, en face de cette
tendresse si respectueuse, qu'elle lui donnait l'impression d'être aimée pour la première fois.

— Je ne puis pourtant pas prendre pension chez
vous indéfiniment, dit-elle un peu vulgairement en
son embarras.

— Ici, vous ne prenez rien, tout vous appartient.

— Tout, c'est trop !

— J'offre, sans me flatter qu'on accepte.

— Accepter engage.

— Les égaux, peut-être, mais la Madone est-elle
engagée par les dévotions qu'on lui fait ?

— Certes, elle est engagée.

— A quoi ? A bénir, à rayonner.

— Je n'ai pas le droit de bénir.

— Vous en avez le pouvoir, Madame, et vous l'exercez à votre insu ; votre présence n'est-elle pas une bénédiction pour le palais de la solitude ?

— Je ne suis qu'une passante, ne l'oubliez pas.

— Le bonheur n'est sur nous posé que comme l'oiseau sur les toits, cita Ugolino.

Décidément, elle ne trouvait pas à répondre, et puis une inspiration lui vint qui l'absorba un instant.

Elle dit :

— Avez-vous des habits de vos ancêtres, des habits de la Renaissance ?

— Oui, dans de vieux coffres ! J'ai même des robes anciennes fort belles. Voulez-vous...

Elle l'interrompit vivement.

— Laissons les robes ! Je serais curieuse seulement de vous voir en capitaine du peuple, en contemporain de votre nom, puisque vous vous intitulez vous-même un revenant ; revenez à la mode d'autrefois, semblable aux portraits de la galerie.

— Oh ! fit-il, je possède certainement de très anciens justaucorps. Mais, pour satisfaire votre fantaisie, devrais-je encore savoir ce qui vous intéresse : le capitaine du peuple serait costumé dans le goût moyen âge. Ce que j'aurais de mieux serait de la Renaissance.

— Oui, un costume de la Renaissance vous irait bien.

— Un costume de fête ou de guerre ? demanda-t-il.

— Oh ! de fête plutôt.

— Quand vous plaît-il que j'essaye de revêtir cet aspect ?

— Ce soir, après dîner, voulez-vous ?

— Je veux, Madame, votre volonté.

— Savez-vous, dit-elle, que vous quereller serait difficile ? Vous êtes un « oui » vivant.

— Quelle autre façon de vous rendre hommage ?

— Ainsi, c'est entendu : ce soir entre neuf et dix heures, dans la grande salle, vous m'attendrez, en costume Renaissance.

— En Renaissance d'âme, ajouta-t-il en se redressant fièrement avec une flamme dans les yeux.

Et puis un flot de gratitude monta à ses lèvres, et d'une voix profonde :

— Vous êtes une fée !

— Une fée, répliqua-t-elle gaiement, qu'est-ce ? Moins que rien. Dans les contes, toutes les fées paraissent autour d'un berceau, sauf une ; et le maléfice de celle-là pèse plus sur la destinée que les

bénéficités des autres. Toute femme est fée par instants, et puis elle redevient femme et aurait besoin
elle-même d'un enchanteur. Non, je ne suis pas
fée, mais je veux contempler une scène de féerie
dans ce cadre merveilleux, je veux voir ce palais un
moment habité ; et je vous laisse, voulant consacrer
l'après-midi à ma correspondance qui a un demi-
mois de retard.

XVIII

LA BANDE NOIRE

> Si les passions n'avaient pas un cours prolongé bien
> au delà de la volonté de l'homme, et des conséquences
> finalement harmonieuses, il y a beau temps que l'hu-
> manité aurait péri. Mais la sensualité perpétue l'espèce,
> l'avarice conserve ; enfin un véritable homme d'État
> ne compterait que sur les vices.

— Signora, il y a un monsieur qui m'offre trois
cents lires pour vous parler, dit Baptista.

— Prends les trois cents lires et introduis-le,
répondit nettement Simone rendue curieuse par la
bizarrerie de la circonstance. A qui ressemble-t-il,
ce Monsieur ?

— A un juif. Il s'appelle Sichem, il est brocanteur en grand, et il convoite depuis longtemps ce
qui se trouve ici.

— Le comte le connaît ?

— Oui.

— Introduis-le.

— Que Madame se souvienne qu'il est ladre.

Elle regarda ses bagues. Baptista fit un signe de
négation.

— Pas cela : ce serait trop peu pour lui. Brocanteur, marchand d'antiquités, non un ladre mais
un coquin.

Simone laissa l'antiquaire se morfondre pendant
un grand quart d'heure, et puis descendit dans la
pièce du rez-de-chaussée qui constituait parloir.

L'homme s'inclina profondément, trop profondément, et puis s'assit de lui-même comme s'il avait
à parler longuement. Ses yeux d'oiseau papillotaient
derrière ses lunettes de myope.

— Madame Davenant ! commença-t-il.

— Comment savez-vous mon nom ?

— Par le registre de l'hôtel Nettuno. Une jeune
et jolie femme ne peut pleurer éternellement
un mari même aussi exemplaire qu'était M. Davenant, et vous voulez vous remarier, non
pour reprendre le petit appartement de la rue
Dulong, aux Batignolles...

— Comment savez-vous que j'habitais rue
Dulong ?

— Par un confrère de Paris à qui j'ai demandé
de s'informer.

— Un confrère en quoi ?

— En curiosités, antiquités. Je suis antiquaire
en grand : j'achète pour les musées.

— Qu'est-ce que cela peut bien me faire ?

— Voulez-vous, Madame, me laisser dire deux

phrases, pas plus, et pas longues, après lesquelles
je me retirerai sur votre ordre. Vous allez devenir
l'épouse ou la maîtresse du comte de la Gherardesca.

— Sortez !

— Écoutez ma seconde phrase. Il est sans argent
et vous n'en avez pas assez pour deux : je vous
en apporte.

Simone cessa de s'énerver et trouva le personnage curieux à étudier.

— Vous vous méfiez de moi, bien à tort ; je fais
des affaires, rien de plus : je donne du bel argent
contre des objets. Or, le comte qui jamais n'a voulu
rien vendre, va bien y être forcé, parce qu'il est
amoureux. Je ne vous demande qu'une seule chose,
la préférence sur un concurrent ; quel que soit le
prix que vous trouverez de ce qui est dans ce
palais, je couvrirai ce prix. Vous voyez que je ne
vous propose rien de honteux, ni de contraire
aux plus délicats scrupules. Vous ne savez pas ce
que renferment ces murs ; vous ne connaissez pas
le prix de cette boucle de ceinture dans laquelle
vous avez passé un ruban sans y prendre garde :
elle est en acier et ne vaut rien comme matière,
mais elle porte les blasons accolés de d'Este et
des Borgia, elle est l'œuvre de Hercule de Fidelis,
c'est un cadeau du marquis de Mantoue à la
fille d'Alexandre VI, et je vous en offre trois mille

francs. Cela vous étonne ? Ce coffre qui pourrit dans
le fond de cette pièce est un coffre de mariage entièrement peint, sous la couche de barbouillage et de
vernis, probablement par un Vénitien primitif,
quelque Jacopo Bellini. Décapé avec soin, c'est une
pièce de musée hors ligne... Il y a des années que
j'étudie les antiquités du comte de la Gherardesca,
j'en ai le catalogue dans la tête... et pour conclure
j'offre cinq cent mille francs, un demi-million, du
tout. Et cela ne se disperserait pas, cela ne deviendrait pas anonyme ! Non, ce serait une salle de
musée, mieux qu'une salle, un arrangement aussi
semblable que possible à ce palais : les plafonds et
les parquets, les fresques et boiseries seraient placés
tels quels ; on construirait enfin une sorte de
monument qui s'appellerait le palais de la Gherardesca. N'est-ce pas le destin de toute belle chose de
venir se classer dans un musée ? Le comte n'a pas
d'héritiers ; il le donnerait à la ville de Pise peut-
être s'il avait de quoi vivre. Mais vous ne voulez pas
de sa misère. C'est un problème que de penser qu'il
y a quelqu'un chez lui, qui y mange fût-ce un
morceau de viande et de fromage. Il paye ses impôts et mange des patates, et se ronge, et s'étiole,
et finira fou, si quelqu'un n'entre dans sa vie, n'y
met du bon sens. Cette boucle de ceinture princière,
Este et Borgia, l'admireriez-vous obstinément, la

garderiez-vous pour vous serrer le ventre faute de nourriture ?

— Dois-je transmettre votre nouvelle offre ?

— Non, c'est à vous que je la fais.

— A quel titre ?

— Au titre que vous êtes jolie, et que vous êtes ici, au titre qu'il est seul et désespéré, et que votre présence doit changer ses humeurs.

— Que me donnez-vous, comme courtage ?

— Le ton de cette question m'avertit que vous n'en accepteriez pas.

— Si je ne vous parais pas femme à accepter un courtage, pourquoi me faire cette proposition ?

— Mais, Madame Davenant, je ne suis pas un homme noir et pervers, je suis un marchand, un très honnête marchand qui paye cher, n'achetant que des choses hors ligne, qui paye comptant. Je ne vous ai pas dit : « que voulez-vous de votre boucle? », je vous ai révélé sa valeur. L'affaire n'a aucun dessous : je double ma mise, voilà tout. Je revendrai un million ce que j'aurai payé un demi-million et je ne vois pas ce qu'il y a là dedans de déshonnête. Si vous êtes ici, c'est que le comte vous plaît, qu'il vous aime ou que vous l'aimez. Que vous deveniez sa femme ou sa maîtresse, il faut vivre à Pise comme partout, et pour vivre il faut vendre.

— Comment avez-vous appris ma présence ?

— Il y a des années que je guette cette affaire.
Ah ! vous m'avez fait une de ces peurs ! Si vous
étiez riche tout devenait impossible. Avec quelle
joie j'appris que vous n'aviez qu'une très modeste
aisance !

— Eh bien ! Monsieur, maintenant que vous
m'avez dit l'objet de votre visite, je ne vous retiens
pas, fit-elle.

— Est-ce oui ? Est-ce non ?

— Je croyais vous avoir dit que je ne vous rete-
nais pas.

Il regarda Simone hautaine, fermée, et se rassit
résolument.

— Madame, croyez-vous qu'un homme se résigne
à perdre une fortune longtemps convoitée sans
faire quelque effort, et que je renoncerai à cette
affaire parce que vous dédaignez de la traiter ?
Non, Madame, non ; je vois qu'avec vous, il faut
jouer serré, et je vous demande...

— Ne demandez rien, je ne vous répondrai
pas.

— Et si je vous disais que je suis capable de...
Il s'arrêta.

— De quoi ? répéta-t-elle. Il doit y avoir un
consul de France ici ; en tout cas, il y a une police...
Vos menaces, vous ne pourriez les formuler... Vous

ne pouvez hériter du comte, vous ne le ferez donc
pas tuer.

— Je suis capable de mener une intrigue...
légale... J'ai le bras long... J'ai de l'argent.

— Vous m'amusez. Prouvez-moi que vous
pouvez quelque chose, et, sur ma parole, je vous
prends au sérieux.

— Je peux faire enfermer le comte comme fou...
Il suffit du certificat de trois médecins, et par
commotion il le deviendrait réellement.

— Soit ! fit-elle. Le comte de la Gherardesca est
enfermé dans un asile et il devient fou. Et après ?...

— Après, le tribunal nommera un tuteur de
cet incapable. Il n'a aucun parent : ce sera donc un
magistrat.

— Mais s'il existe un testament ?

— Il n'en existe pas.

— Il existe !

— Alors il donne tout à la ville.

— Oui ! Et vous pensez bien que la municipalité
ne se laissera pas dépouiller.

Mᵐᵉ Davenant affirmait, par malice pure, pour
exaspérer l'avidité du brocanteur. Elle fut frappée
de sa contenance subitement abattue.

— Il m'avait pourtant juré, murmura-t-il.

— Non, Monsieur Sichem, le comte n'a pas
daigné vous rien jurer.

— Il m'a dit... corrigea-t-il.

Elle voyait bien qu'il ne renonçait pas à son dessein de lucre ; et quoique inoffensif en fait, il lui apparut redoutable, comme tous les êtres que travaille une idée fixe.

Elle le jugea capable de perdre Ugolino, sans haine, par conséquence de négoce, comme ces aventuriers qui vont chez les sauvages non pour les exterminer mais pour s'enrichir, et qui les exterminent à regret parce qu'ils se refusent à livrer leurs richesses.

La civilisation constitue un immense bienfait, elle règle pacifiquement et assez régulièrement les tensions d'intérêt ; mais l'homme n'a pas changé en acceptant tels droits ou tels devoirs, et il les transgresse aussitôt qu'il n'a plus de besoin immédiat à les observer.

Un civilisé est celui qui trouve à satisfaire ses instincts ou qui l'espère dans les conditions du pacte social ; mais si ces conditions sont tout à fait hostiles, il les brise.

Dans sa contenance nerveuse, M. Sichem était inquiétant. Selon la célèbre formule du mandarin dont on hérite en souhaitant seulement sa mort, on le sentait prêt à tout, pour gagner l'or tant convoité.

Simone, courageuse, sans jactance, se complut à ruiner les espérances de M. Sichem.

— Vous m'attribuez de l'influence sur le comte de la Gherardesca : cette démarche le prouve. Eh bien ! s'il était besoin de confirmer le propriétaire de tous ces trésors que vous convoitez dans son entêtement à ne pas s'en dessaisir, même pour sauver sa vie, je me charge de l'exhortation. Non seulement, Monsieur Sichem, je ne ferai pas votre jeu, mais je jouerai contre vous, et jusqu'à ma dernière carte. Le comte ne pourra se croire aimé que par la femme qui refusera le sacrifice de ses reliques, et pour un homme d'imagination comme lui, les idées surpassent les faits. Il est persuadé que sa vie se trouve liée à la conservation de ces beaux objets. Il faut qu'il les garde ! Croyez-moi, Monsieur Sichem, occupez votre ténacité à une affaire moins irréalisable. Le palais des Gherardesca ne sera jamais en votre pouvoir.

— Jamais, mot absurde : jamais veut dire plus tard...

Puis, brusquement :

— Puis-je dire ma pensée, telle quelle ?

— C'est inutile : je la connais. Vous pensez que c'est à moi que vous achèterez.

— Oui !

Elle rit.

— Allez-vous-en et ne revenez plus.

M. Sichem ne trouva plus rien à ajouter. Cette

femme le méprisait, chose sans importance ; mais elle méprisait sa force de sémite tenace, ayant de l'argent au service de ses volontés et sans scrupule pour aboutir aux fins proposées.

L'amour est ingénieux à se justifier ; il trouve de bonnes raisons à ses pires faiblesses et se persuade qu'il poursuit un but désintéressé, alors qu'il ne sert que lui-même.

Ce pauvre Raniero était vraiment trop à plaindre ; misérable et menacé par la cupidité du brocanteur, solitaire et, cependant, troublé dans sa détresse ; elle le plaignit, et la pitié est une sœur de l'amour, timide d'abord, mais si persuasive.

Elle trouva dans la visite de M. Sichem un prétexte pour donner au comte la joie du travestissement projeté. Ne devait-elle pas un instant d'illusion à cet adorateur si pieux, si humble, qui, content de la contempler, n'implorait pas d'autre faveur ? Autre flatterie semblable, la rencontrerait-elle en sa vie ? La gloire féminine paraît dans les sentiments inspirés ; et jamais elle n'allumerait une pareille flamme, comme disent les vieux auteurs, si ardente et si pure. Repousser Ugolino, c'était renoncer à l'amour et renier la pitié ! Et cependant elle n'accepterait pas la misère partagée dans cette vieille demeure dont la conservation appelait tous les corps de métiers ; elle ne serait pas non plus la

maîtresse du comte. Dans ces soliloques, on se
répond à soi-même complaisamment, on se contente des plus minces raisons. « Je serai l'apparition dans cette vie, je passerai comme une fée
devant cette imagination... » Ces vagues idées suf-
fisaient à endormir une prudence qui ne veillait
plus et capitulait, à chaque retour du jugement,
devant la véritable séduction d'un amour qui avait
l'accent de la prière. Prétextant qu'elle passerait
l'après-midi à écrire, elle s'enferma. Sur une
cathèdre au dossier en cintre, la robe d'amour
s'étalait, semblable à un vêtement sacré dont le
temps aurait endormi l'éclat, et le corsage ouvert
sur presque tout le buste, en carré long, semblait
d'une étrange provocation. Elle regardait la
somptueuse étoffe avec une curiosité complexe,
elle l'interrogeait, avec un souci presque super-
stitieux. Pourquoi d'abord avait-elle choisi cette
robe, parmi tant d'autres, cette robe impudique,
née d'une fantaisie et portée seulement pour un
seul homme ? Parce que les Italiennes autrefois
avaient la gorge haute ? Non, par une attirance
inexpliquée.

A mesure qu'elle la brossait, une poussière
d'aromates impalpable mais d'un arome vif, âcre,
se pulvérisait en nuage grisâtre. Une voix intérieure
la déconseillait de revêtir le tissu d'or peut-être

fatidique, mais comment résister à connaître ce qu'on eût été, en ce temps fabuleux, dans une famille illustre ?

Simone se déshabilla devant la plus grande glace de la chambre et se sourit avec complaisance. Elle approcha son bras nu du tissu d'or, sa peau délicate de blonde parut plus blanche encore. Elle eut grand'peine à mettre la robe merveilleuse ; il fallut qu'elle l'étendît sur le lit ; elle s'y glissa, en se courbant, comme pour entrer dans un sac. Elle frissonna, non d'être nue, mais du symbolisme de ce mouvement. Elle devait se plier péniblement pour revêtir cette robe du passé. C'était une vêture du soir destinée à miroiter aux flambeaux ; l'ouverture du corsage lui parut moindre qu'au premier coup d'œil, sa gorge étant plus basse que celle de la défunte comtesse. Elle se souvint d'avoir lu que la hauteur du sein signifiait à la fois la rusticité et l'intelligence ; que Minerve et Diane, parmi les déesses, et les paysannes, parmi les mortelles, présentaient des seins attachés haut, tandis que Vénus, parmi les Olympiennes, et les femmes passionnées, dans la réalité, avaient la gorge tombante. Mais celui qui devait jouir de sa vue ne ferait aucune comparaison ni avec un souvenir, ni avec une œuvre d'art ; il frapperait la terre de son front, comme un musulman, ébloui jusqu'à l'aveuglement.

Elle voulut marcher ; la raideur du tissu l'avertit qu'il fallait ralentir les mouvements et même les alanguir ; et elle s'y essaya, se mirant avec curiosité, ôtant les peignes d'écaille de ses cheveux pour accommoder la coiffure. Après des essais infructueux, suivant les souvenirs, interrogeant les tableaux, elle se décida à ce tirage en arrière de la chevelure de la fameuse Isotta, où le front aussi nu que possible luit brutalement.

Jusqu'au soir, elle étudia son personnage.

XIX

REVENANTS

*Le civilisé, toujours pessimiste, vit mieux dans l'esprit
du passé que dans celui de l'avenir.*

LA grande salle du vieux palais était carrée, par-
quetée en marqueteries au dessin bizarre, d'une
prairie aux fleurs héraldiques plutôt que naturelles. Le plafond imitait des feuillages en bois
variés. La clarté venait d'un côté où quatre arcades
ouvraient sur la cour ; les autres, peints à fresque,
représentaient, en deux compartiments superposés :
au rang supérieur, la vie de San Raniero ; au-dessous,
des épisodes de l'histoire des Gherardesca. Le
salpêtre, ici et là, étendait sa lèpre sur un personnage, et des lézardes traversaient les compositions ;
par endroits l'enduit était tombé. Autour de la
pièce, des cathèdres sculptées, semblables à des
stalles, régnaient sans interruption, sévères, comme
dans une salle de conseil ; et au milieu, une plus
élevée et plus large, exhaussée de trois larges
marches, formait trône. Les bougies allumées par
Baptista laissaient la salle dans une pénombre

froide ; sur les moulures, sur les sculptures, une
vieille poussière noire empêchait le luisant du
vieux bois. C'était grandiose et indiciblement
triste, quand le comte y entra dans un costume
analogue à ceux des rois mages de la chapelle
Riccardi. Un justaucorps noir passementé d'or et
juponnant de la hanche à mi-cuisse, s'ouvrant sur
un gilet de soie mauve avec manches en trois
morceaux réunis par des aiguillettes d'or, donnait
à Ugolino sa vraie physionomie. Il avait fait louer
un maillot au théâtre municipal par Baptista,
qui découvrit dans le grenier des souliers anciens
en cuir fauve et taillardé.

Le manteau court et à tuyaux comme un
manteau de Valois, mais sans col, portait magnifiquement brodée en relief l'aigle pisane, le corps de
profil et les ailes de face.

Ainsi vêtu, le comte de la Gherardesca était
méconnaissable d'aisance, de distinction ; subitement il ressuscitait, avec l'ancien costume. On ne
se doute pas de ce que deviendraient nombre de
physionomies historiques habillées à la moderne,
selon cette façon impersonnelle qui veut que le
dandy ne doit pas être remarqué du commun et
tire ses effets de l'effacement extérieur.

Depuis dix jours, Ugolino ne quittait pas le costume de chasse, le seul à sa mesure, tellement il

eût souffert des défauts de son habillement. Pour un timide, une nippe ridicule pèse comme une chappe de plomb et paralyse les facultés. Chaque jour il avait lutté contre la tentation de vendre un objet pour s'accommoder à son avantage ; ce qu'il n'eût pas fait pour manger, il avait été sur le point de l'accomplir pour ne pas déplaire. Le ridicule torture l'homme qui aime ; il attribue à son aspect l'insuccès de ses hommages. Aussi était-il en jubilation de cette fantaisie qui lui permettait, une fois, de se montrer vraiment lui-même.

Quand la porte s'ouvrit, ce fut de la clarté qui entra, clarté du brillant tissu, clarté de la gorge et des bras, clarté de la blonde chevelure, et surtout clarté intérieure, rayonnement d'une sentimentalité qui s'avoue.

Ugolino resta sans voix, il eut le geste des bras tendus et douta un instant de la réalité ; il joignit les mains, balbutiant, tandis qu'elle allait à lui ; ce moment fut si vif, si intense, que Simone, troublée de l'émotion presque terrible qu'elle causait, s'arrêta hésitante, confuse, inquiète. Il craignit de l'effaroucher ; les paroles ardentes montaient tumultueusement à ses lèvres. Il les ravala et, offrant un poing qui tremblait à la petite main qui s'y appuya en tremblant aussi, il la conduisit à la grande cathèdre. Elle s'y assit souriante, un peu

pâle ; lui, mit un genou sur la marche la plus basse
et la contempla, comme un moine contemplerait la
vierge apparaissant, Qu'aurait-il dit qui valût le
silence frissonnant dans ce décor d'un autre âge ?
Il était à ses pieds : et de son cœur, comme d'un
encensoir, montait un arome d'amour si puissant
qu'après avoir plusieurs fois baissé les yeux, ou
regardé la fresque en face d'elle, elle ne put éviter
ce regard qui la magnifiait, ni voiler le sien d'aucune feinte. Ils se contemplèrent, elle passive et
heureuse, la poitrine palpitante, un peu enivrée de
sa puissance ; lui ineffablement reconnaissant,
presque extatique, si visiblement inondé de joie
qu'aucune femme ne fût restée froide à la pensée
de tant donner, par sa seule contemplation.

Le dévot ne se flatte-t-il pas d'émouvoir la divinité même ? L'être humain peut croire qu'à force
d'ardeur il enflammera autrui.

Les yeux d'Ugolino aspiraient la jeune femme,
au point qu'elle se penchait vers ses yeux, sans le
vouloir, comme on se penche pour écouter ; dans
ce mouvement, ses seins jaillirent de la dentelle.
Elle les voila d'un geste et resta ainsi, une main
appuyée à la tête de lion de la stalle, l'autre sur sa
gorge, comme pour en comprimer les battements.
Ainsi inclinée vers le comte agenouillé, qui joignait
les mains en une prière ardente, elle eut conscience

de la beauté de la scène, de la rareté de l'heure vraiment unique, vraiment semblable à ce qu'on voit au théâtre et à ce qu'on lit dans les romans. Aimait-elle ? Elle était aimée éperdument. Pour cet être prosterné à ses pieds comme un donataire des tableaux, elle représentait l'univers et plus encore. le paradis même, l'au delà autant que la radieuse réalité.

Elle était toute-puissante sur un homme pur, sur un homme fier qui réunissait le prestige de la race à l'apitoiement que suscite un injuste malheur ; et l'amour de cet homme, plus qualifié qu'elle, l'enivrait d'orgueil.

Joies et souffrances naissent d'une comparaison et elle était joyeuse de sa robe d'or, de sa stalle exhaussée, de l'attitude d'Ugolino. Qui, parmi les contemporaines, avait vécu un pareil moment ?

Qu'Ugolino prît ses mains, ses bras, couvrît de baisers son visage, ses épaules nues, elle n'aurait pas eu un geste de défense. Son orgueil épanoui abolissait tout autre sentiment. Elle était à sa merci, mais lui ne pensait même pas à des audaces : il adorait.

Ce costume qu'il avait revêtu signifiait pour lui autre chose qu'un déguisement, c'était au contraire sa vraie vêture. Il le portait pour la première fois ;

jusqu'ici il aurait pu dire comme Ruy Blas : « Et je
suis déguisé, quand je suis autrement. »

Jusqu'à cette heure il avait eu l'air d'un intrus
en ce palais ; maintenant il s'accordait avec les
fresques, avec les boiseries ; il n'était plus misérable, mais somptueux, et jusqu'au stylet de sa
ceinture, inestimable de ciselure, tout le persuadait
que le passé, ce mauvais songe, s'effaçait devant
un présent radieux.

Ils se turent longtemps ; leurs yeux seuls échangeaient des effluves indéfinissables. La parole dé-
voile et précise la pensée, mais lorsque la pensée
se manifeste par des ondes nerveuses comme une
musique, les mots pâlissent incolores et vides ; et
du reste, Ugolino avait peur des mots. Un instinct
l'avertissait que son amour parlait pour lui. Il ne
l'exprimait que par son attitude ; il n'allait pas
jusqu'à deviner qu'il exaltait surtout l'orgueil de
Simone, que la vénération la touchait plus que
l'ardeur et qu'il avait pris le bon chemin en se pro-
sternant devant elle, comme un pèlerin exténué se
jette à genoux, devant la sainte dont il attend un
miracle. Le miracle avait lieu et le mouvement de
Simone, qui se courbait vers lui, traduisait un émoi
intérieur qui s'abandonnait à la joie, n'ayant été
que femme toute sa vie, de devenir idole. « Il
m'aime comme les mystiques ont aimé la Vierge »,

pensait-elle, et cette idée ployait sa volonté comme
sa contenance. On ne résiste pas à l'amour qu'on
inspire, dans le face à face que rien d'extérieur
n'interrompt. Mme Davenant en quittant Paris
n'avait laissé en arrière aucune attache de famille ou
d'amitié : le monde en son entier se peuplait pour
elle d'indifférents. Contre l'enlisement de sa prudence, elle ne pouvait s'appuyer à personne. Elle
aussi était seule ; elle aussi cherchait l'amour ; elle
aussi n'avait pas de fortune, et sauf qu'elle ne redou-
tait pas le besoin et que son passé ne contenait
aucune amertume, elle jugeait sa destinée assez
semblable à celle d'Ugolino.

Une seule objection demeurait : ses petites rentes
suffiraient-elles dans ce logis trop vaste et pericli-
tant ? Sous le regard d'Ugolino noyé de joie intérieure, comme on en voit dans ces tableaux dé-
nommés « Saintes conversations », elle se jugea
lamentablement médiocre de ne pas secouer la
réalité et son despotisme. Comment rompre ce
silence plus éloquent, plus plein d'idées et d'impressions que des réponses de poème ? Après certains
passages de Beethoven, après les derniers quatuors,
on éprouve une espèce d'horreur d'entendre des
phrases. Tout semble vide et dissonant ; et le duo
d'âmes qu'ils venaient de chanter résonnait encore
plus bas et comme en écho de leur premier émoi.

Les sensations d'amour trouvent leur expression exacte dans les sonorités, parce que l'analogie est extrême entre cet art, le plus matériel de tous, et l'amour, la plus contingente des passions. C'est la violence qui donne cette impression de pureté ; elle a conduit les primitifs à représenter le paradis à l'état de céleste concert. Comme l'a dit Musset :

Le chérubin doré ne parle pas, il chante !

Dans le duo d'amour réel, on entend une musique infiniment plus subtile, qui se forme des mouvements mêmes de la sensibilité. A l'état vibratile, deux êtres perçoivent littéralement leur pensée : pourquoi l'énonceraient-ils ?

Simone, surprise, étourdie, grisée par l'adoration d'Ugolino, se livrait en pensée moins à l'homme qu'à l'imprévu de sa manifestation déconcertante. Lui, ne voyait pas seulement la charmante femme, mais le salut, l'avenir, tout ce qui lui manquait. Pendant ces minutes, ils s'aimèrent parce qu'ils étaient l'un pour l'autre la plus grande affirmation de personnalité. Jamais Ugolino n'avait été aussi lui-même ; jamais Mme Davenant ne s'était tant estimée.

La résolution du prodigieux accord, qu'ils tenaient depuis un temps qu'ils n'appréciaient plus, appelait un contact : la bouche d'Ugolino se collant à

la main de Simone ; mais celle-ci se sentait si faible
de volonté qu'elle craignit de tomber dans ses bras,
s'il les tendait.

Elle préféra parler pour rompre cette fascination
singulière ; elle parla très bas, parce que la salle vaste
ressemblait à une chapelle, et aussi par émotion.

— Mon doux seigneur, quittez cette posture qui
ne vous convient point et asseyez-vous près de moi,
car si je me suis plu à votre hommage, je ne saurais
le récompenser selon son mérite et je vous veux à
mes côtés.

Comme ces paroles lui parurent pauvres et banales, après le mutisme si plein de grandes harmoniques !

Lentement, il obéit et se plaça sur la stalle de
droite, tourné vers elle.

— Je n'oublierai jamais que le capitaine de Pise
fut un soir à mes genoux, et vous avez marqué votre
image sur mon esprit ineffaçablement.

Elle sentait son souffle haletant de désir et elle
avait peur. S'il étendait les bras, comment se déga-
gerait-elle ?

Sa main se présentait à la hauteur des lèvres
d'Ugolino, posée sur la tête du lion, et s'y crispait
nerveusement, tandis qu'elle continuait pudique-
ment à maintenir sur sa gorge le point de Venise
dérangé.

— Jamais plus noble créature ne daigna tant de soins pour quelqu'un de ma race ; et ceux dont je suis issu vous bénissent comme une fille bien-aimée.

L'emphase de leurs phrases ne s'inspirait pas que du décor et du costume, mais aussi de leur embarras : lui, craignait d'entendre un rappel à la réalité, s'efforçait de n'y donner aucune prise ; elle, ne voulait pas paraître froide ni sotte, et cependant elle tremblait de se sentir tant de faiblesse au cœur.

— Je suis votre amie ! dit-elle.

Elle lui tendit la main. Il hésita, et puis, se dominant, prit cette main dans les siennes et la garda. Simone s'appuya au dossier de la cathèdre et regarda devant elle. Sur le mur mal éclairé, San Raniero chassait les démons ; au-dessous, une victoire pisane : le comte Raniero mettait en fuite un parti de Lucquois.

Elle écouta le silence étonnant de paix, elle respira l'odeur molle et fade du vieux logis ; sa main resta dans les mains d'Ugolino un peu froides sous la chaleur des siennes. Le geste qui retenait la dentelle symbolisait l'état de son âme, elle appuyait sur son cœur vaincu pour le comprimer. Où allait-elle, en continuant ce roman délicieux ? A sa perte peut-être.

Ni ces fresques ni ces costumes ne lui mas-
quaient la misère de cette destinée qui tendait si
fortement à s'unir à la sienne. Vivre à Pise, vivre
en recluse d'amour ! Était-elle d'une trempe assez
forte pour une telle résolution ? Abandonner ce
malheureux à un destin plus noir, maintenant qu'il
avait aperçu le bonheur, le vouer au désespoir, et
un jour apprendre par l'abbé Pignatelli son suicide
ou sa folie : quelle vision !

Elle demeurait sans mouvement et sans parole
parce qu'elle ne voulait pas faire le geste tendre, ni
dire les doux propos qui devaient suivre un pareil
élan. Étrange heure d'amour où nul n'osait manifester son âme, l'homme redoutant de déplaire et
la femme de s'engager. La situation eût été fausse
et pénible, sans les éléments d'étrangeté qui permettaient aussi bien le silence que les tirades.

Que doit l'idole à son adorateur ? D'écouter sa
prière et non de l'exaucer, de se laisser implorer et
non de fléchir. Froide, muette, implacable même,
elle ne transgresse aucun caractère essentiel au rôle
que lui attribue l'imagination. Et puis l'archaïsme
permet de modifier les termes coutumiers du dia-
logue amoureux. Une femme sur un trône, vêtue
de drap d'or, s'élève forcément au-dessus des us et
coutumes même traditionnels, et Mme Davenant
s'isolait comme absente dans une songerie grave,

tandis qu'Ugolino tenait sa main dans les siennes. Elle ne se montrait ni froide ni faible, n'encourageait ni ne décourageait.

— Peut-être, la vie de certains êtres ne contient-elle qu'un seul moment, comme un désert n'offre qu'une oasis. Après cette source ombragée de palmes, comme avant elle, s'étend la mer de sable, grise, monotone, pleine de soif et de désespoir. J'ai atteint l'oasis et j'oublie toute la marche harassante qu'il a fallu accomplir, je me désaltère ; et désormais, dans la solitude de l'avenir, j'aurai pour consoler mes heures lentes et lourdes, au lieu d'un mirage, un souvenir. J'aurai vécu pleinement suivant mes vœux, et je pardonne au destin hostile ses coups, pour ce bonheur qu'il m'accorde aujourd'hui.

Elle le regarda curieusement. Quoi ? Il acceptait la séparation, le départ ? Il se consolerait donc ? Ou bien feignait-il cette résignation, pour endormir la prudence ?

Il n'y avait nulle feinte chez Gherardesca, il suivait ingénument ses impressions ; et elles étaient tellement profondes qu'il s'anéantissait là où un autre aurait osé réclamer davantage. Il reprit d'une voix lente et basse d'homme qui prie, avec une ferveur réfléchie :

— Une seule fois aperçue, la Méduse remplit d'un effroi qui ne cessera plus le mortel dont les yeux

ont reflété la formidable image ; le visage du
Bonheur, la bonne Méduse, remplit d'une joie qui
ne peut s'éteindre le mortel dont les yeux ont reflété la délicieuse image ; moi, j'ai vu, je vois la
fortifiante face et son rayonnement m'emplit de
chaleur, de courage. C'est une grande chose d'avoir
vu son rêve se réaliser et d'avoir touché sa chimère.

Ce disant, il appuya son front brûlant sur la main
abandonnée et froide d'émotion. Comment cette
main, qui pendait, se posa-t-elle sur la tête de
Gherardesca, sororale, apaisante, sentimentale ?
Fut-ce inconscient ? Sous cette caresse, le cœur du
pauvre déshérité éclata en un sanglot convulsif.
Orphelin à neuf ans, il se souvenait à peine des
doigts maternels sur son front. L'excitation se résolut en larmes ; il pleura longtemps. Simone, dé-
faillante, à la merci de ses nerfs ébranlés, se demandait si vraiment sa vertu n'était pas absurde et si
elle devait résister à un tel amant.

Puis les pleurs cessèrent graduellement ; moins
vifs et moins vibrants, par longs soupirs, ils réson-
nèrent dans la vaste salle. Simone voulut fuir, le
tintement de l'heure la fit se dresser. Certes il était
temps de décider de son attitude.

— Je suis lasse. Vous me retrouverez demain
telle qu'aujourd'hui. Bonne nuit, ami cher, bonne
nuit !

Ayant retiré doucement sa main, elle gagna la porte, traversa le corridor et atteignit sa chambre avec une palpitation de crainte. Ugolino n'avait pas fait un geste pour la retenir. Il l'écouta s'en aller, et prit place sur la plus haute stalle qu'elle venait de quitter et y rêva jusqu'au matin.

XX

AVATAR

Les formes modifient les idées et on s'ennuie davantage
depuis qu'on s'habille en laid.

Est-ce la comtesse de la Gherardesca qui se regarde
dans la vieille glace au tain dévoré par l'humidité et
s'attarde avec complaisance à son image, avant de
faire sa toilette de nuit ? Est-ce Mme Davenant, la
veuve d'un comptable, blonde distinguée, qu'on
vit pendant des années aux secondes et aux troi-
sièmes représentations et qui, ce soir, passant de
la galerie aux coulisses, a revêtu un costume italien
de la Renaissance ?

Cette question se trouve posée par le miroir avec
une impériosité singulière ; la vie la répète à son
tour et aussi fortement.

A l'instant de quitter le splendide vêtement, ne
doit-elle pas décider si elle quittera le palais, que
sa présence a transformé ? Tout la salue, le vieux
bois aux saillies, l'argent oxydé qui brille aux reliefs,
le bronze aux lueurs profondes, les tapisseries effi-
lochées dont les fils oscillent au moindre souffle,
le vieux cuir qui miroite en ses ors éteints et les

figures des tableaux par instants animées dont les yeux bougent : tout semble l'accueillir.

Elle s'assied à une petite table, et chose incroyable, elle n'écrit pas des mots, mais des chiffres, elle compte.

Certes, l'occupation scandaliserait quiconque aurait vu les heures de noble amour qui ont précédé ce crayonnage ! Et cependant la pauvre femme, qui aime l'amour mais qui connaît la vie, n'hésite ni en son cœur ni en ses nerfs à sauver le dernier des Gherardesca et à lui donner le bonheur. Son parti est pris, passionnellement ; elle se doit à tant de noble tendresse. Aime-t-elle le comte ? Elle aime l'amour du comte, pour sa beauté, sa rareté, son caractère exclusif et pur ; elle aime cette façon d'aimer, elle aime d'être ainsi aimée, et le don d'elle-même ne fait plus question.

Est-ce possible de vivre avec le peu qu'elle possède, pas même cinq cents francs par mois, plutôt quatre cents et une fraction ? Comme le comte et le palais et les merveilles d'art ne font qu'un, elle envisage simultanément le marché de tous les jours, les réparations de tous les ans ; il ne s'agit pas seulement de vivre. Il faut entretenir ces vieux murs, et tout le côté matériel se précise à la pensée de cette femme qui va se donner.

A son insu, elle a épousé la passion d'Ugolino.

Plutôt renoncer au bonheur que de vendre le moindre objet ! Il faut que le palais vive, comme eux,
aussi bien qu'eux. Elle songe aux dépenses indispensables en même temps qu'à la délicatesse
incroyable de l'esseulé ; et les chiffres se multiplient, se déplacent, semblables sur la feuille à des
groupements de plans militaires. N'est-ce pas, du
reste, un plan de campagne contre le destin qu'elle
dresse de sa fine écriture ? Que peut-elle lui opposer ?
Si peu de chose !

L'amant qui veille sous le même toit, récapitu-
lant ses joies, rassemblant ses espoirs, ne se doute
certes pas que son bonheur, sa raison, sa vie
même se décident, sur le papier que la bien-aimée
crible d'une arithmétique fiévreuse.

Dans la fiction, l'être qui additionne ses revenus
et les divise selon les besoins prévus, avant de se
livrer à l'amour qui le pousse, serait intolérable.
Esthétiquement il faut que le mouvement du cœur
emporte la prudence. Certes, pour ouvrir ses bras,
tant de calculs sont oiseux et vilains ; mais quand
il s'agit du mariage, c'est-à-dire, non de quelques
moments d'ivresse, mais de tous les moments de la
vie et qu'on songe à l'âge mûr, à la vieillesse même,
la préoccupation devient légitime.

Quelque chose intervenait du reste pour diminuer le réalisme de cette méditation économique.

En entrant dans cette vie, elle devait y apporter sinon le pain et le toit, du moins la garantie de ce pain et la réfection de ce toit.

Une autre, plus passionnée en apparence, aurait gardé l'arrière-pensée de vendre quelques objets suivant le besoin ; elle, avec une droiture non pareille, n'admettait pas même cette hypothèse. Et elle comptait tant de ménage, tant de réparations, en des combinaisons habiles de femme habituée à la formule « faire beaucoup avec peu ». Il convenait aussi de payer un peu Baptista. Se donner est simple et délicieux quand on est attiré ; mais sauver matériellement une existence, assurer la conservation d'une bâtisse presque monumentale, il y avait de quoi faire reculer même la plus romanesque.

Dans l'avenir aucune attente vraisemblable ni d'héritage ni de gain. Ugolino n'est pas de ces hommes qui, assouplis par l'amour, se courbent aux besognes sans se convulser désespérément. Pouvait-elle l'envoyer, lui, dernier capitaine du peuple, s'asseoir sur le rond de cuir de la mairie de Pise ? Non, elle n'entreprendrait son bonheur que pour l'accomplir, en lui conservant, avec sa sauvage dignité, tout son entourage de reliques familiales.

Les moments, les heures passent et l'indécision

reste la même. Sans le palais, sans les œuvres d'art, oui, ce serait possible.

Lasse et boudeuse de son insuccès, comme la femme qui a fait des patiences dont le résultat la contriste, elle froisse le papier parcouru de chiffres et la voilà de nouveau devant la glace. Il faut quitter la robe en drap d'or, symbole de la renonciation au noble et pur amour.

A gestes lents, elle sort de ce fourreau splendide et se voit dévêtue. Si désirable, fera-t-elle donc encore un mariage de raison ? Davenant, en un demi-mois, a comme disparu de son souvenir. Vraiment, elle n'imagine aucun homme plus digne d'être aimé qu'Ugolino et, à le quitter, elle croirait se sevrer à jamais de toute joie.

Alors dans son esprit, les syllabes sonores résonnent comme un « leitmotiv » oublié qui revient traverser sa songerie : le trésor d'Aragon. Oh ! elle n'espère pas que les gemmes de salut vont jaillir d'une lézarde pour historier ses pas, et que la Providence tranchera son souci par un miracle. Ugolino riche, elle ne serait plus la salvatrice, l'être providentiel.

Soudain, un bruit presque imperceptible lui fait tourner la tête, et à son étonnement un papier glisse lentement sous la porte. Elle regarde la tache blanche grandir sur le parquet fauve ; elle

laisse à l'amoureux le temps de se retirer et vivement elle ramasse la lettre. Sans doute son cœur
débordait, il a fallu qu'il s'exhalât. Ce sont peut-
être des vers ; et nerveuse elle déchire l'enveloppe.
Sur une grande page blanche, quelques lignes
seulement d'une écriture allongée, archaïque.

Elle s'approche de la lampe et lit :

« Je soussigné, Ugolino Raniero, comte de la
Gherardesca, donne et lègue à Mme Simone Davenant, née Vernet, la totalité de ce que je possède,
tant en meubles qu'en immeubles.

« Écrit de ma main, au palais Gherardesca, à
Pise, le 25 mai 1908.

« UGOLINO RANIERO
DE LA GHERARDESCA. »

Des larmes jaillissent des yeux de la jeune femme.
Certes un testament est révocable, mais elle connaît trop le donateur pour douter de sa magnifique bonne foi.

Elle pourrait partir avec ce papier sans qu'aucun
autre vînt l'annuler. Il a reçu, il donne à son tour,
il donne tout, par un geste d'une beauté simple et
grande. Elle pleure, elle pleure sur son sort. Elle
se sent perdue. Elle ne partira pas. Malgré la raison,
elle s'avoue vaincue.

Ugolino désarme sa prudence, comme il a désarmé sa pudeur. Cette Parisienne de sain jugement comprend enfin qu'elle se débat inutilement. Elle est prise dans un réseau d'influences insurmontables. Comme un chien qui, par sa soumission inlassable, use la colère de son maître et le force à le caresser, l'humilité d'Ugolino a lassé la volonté de Simone. Elle ne partira pas, elle assumera donc le lourd destin du comte, elle entrera dans cet orbe de fatalité. Un devoir se dresse devant elle, que son orgueil accepte ; elle se sacrifie à l'amour, à la beauté de l'amour qu'on lui dédie.

C'est bien une raison de beauté qui la détermine, et aussi une singulière crainte de superstition toute féminine ; il lui semble que si elle méconnaît cette incomparable passion, elle n'inspirera plus jamais aucun noble sentiment. Éros se vengerait : elle irait par le monde triste, inquiète, errante. Oui, elle craint, cette chrétienne, la malédiction d'Éros, ou plutôt sa conscience l'avertit qu'on ne refuse pas impunément l'épreuve et qu'il faut l'accepter de bonne grâce.

La générosité du comte l'a vaincue ; il a tout donné pour une heure conforme à son rêve. Lui, si pauvre, a offert une fortune, plus encore, les reliques de son passé. Cette décision passionnée subjugue la jeune femme. Elle se trouve engagée d'honneur ; et dans quelle voie, grand Dieu ! celle

de la gêne, de la parcimonie, celle que ce mot
« dèche » nomme si bien, la misère !

Une vierge ingénue, en face de la vie, ignore
les difficultés et les franchit sans les voir. Les
audaces n'ont jamais été que des aveuglements.
Ce n'est pas vrai qu'on méprise le péril, on l'ignore
ou on l'oublie. Or, Simone avait l'expérience de
la ménagère au budget restreint, qui a dû rogner
sur un point pour en élargir un autre ; et dans ses
combinaisons d'économie, si elle lève la tête, elle
voit luire la robe d'or qu'elle vient de quitter et
qui symbolise l'étrange situation, si précaire avec
ses éléments prestigieux de gloire et de richesse
stériles.

Comtesse, cloîtrée par la nécessité de lésiner,
habitant un palais croulant entouré d'objets de
musée ; manquant du nécessaire, se parant d'un
nom illustré et adoré par un homme pur et généreux quoique incapable d'agir dans le monde
actuel, elle éprouve un véritable effroi à remuer
le problème matériel de cette vie nouvelle. Pour
d'autres raisons elle est aussi incapable qu'Ugolino
d'un effort vers le gain, d'un travail servile, et
jamais elle n'aura d'autres ressources que celles
du présent.

Un grand dépit lui vient de ce que cette insomnie
qui aurait dû être amoureuse se passe à établir

une supputation de frais d'existence. Par une convention idéale, les poèmes ne traduisent que les pensées passionnelles, de l'âpre nécessité il n'est tenu aucun compte ; et cependant le drame se noue et se dénoue le plus souvent sur une question pitoyable de pénurie. Balzac le premier a montré son héros séparé de sa bien-aimée par la coiffe salie de son chapeau, par le manque d'une paire de gants. Simone s'en souvient en ce moment où elle fait taire son imagination et son cœur ; et comme un enfant, à la porte d'un théâtre, remue son pécule et s'assure par trois fois qu'il a le prix de sa place, elle, à la porte du paradis d'amour, se demande si elle pourra payer le pain du bonheur !

Tragédie sans beauté et d'autant plus sombre, que cette péripétie de l'argent qui traverse presque toutes les existences et les avilit quand elle 'ne les brise pas ! Il en est de l'or comme de la santé : le possède-t-on, on ne croit rien avoir ; manque-t-il, tout passe en question, et la gloire comme la tendresse. Elle aurait voulu savoir un métier, un art, qui lui permît, dans la détresse, de gagner les quelques francs qui séparent le besoin de la souffrance. Un bruit dans le couloir la fait sursauter. Oserait-il ouvrir cette porte que rien ne ferme et la surprendre demi-nue ?

Elle écoute et n'entend plus rien. Elle l'eût mal

accueilli, certes, son bras taché d'encre au coude
l'eût repoussé de toute sa force.

Ensuite, elle se figure qu'il regardait au trou de
la serrure, et croit entendre une respiration pré-
cipitée. Ses oreilles bourdonnent. A la première
heure, elle ira chez l'abbé ; elle a besoin de parler
à quelqu'un, de prononcer des paroles et d'entendre des réponses ; ce tête-à-tête avec la question
d'argent lui cause une sorte de nausée. Est-elle
bourgeoise, mesquine ou bien raisonnable, sage ?
Elle se jette sur le lit, sans sommeil, irritée contre
elle-même, l'humeur presque violente. Elle com-
pare Ugolino tout à son cœur, s'en remettant à
Dieu pour le reste, et sans doute à ce moment
chantant un hymne intérieur à sa louange, avec
son pointage de liards, ses essais de budget qui ne
tendent pourtant qu'à sauver son noble amant.

XXI

CHEZ L'ASTROLOGUE

> La superstition fait partie de l'esprit humain, seulement elle sort parfois de la science, et c'est ce qui fait croire à son absence.

DANS cette pièce humide et encombrée où Pignatelli calcule ses ascensions obliques et fait ses travaux d'astrologue avec l'*Annuaire du Bureau des longitudes* comme bréviaire, Mme Davenant est assise grave, presque triste, à sept heures du matin, après une nuit d'insomnie. En face d'elle, le vieux prêtre, très grave aussi, la regarde et par instants abaisse ses paupières, comme pour s'absorber dans la réflexion.

Elle semble répéter des choses déjà dites.

— Je ne comprends rien à votre attitude, Monsieur l'abbé. Vous avez prédit, et votre prédiction se réalise. Vous avez voulu, et l'événement accomplit votre vœu. J'apporte une double satisfaction, une pour l'homme de science, l'autre pour l'ami, et vous restez froid, embarrassé, comme désintéressé de ma résolution ?

— Je suis troublé, Madame, parce que je vous
honore comme une âme d'élite et...

— Et parce que l'accomplissement d'une partie
de votre prophétie justifie la seconde qui sans
doute est sombre, peut-être terrible ?

— Non, Madame, non. L'avenir n'est pas terrible pour vous.

— Mais pour lui ?

— Lui ? Cela dépend !

— Avez-vous une conscience de prêtre ou d'honnête homme ou de savant ? Êtes-vous capable
d'un serment sur le crucifix, sur la tombe de votre
mère ? Jurez-moi que vous êtes persuadé que je
sauverai le comte en l'épousant.

— C'est le salut pour lui, je vous le jure.

— Me donner en vain, inutilement, je refuse.

— Vous ne vous donnerez pas en vain. Que la
vie du comte soit longue ou brève, avec vous,
elle sera heureuse, autant qu'il est possible sur
terre.

— Doit-il donc mourir jeune ?

— Non ! affirme le prêtre.

Ensuite, elle questionne sur la vie d'Ugolino, sur
ses ressources.

— Il n'a pas de dettes ?

— Il est trop fier pour cela. Parfois il a souffert,
mais jamais il n'a emprunté.

— Eh bien ! dit-elle, je puis assumer ma tâche, je vous en fais juge.

Elle tire de son corsage un papier qui contient l'attribution, par objet, de ses rentes.

— Est-ce possible, ainsi ?

L'abbé examine attentivement ce bilan.

— C'est presque aisé, Madame, mais un jour ou l'autre, le trésor d'Aragon peut être retrouvé.

— Parlez-vous sérieusement ?

— Sérieusement. Il y a une promesse d'or, un accident de richesse dans son horoscope. Mais un péril se mêle à cette promesse. Si vous aimez le comte, ne cherchez pas ce trésor.

— Pourquoi ?

— Parce que le danger et l'or sont intimement liés, presque simultanés, Soleil et Saturne en conflit...

— Soleil, je comprends, mais Saturne ?...

L'abbé se tut.

— Saturne ? répéta-t-elle impérieusement.

— Saturne, c'est l'ombre ! Je ne suis pas sorcier, je suis horoscopiste. J'ai vu que le soleil pouvait venir, mais ombré par Saturne. Vénus, un enfant l'interpréterait par l'amour d'une femme, comme le soleil par ce trésor, traditionnel dans la famille ; mais Saturne garde son énigme.

— S'agirait-il d'un traître, d'un ennemi, de M. Sichem ?

— Non. Saturne indique un fait et non une personne.

Puis, comme à lui-même.

— Lune ou Mercure ?

Si les événements n'avaient pas été si prodigieusement justificatifs de l'astrologie, Mme Davenant aurait ri du mâchonnement des noms planétaires. Elle voyait la réalité de cette science du présage, et cependant, elle lui semblait vaine, inutile, dangereuse.

— A quoi sert de prévoir, si on ne prémunit pas ? Vous avez deviné ma venue et mon rôle dans la vie de Gherardesca ; placé sur mon chemin, vous m'avez reconnue et incitée à visiter son palais ; et cependant il a fallu un accident assez rare dans cette ville pour que je vienne tomber évanouie à la porte du comte. Vous avez prophétisé, sans rien pouvoir pour l'accomplissement ; contre l'accomplissement, vous êtes également impuissant. Vaine est votre science et périlleuse. Vous signalez un danger pour votre ami et vous ne le formulez pas, ni les moyens de l'éviter. On n'évite rien.

L'abbé Pignatelli, pressé par ces paroles lucides et gêné par l'interrogation d'un clair regard, fit un geste évasif.

— Providence ou fatalité, une loi s'exécute,

chaque fois qu'une chose arrive, majeure ou minime.
Si le civilisé a intérêt à connaître la loi du pays où
il vit, tout homme est grandement intéressé à
savoir ce qui l'attend et à diriger sa volonté,
consciemment.

Simone haussa les épaules.

— Laissons la théorie : pratiquement, que dois-
je faire ?

— Ce que vous avez résolu, ce que votre démarche auprès de moi annonce déjà comme iné-
luctable.

Elle s'énerva.

— Eh ! non, le sort n'en est pas jeté : je puis
partir encore. La question que je pose et que je ne
peux poser qu'à vous, la voici : en épousant Gherardesca, est-ce que je le sauve ?

— Vous le sauvez de lui-même.

— Je ne le sauve pas de la vie.

L'abbé s'exclama :

— La vie, terme vague ; vous apportez le bonheur et l'aisance matérielle.

Elle protesta.

— Il a soixante francs par mois à peu près, les
impôts payés : vous me parlez de cinq mille francs
de rente ; à Pise, en menant une existence intime...
c'est bien l'aisance.

— Mais le palais croule, les boiseries tombent en

poussière, le salpêtre dévore les fresques, la pluie pourrit le faîtage, les murs se fendent.

L'abbé ouvrit les bras, en un geste d'impuissance.

— Vous entendez bien qu'on ne deviendra la comtesse Gherardesca qu'en épousant, jusqu'à l'absurde, sa façon de penser et de sentir ; que l'entreprise serait hors des forces d'une femme, si elle ne s'associait aux manies mêmes de cet homme singulier.

— Oui, l'identification est ici la seule forme de l'amour et elle doit s'étendre à un passé bizarre. La Parisienne que vous êtes doit disparaître dans une incarnation médiévale ; il vous faut sentir comme lui, comme elles, comme les aïeules...

Il admirait la souplesse de cette femme si mal préparée à une pareille aventure et qu'il savait désintéressée et séduite seulement par la délicatesse et la profondeur de la passion qu'elle inspirait.

Peu à peu, il se ressaisit ; avec l'autorité dont il était capable, il s'employa à dissiper les craintes qu'il avait laissé naître.

— Madame, vous ne pensez qu'à deux personnages en cette belle aventure ; il y en a trois. J'y suis mêlé, autant que je peux l'être à quelque chose, puisque l'horoscopie est ma dernière étude, ma spécialité, ma marotte ; et aussi parce

que l'être au monde auquel je veux le plus de bien
est assurément le dernier des Gherardesca : des
générosités des anciens comtes envers mes grands-
parents font de moi, vieux Pisan, un obligé de
cette famille. Enfin, soit comme astrologue, soit
comme ami et débiteur de cette race, je me trouve
engagé de respect et de dévouement envers vous ;
et je vous donne ma parole de prêtre que, dans les
dangers qui menacent ou plutôt qui pourraient
menacer votre futur époux, aucun ne vous concerne.

— Vous avez donc dressé mon thème ?

— Non, car je n'ai ni l'année ni le jour de votre
naissance, mais la Vénus qui survient dans le destin
du comte n'a rien à craindre. Si la foudre tombe,
ce ne sera pas sur elle : le malheur passera sans la
toucher.

Et, un peu timidement :

— Sait-il son bonheur ?

— Il espère !

— Seulement ?

— C'est donc moi qui dois vous apprendre à le
connaître ? Croyez-vous qu'il soit si simple de lui
faire admettre une situation où j'apporte fort peu,
mais enfin le nécessaire ? Depuis que je vis au palais,
je me torture l'esprit pour qu'il accepte mon
appoint, de façon à ce qu'il n'en souffre pas : je
n'ai encore rien trouvé. Baptista a dû inventer men-

songes sur mensonges pour cacher ce que je lui donne en cachette.

Et souriante :

— Oui, j'aurai de la peine à me faire accepter, à cause de mes quatre sous, cependant indispensables. Dois-je lui dire que je suis riche afin qu'il ne croie pas que je fais un effort généreux ? Au contraire, faut-il lui avouer : « Nous sommes pauvres tous deux, j'accepte votre toit, acceptez mon ordinaire ? » Ces questions, on les tourne et retourne avec soi-même ; mais avec l'autre, on n'ose guère ; un accès de susceptibilité compromet souvent bien des choses.

— C'est vrai, cela ! Encore un obstacle.

— Il n'est pas insurmontable, Ugolino sait que je ne serai jamais sa maîtresse, et pour m'obtenir il acceptera de me devoir quelque chose, si peu, du reste ! Allons, Monsieur l'abbé, vous nous bénirez bientôt, j'espère.

Et elle lui tendit la main, rassérénée.

— Vous êtes une noble créature de Dieu, Madame, dit le prêtre avec sincérité.

Après quelques pas dans la rue aux larges dalles, Simone se sentit suivie. Elle en fut avertie nerveusement et retourna la tête. Elle ne vit qu'une femme et crut s'être trompée.

Le pas résonna plus rapproché ; elle tourna au

premier angle de rue, sans raison, involontairement. Sur la dalle, encore, le bruit de chaussures
pesantes la talonnait. Elle s'arrêta et fit face à
l'importune. Voulait-elle une aumône ? Était-ce
une de ces misères décentes qui ne se risquent
à demander qu'aux étrangers et par moments, ou
une brocanteuse voulant proposer quelque affaire
de faux objets ?

Une chaîne d'or au cou, de lourdes bagues aux
doigts hâlés la dissuadèrent de sa première impression. Cette femme, qui sentait la campagnarde
cossue, offrait à l'examen un front court et droit,
des yeux noirs et durs ; et Mme Davenant la trouva
antipathique.

Leurs regards se croisèrent, aigus, hostiles.

— Vous me suivez, je crois ? fit Simone,
hautaine.

Donna Sérafina comprenait bien le français et le
parlait mal.

— Pour une parole à vous dire.

— *Presto !* répliqua la Parisienne dédaigneuse.

L'autre cherchait ses mots.

— Il comto della Gherardesca *e matto.*

— *Matto ?* interrogea Simone, qui ignorait le mot.

Donna Sérafina se toucha le front et agita les
doigts pour expliquer que « matto » veut dire
« fou ». Elle n'avait pas assez vu de Françaises

pour distinguer une dame d'une demoiselle, comme
on disait autrefois ; et voyant que son insinuation
ne faisait aucun effet, elle prit avec décision un
portefeuille dans sa poche, l'ouvrit et le montra
plein de billets.

— *Partenza!* dit-elle, jugeant que ce mot, crié
dans les gares, serait saisi par l'étrangère.

Celle-ci ne comprenait rien à cette mimique et
crut qu'elle avait affaire à une véritable folle.
Elle prit sa robe pour marcher plus vite et échapper
à cette incohérente passante. Soudain elle aperçut
le profil de M. Sichem, jusqu'ici inaperçu, et qui
semblait guetter. L'apparition du brocanteur
alarma tout à fait Mme Davenant et lui commenta
l'inexplicable exhibition du portefeuille, avec le
mot « départ ». Cette femme lui avait offert de
l'argent pour l'éloigner sans aucun doute, à l'in-
stigation de l'antiquaire. Celui-ci n'osait pas
s'avancer ni rejoindre donna Sérafina, stupidement
arrêtée, le portefeuille à la main.

Vivement, Simone revint sur ses pas, passa
comme un trait devant la paysanne et trotta
jusqu'à la porte de Pignatelli.

L'abbé disait sa messe à San-Spirito ; elle entra
dans l'église parsemée de quelques femmes du
peuple et se plaça près de la balustrade.

A l'offertoire, Pignatelli, ayant baisé l'autel,

se tourna vers la nef. Il dit : « *Dominus...* » Le
vobiscum resta sur ses lèvres. Il avait vu Simone :
elle n'était pas là pour prier. Le rite prit aussitôt
une allure fiévreuse, haletante. Le servant, ahuri,
n'arrivait pas à suivre cette messe subitement
accélérée ; quand il descendit de l'autel, l'abbé
fit signe à Simone de le suivre à la sacristie où il
entra en coup de vent, la chasuble voletante, le
calice oscillant entre ses mains, et cette vue impressionna Mme Davenant.

Fébrilement, le prêtre posa le vase, congédia
l'enfant de chœur et, sans quitter ses ornements,
écouta le récit vif et saccadé de Mme Davenant.
Les termes qu'elle employait pour désigner donna
Sérafina étaient si méprisants qu'il craignit de
nuire à son ami, en avouant la vérité.

Quoi ! cette rustaude endimanchée avait pu
croire pendant des années à la possibilité de coiffer
la couronne de comtesse, et Ugolino avait subi ses
visites, ses offres, et Baptista en avait accepté
des provisions ! Quelle perte de prestige pour le
pauvre comte, si l'image presque grotesque de la
paysanne s'accolait à la sienne dans l'esprit de
Simone ! Il accepta donc l'idée que M. Sichem avait
envoyé la rustaude et qu'elle était aussi une brocanteuse ; mais il s'inquiéta de l'intervention de
ces deux avidités.

— Il faut hâter le mariage, Madame, dit-il ;
cela déboutera ces appétits de marchands, très
âpres, peu scrupuleux.

— Voulez-vous m'accompagner? demanda-t-elle.
Je veux aller à la police...

Le prêtre hocha la tête. L'Italien ne croit pas,
comme le Français, à la police, à la justice, ni à
son bon droit. Moins naïf, il a pour principe que les
pouvoirs publics sont toujours dangereux et qu'il
faut se garder de la maréchaussée comme des
brigands.

— Il y a quelque machination combinée et un
espionnage remarquable... Comment pouvait-on
savoir que j'irais chez vous le matin, puisque ce
dessein ne s'est formé dans mon esprit que sur
les deux heures? On m'a vue sortir, on s'est averti ;
et en vous quittant les deux personnages me ren-
contraient. Savez-vous que votre pays n'inspire
pas de sécurité ?

Ce disant, elle l'aidait à ranger les vêtements
sacerdotaux. Quand il fut en soutane, il prit son
chapeau et suivit la Parisienne ; dans la rue ils ne
virent ni donna Sérafina ni M. Sichem.

— Pourquoi n'avertissez-vous pas la police ?

— Madame, on sait comment on l'aborde, on
ignore comment on la quitte. Si on la paye, elle va
se faire payer une seconde fois par l'adversaire,

comme les agences de renseignements. Lorsqu'il y aura une comtesse de la Gherardesca, M. Sichem et donna... Sichem s'avoueront vaincus... Au reste, lorsque quelque chose de bien doit s'accomplir, les forces du mal se mobilisent pour l'empêcher. Hâtez-vous ! C'est une opération transcendante que votre belle jeunesse insufflant une vie nouvelle à cette vieille race : c'est l'inverse du second Faust. Vous, radieux présent, vous épousez l'illustre passé, vous, Madame Faust. Pour qu'une telle rencontre ait lieu, que de combinaisons obscures ! J'assiste à un événement de l'ordre le plus subtil, de conséquences infinies. Le fils de Faust et d'Hélène, quel serait-il ?

Et dissertant, il s'efforçait de détourner l'attention de la jeune femme et de lui faire oublier la Sérafina et le brocanteur.

XXII

L'ŒUVRE FÉMININE

> Il n'y a rien de plus sûr que la sensation ; sans doute,
> mais elle est faite en majeure partie d'imagination, et
> diffère d'un individu à l'autre.

Tous deux éprouvèrent la même inquiétude, en
se retrouvant dans le prosaïsme du déjeuner, lui,
en son vieux costume de campagne, elle, songeant
que sa chemisette blanche diminuait étrangement
la madone en drap d'or de la veille ; et tous deux
se trompaient. A un certain degré de tension
amoureuse, les formes extérieures n'agissent que
faiblement, l'esprit garde un reflet plus coloré
et plus vivant que la réalité ; Ugolino était radieux
et humble comme à l'ordinaire. Elle remarqua
cette contenance si différente de l'habituelle :
l'amant se hâtant d'affirmer ses progrès et de ne
rien rétrocéder de ses conquêtes. Certainement,
le noble cœur qui se manifestait pareillement ne
savait pas qu'il se rendait irrésistible, en se livrant
à une créature, comme on s'abandonne à la grâce
divine.

Simone n'était ni pieuse ni développée intellectuellement ; elle ne connaissait ni Pétrarque, ni les troubadours, ni les fidèles d'amour, ni la métaphysique amoureuse. Cela valait mieux ainsi. Elle croyait que le poème de cet amour inspiré par son charme n'avait jamais eu d'analogue ; mais sa féminité suffisait pour qu'elle appréciât la différence du culte au désir et de l'adoration à la passion.

— Seigneur, suis-je vraiment maîtresse ici ?

— Souveraine.

— Ne vous étonnez donc pas si votre palais se trouve envahi par des ouvriers, que Baptista connaît pour de braves gens et qui vont balayer, nettoyer, encaustiquer.

— Mais..., objecta le comte.

— Ne vous ai-je pas promis pendant ma convalescence de mettre de l'ordre ici ?

— Avant de partir ! soupira-t-il.

— Nettoyer et partir n'ont aucun rapport et je ferai d'autant mieux nettoyer que j'ai envie de rester.

Il fronçait les sourcils.

— Il y a un point délicat que je dois aborder.

— Vous allez pour la première fois, comte, dire une sottise.

— N'importe ! Ici, ici seulement, je vous résisterai. Je ne puis accepter que vous fassiez, à vos frais...

— La voilà, la sottise, l'énorme sottise ! Est-ce que je vous parlais, moi, du testament que vous avez glissé sous ma porte ? Je pensais que cet ordre de faits ne serait jamais débattu entre nous. Alors que je trouve tout simple ce que vous imaginez, vous blâmez ce qu'il me plaît de combiner.

— Je ne puis cependant accepter...

— Que je fasse à ma fantaisie ! Voyons, aucune femme, un peu habituée à la propreté, n'accepterait de respirer tant de poussière. Il y a ici d'admirables choses, mais l'humidité et l'abandon sont odieux. J'arrange votre palais pour moi, à mon idée.

— Si vous l'arrangez pour vous, j'accepterai d'en profiter, mais une fois le grand nettoyage accompli vous disparaîtrez et tout retombera dans l'abandon. A quoi aura servi votre peine ?

— D'abord, je n'ai pas encore disparu, je suis présente, très présente ; ensuite, je puis revenir.

Il secoua la tête :

— Vous ne reviendrez pas.

— Si vous le croyez, gardez-moi le plus longuement possible, et pour cela laissez-moi maîtresse de céans.

Un peu pâle, les yeux baissés, la voix rauque, il murmura :

— J'ai fini par faire avouer à Baptista que c'était vous qui payiez tout ici.

— Naturellement ! fit-elle ; installée chez un inconnu, quel qu'il soit, je ne devais pas accepter...

— Je ne suis plus un inconnu, et cependant...

Il regarda la table, convenablement servie, et à la brusque idée qu'elle avait payé ce repas, il repoussa son assiette et se leva, dressant sa haute taille avec un mouvement de colère imprévue.

Elle le plaignit en son cœur, mais sévère d'intonation :

— Si vous ne laissez pas Cendrillon vaquer aux soins qu'il lui plaît pendant le jour, vous n'aurez pas, le soir, la visite de Peau-d'Âne dans sa belle robe tramée d'or.

Il regardait à travers les vitres sales, peut-être pleurait-il.

— Seigneur Ugolino, vous gâtez vos affaires. Infidèle à votre parole, vous m'opposez un sot orgueil. La dignité, c'est la sincérité. Vous n'avez pas plus vos terres d'autrefois que votre prestige, vous vous appelez vous-même un revenant ; d'après les relations les plus exactes, ces gens de l'autre monde n'ont nulle attache dans celui-ci. Si vous ne vous rendez pas à la raison et restez discourtois, je vous rends votre testament et...

Un sanglot l'interrompit. Elle se leva et vint mettre une main sur l'épaule de l'amoureux.

— Ugolino, un mauvais génie vous conseille : vous gênez mon cœur par cette fierté inopportune. La solitude a faussé votre jugement. La délicatesse voulait qu'il ne fût jamais question de semblables choses... Je ne veux pas vous affliger ; mais cette résistance à ma bonne volonté arrête ma tendresse qui allait croissante et plus vive que vous ne pouvez supposer.

Il se retourna enfin, le visage sillonné de larmes.

— Je suis un maudit !

— Non, un têtu.

Il s'écarta d'elle, fiévreux.

— Penser que, chez moi, il n'y a pas à manger pour vous, que je n'ai pas de quoi nourrir l'être que j'adore, c'est à se briser le front contre les murailles.

— Ugolino, fit Simone, patiente et douce, vous parlez comme un enfant : je n'ai pas dépensé chez vous cent lires, et la boucle que vous m'avez donnée, M. Sichem l'estime trois mille francs. Je vous redois énormément.

— Vous avez vu M. Sichem ? s'écria-t-il. C'est lui qui vous a renseignée sur ma misère. Que voulait-il ?

— Eh ! vous savez bien ce qu'il veut. Laissons-le, lui et les questions d'argent aussi. Revenez vous asseoir comme un étourdi à qui on pardonne, parce qu'il se repent, n'est-il pas vrai ?

Elle le prit par la main, l'amena à sa place, lui demanda à boire et pour le dérider tout à fait :

— Le grand rangement que je commence aujourd'hui aura peut-être un effet imprévu. Pignatelli vous a-t-il dit que vous retrouveriez le trésor d'Aragon ?

Il parut le croire :

— Ah ! fit-il, ce serait le bonheur.

— Et moi qui pensais que j'étais le bonheur pour vous !

— Ô la plus chère des femmes ! le trésor ne serait pour moi qu'un moyen de manifester mon culte et d'orner mon idole.

— Commencez donc par éviter son courroux.

— Je n'ai que cette crainte.

— Quand les circonstances affectent un caractère aussi extraordinaire que celui de notre rencontre, il importe de ne pas juger de façon ordinaire et mesquine. Lorsque Siegfried apparaît avec les armes de Brunehilde et conduisant Grane, il n'éveille aucune idée désapprobative. A une certaine hauteur, les termes de la délicatesse changent. Vous devez vous en remettre à moi de votre dignité même, et c'est m'offenser que de ne pas

m'en croire jalouse. Si je ne suis pas votre conscience vivante, si je ne décide pas de vos scrupules,
si enfin vous prétendez vous défendre de ma décision en matière d'honnêteté, vous ruinez notre
pacte et je ne suis plus qu'une passante qui s'attarde
par amusement ou gratitude. Considérez que la vie
que vous avez menée vous dispose à mal juger
d'un certain ordre de faits ; et, victime du destin
contraire, abandonnez-vous au destin favorable,
dont je suis, ce semble, la messagère.

Pour obtenir de la docilité, elle employait des
expressions trop précises et s'engageait inconsciemment. Il le comprit et s'empara de ces mots qui
favorisaient son espoir.

— Oui, je m'en remets à vous de mon honneur,
de tout moi-même ; soyez ma conscience vivante,
levez mes scrupules ; je vous laisse tout à décider,
je m'abandonne à la douce et belle main qui daigne
me conduire. Mais votre intervention, même sur-
naturelle, ne peut changer les pierres en ducats
et métamorphoser un misérable en un homme
riche.

— Raisonnons, je vous prie, mon cher comte.
Un avare n'est pas un pauvre. Celui qui posséde-
rait un amas de pièces d'or, et qui ne voudrait pas
en distraire une seule pour sa subsistance, aurait-il
le droit de se dire gueux ? Vous n'êtes pas un

misérable puisque vous possédez une fortune ; pour
des motifs de sentiment vous préférez les privations
à la perte d'objets précieux. Ne protestez pas...
Je ne sais pas moi-même si je n'entrerais pas dans
votre sentiment. Je l'épouse au lieu de le juger : je
préfère boire de l'eau dans une coupe ciselée que
du vin des Iles dans un verre ; je préfère un palais
poussiéreux à un appartement confortable, mais je
ne m'estime pas pauvre, puisque je parviens à
faire ma volonté. Cessez donc, une fois pour toutes,
de prétendre que vous n'avez pas de quoi envoyer
au marché, quand vous savez que la table, ou la
chaise, ou le dressoir, ou ce qu'ils portent suffiraient
à payer dix années de bonne chère. Dans la vie,
on n'obtient un résultat qu'en échange d'une renonciation proportionnelle. Le mystique n'arrive
à l'extase qu'en s'isolant du monde, l'artiste
n'obtient la gloire qu'en donnant toutes ses forces
à son art. Vous voulez conserver les reliques du
passé, acceptez donc les difficultés du présent et
n'entravez pas les soins de l'être qui se consacre
à rendre possible votre vœu.

La justesse de ces remarques impressionna
Ugolino, sans obtenir une adhésion réelle. Ceux
qui ont trop vécu, repliés sur eux-mêmes, gardent
des plis presque indélébiles et qui résistent même
à la passion. Malgré que Simone ne voulût pas s'en

apercevoir, il y avait chez le descendant des capitaines du peuple des idées fixes si profondément
endurcies que rien ne les pouvait changer. Ce n'était
certes pas un *matto*, un fou, comme avait dit la
Sérafina. Toutefois, son cerveau manquait de souplesse pour avoir trop longtemps travaillé sans
réplique, dans l'esseulement.

— Ainsi, conclut Simone, notre dissentiment
d'aujourd'hui, qui a été le premier, sera le dernier.
Vous ne prétendrez plus à mieux juger que moi de
votre honneur. Au temps passé, dont vous gardez
l'ardent souvenir, je ne sais comment on agissait,
mais toujours celui qui aime se confie entièrement
à l'élue. Vous allez me promettre de ne plus penser
à la question d'argent, au trésor d'Aragon et à tout
ce qui s'y rattache. Je réclame votre application
pour moi-même et c'est me faire tort que d'en rien
distraire ; capitaine du palais, j'assume la respon-
sabilité des affaires intérieures.

— Oui, je me remets entre vos mains angéliques,
oui, je m'abandonne à votre discipline. Rien ne
vaut la douceur de votre autorité !

Il lui baisa longuement les doigts. Simone se
plaisait à son œuvre d'initiative. Il y a un tel
plaisir à faire de l'ordre et, dans tous les genres,
autour d'un être aimé, à lui assurer la paix et le
bien-être ! Un peu d'orgueil se mêlait au zèle, et

même, sans ce ferment, Mme Davenant ne se
serait pas attardée à Pise. Flattée, dès l'abord,
de comprendre l'architecture, de pénétrer la pensée
du Campo Santo ; flattée ensuite d'inspirer un
amour vraiment idéal ; flattée enfin de sauver le
dernier rejeton d'une famille illustre et d'accomplir une véritable rénovation du précieux palais,
elle ne distinguait pas bien entre sa pitié, sa tendresse et sa vanité, qui toutes trois tissaient ensemble un même dessein. Nos motifs ne sont pas
toujours ceux que nous donnons ; tel qui se croit
mû par le plus clair désintéressement obéit à une
idée tout individuelle ; mais par une singulière
alchimie, le pur sort de l'impur et l'œuvre parfaite,
d'éléments inférieurs.

Le comte de la Gherardesca, rencontré dans une
honnête aisance et content de son sort, n'eût pas
conquis Simone. Elle avait été séduite par cette
destinée perdue où elle trouvait un nimbe, où elle
se voyait en héroïne, en magnanime amante ; où
son rôle, enfin, lui donnait, à son propre jugement,
l'aspect d'une de ces âmes rares et sublimes que
l'imagination artistique invente et que la société
ne contient pas.

XXIII

SINGULARITÉS

> Les circonstances extraordinaires augmentent le
> contentement et tempèrent le déplaisir; sous ce rapport,
> nous sommes tous des aristocrates, soucieux d'abord
> d'un traitement particulier, qu'il soit bon ou mauvais.

LA vie est étrange qu'on mène au palais de la
Gherardesca : tout le jour on nettoie et, la nuit
venue, les ouvriers sortis, les revenants en prennent possession, c'est-à dire qu'après avoir joyeu-
sement combattu la poussière et les toiles d'araignées, Simone prend un bain dans la baignoire de
bronze, revêt une robe des aïeules et vient se livrer
à l'adoration d'Ugolino, vêtu lui aussi des habits
d'antan.

La jeune femme, maintenant, aime le palais
d'une façon fanatique, et les parquets qui luisent,
les dorures revenues à leur éclat, tout lui rit ; elle
a apporté la vie; les vieux murs ne réverbèrent
aucune tristesse. Baptista chante à tue-tête, on le
lui a permis. Encore quelques efforts et la gaieté
elle-même circulera à travers les salles. On a fait
des trouvailles, surtout en fait d'étoffes. Une vieille

caisse a livré au jour d'autres robes sur la mesure
de celle en drap d'or, des robes d'amour, d'une
fantaisie lascive, d'une richesse singulière. Simone
empile le vieux point de Venise, elle espère en avoir
assez pour une robe entière. Ugolino a découvert
d'autres costumes, une cotte où mailles d'or et
d'argent se mêlent ; mais sa pensée reste hantée
par le trésor.

En un accord tacite, la journée appartient au
palais, et le soir, à l'amour ; circonstance heureuse,
ils sont un peu las, physiquement, quand ils se
retrouvent parés ; et la fatigue met sa sourdine à
leurs nerfs et purifie les effusions. Sont-ils amants ?
Oui, car leurs cœurs se sont donnés, mais ils restent
chastes. Sont-ils fiancés ? Oui, mais il n'a pas été
parlé de mariage. Cela sera ; ni l'un ni l'autre n'en
doute ; mais elle, attend d'être pressée, et lui,
malgré sa passion, ne parle pas. Souvent il frappe
les murs ou descend aux caves et y passe des heures.
Déjà la chambre de Simone, la grande salle ont
pris un aspect de prospérité ; le petit jardin du
palais voit ses allées étroites émondées, ses buis
taillés. Simone voudrait restaurer la petite chapelle,
grande comme une chambre, oratoire où on voit,
sous le badigeon, des couleurs encore vives. Car
ses trois longues fenêtres d'abside n'ont plus leur
vitrail, la pluie fouettée par le vent atteint le vieil

autel de marbre, et les fissures du toit, quand on
lève la tête, semblent des étoiles.

Simone entre dans le passé avec une joie profonde
et un singulier orgueil de s'y trouver à l'aise.
Elle a maintenant une ouvrière qui retouche les
anciennes robes. Pour respecter les beaux tissus,
elle fait découdre seulement les manches étroites,
les corsages trop serrés et met des crevés de mous-
seline. Elle pourra changer de toilette tous les
jours d'un mois. Ces chiffons si merveilleux la
passionnent. Quelle contemporaine en a de si
beaux? Pas même les reines. La vie est étrange
qu'on mène en ce palais où le comte cherche un
trésor, où la future comtesse se fait une garde-
robe de féerie avec les costumes du XVIᵉ siècle;
et l'obsession de l'un et l'occupation de l'autre
rendent possible, sans effort, cette longue attente
entre amants vivant sous le même toit, en perpétuelle intimité.

Leur imagination occupée de mille détails, les
moments laborieusement employés expliquent une
pareille sagesse. Ugolino retrouve dans les débris
d'un passé somptueux une fierté nouvelle et l'espérance; le vieux fer des hallebardes à ses armes,
jeté dans un coin avec d'autres ferrailles, il le tire
à part et le mettra au mur, sous l'impulsion du
bonheur qui s'affirme chaque jour, non plus comme

une minute enchantée, mais durable et pour ainsi
dire définitif.

Simone s'ennoblit à entrer dans l'intimité des
choses de cette famille très noble   et le soir venu,
après le repas, quand ils se retrouvent dans la
grande salle et qu'ils ont revêtu l'admirable dé-
froque, ils sont, à la fois, las et heureux. Assez
las pour jouir d'un calme plaisir d'être ensemble,
échangeant peu de mots et charmés pourtant : car
leur âme s'épanouit dans une confiance mutuelle ;
ils croient l'un à l'autre, ils espèrent l'un dans l'autre
et parce que leurs impressions sont très profondes
elles empruntent moins à la superficialité.

La caresse n'est-elle pas la forme tâtonnante et
inférieure de la communion ? Quand deux êtres
se dédient vraiment l'un à l'autre, un phénomène
mystérieux se produit. Ils s'entendent sans se
parler, ils se sentent sans se toucher. Plus l'amour
a de force et moins il a besoin de matière pour
s'affirmer.

Mme Davenant, nature sage, et Ugolino, assagi
par le malheur, pouvaient s'aimer en fiancés,
de façon presque ingénue. A partir du soir où elle
revêtit la robe de drap d'or, d'un accord tacite, les
effusions furent pour ainsi dire restreintes aux soi-
rées, à ce moment théâtral où, vêtus d'anciens
costumes, ils se rejoignaient dans la grande salle.

Dès neuf heures, Ugolino, travesti, attendait en marchant d'un bout à l'autre, au cri du parquet inégal, ou assis dans une stalle et rêvant. Un long moment après, il voyait entrer une femme de rêve, semblable à celle des anciens tableaux, qui allait s'asseoir dignement sur la plus haute stalle, tandis qu'il se plaçait à ses pieds. Scène d'un caractère bizarre et hallucinant, où l'imagination exaltée jouait un rôle fantastique !

Chaque soir, Simone changeait de costume. Sous l'éclairage insuffisant et falot, la mise à sa mesure des robes suffisait facilement. Le plus souvent, elle ôtait les manches, et ses bras nus brillaient magnifiquement dans la demi-obscurité, tandis que ses cheveux répandus lui couvraient les épaules. Ainsi elle ressemblait à une fée, et quand elle posait sa main sur la tête d'Ugolino ou qu'elle lui laissait baiser son bras, la faveur se revêtait d'irréalité.

Dans l'impossibilité de se chausser du ton de chaque jupe, elle adopta une sandale qui laissait le pied nu et elle l'abandonna au baiser de celui qui devait être son époux. Ce fut la plus grande faveur accordée en ces soirs passionnés.

Au cours de la journée ils s'étaient dit les mille détails de l'intimité ; à l'heure amoureuse ils n'échangeaient plus que des phrases brèves, des expressions lyriques de sentiments qui s'affirment, des actes de foi et d'espérance en eux-mêmes, avec une exaltation mystique. Lui, à ces moments, croyait ressusciter, tel qu'un Gherardesca d'autrefois. Il pouvait croire qu'il commandait à Pise endormie et qu'il était capitaine du peuple ; elle, oubliait le petit appartement des Batignolles, Davenant le comptable, et ne savait plus bien qui elle était. Parisienne, bizarre petite bourgeoise, ou très grande dame, et femme d'un podestat ? S'il est vrai que l'amour n'est qu'un effort de renouvellement et que son charme consiste à nous faire sortir de nous-mêmes, les amants de Pise vivaient des joies intenses ; car ils brisaient le cadre réel de leur vie et s'épanouissaient ensemble dans un rêve splendide.

L'arrangement du palais offrait un prétexte aux temporisations. Simone, résolue à devenir l'épouse, Ugolino, convaincu qu'elle ne partirait plus, respiraient harmonieusement la paix du bonheur plutôt que sa fièvre. Leur aventure, commencée en coup de théâtre, se suivait sans aucune incidence, avec une continuité radieuse qui expliquait le point où ils étaient arrivés en vingt jours. Vingt jours où le monde extérieur n'avait plus agi sur eux, cloîtrés dans leur amour moralement comme matériellement dans le palais, et recueillis dans une pensée constante. Ils vivaient à l'état monastique, avec un

idéal profane. A qui cela a-t-il été permis ? Ces
deux êtres sans famille, sans amis, sans ambition
et sans intérêts au monde, isolés des courants
sociaux, en se consacrant l'un à l'autre comblaient
le vide de leur existence. Tout se présentait étrangement depuis le veuvage de Mme Davenant, et sa
vie antérieure sans relations, jusqu'à ce palais qui
avait permis à Ugolino de projeter sur l'imagination de la jeune femme le reflet du passé ; les
meubles et les fresques avaient puissamment colla-
boré au penchant naturel, et maintenant les robes
couleur du temps, les brocarts et les soies se faisaient complices de leur maître. Pour une femme,
changer chaque jour de costume, n'est-ce pas un
exercice de sa sensibilité particulière, qui s'émeut
tant à s'encadrer, à se décorer, fût-ce pour un seul,
fût-ce pour elle-même ? L'abbé Pignatelli, seul spec-
tateur de cet amour bizarre, le considérait avec
une gravité méditative. Jamais une passion ne
s'était présentée à son étude avec les caractères aussi précis de fatalité ; et il les regardait
tristement au point de les inquiéter, quitte
à se mettre en grands frais pour effacer cette
impression.

— Expliquez-moi la pensée qui vous assombrit,
ô devin ! demandait Simone.

Et lui de répondre :

— Les devins sont tristes par état. La vérité,
l'intruse des intruses en ce monde de mensonges,
ne se montre que pour effarer les bons comme les
méchants ; la vérité, l'inutilité par excellence, est
un terme qui ne s'applique pas aux événements.
Les faits sont authentiques ou non, ils ne peuvent
être vrais à moins d'être justes. Or, la justice, qui
serait la vérité en acte, ne se manifeste que dans
l'autre monde.

— Quoi donc ! s'écriait-elle. Chercher la justice, c'est chercher la mort ?

— Il n'y a pas de mort, il y a des vies ascendantes
ou descendantes.

— La Mort du Campo Santo qui fond sur le bos-
quet des amoureux figure donc l'injustice ? Ah !
l'abbé, la sagesse est de vivre et non de philosopher. A quoi sert la méditation, si elle ne donne
pas de lumière ?

— Certainement, Madame, il faut vivre chaque
fois que la vie se présente conforme à l'idéal ;
philosopher est le pis aller de ceux qui ne
peuvent vivre à leur gré ; esclaves des circonstances, ils n'ont que la liberté de divaguer, et ils
en usent.

— Je crois, répliquait-elle, qu'on peut s'en
bien tirer avec quelques principes très nets et
peu ambitieux. Une femme ne doit aimer que

dans le mariage, et voilà toute la sagesse qu'il lui faut.

L'abbé approuvait de la tête et de quelques adverbes, mais rentré chez lui, il passait des heures à se poser le problème de ces destinées. Il pouvait prédire mais non changer l'événement. A la prophétie il aurait fallu ajouter quelque chose d'analogue à la prophylaxie médicale, qui tend à prévenir les maladies, à les empêcher d'éclore, à les juguler à temps.

La rencontre de Simone et d'Ugolino vérifiait triomphalement l'horoscopie. Vénus était venue, et Vénus aimait le déshérité ; mais ce qu'il avait tenté pour aider à l'accomplissement du présage avait été inutile : que ferait-il pour empêcher l'accomplissement de l'autre présage, menaçant celui-là ? Pour des biens, pour de l'or, pour une circonstance de fortune qu'il identifiait avec la légende du trésor d'Aragon, le comte était menacé de démence. Que pouvait-il pour parer à cette menace ? Rien littéralement. Elle se réaliserait donc comme s'était réalisée la promesse, en dehors de lui, inutilement averti et aussi impuissant en son état de prescience que les plus inconscients.

Cet étrange phénomène se produisit que la victoire scientifique à laquelle il tendait avec la ferveur d'un Archimède, une fois obtenue, lui décou-

vrit l'autre étape à parcourir, celle-là, démesurée,
désespérante, impossible ; et dans sa tristesse il
y avait la douleur spirituelle de l'homme âgé
qui se déprend de la recherche sur laquelle il
comptait pour passionner et vivifier ses derniers
jours.

XXIV

LA VOIX DU PASSÉ

Les vieilles choses ne contiennent pas seulement des microbes pathogènes; elles gardent des puissances morales, mais aucun microscope ne les prouvera.

LA minuscule chapelle resplendit; du badigeon les fresques sont sorties vives, nettes, très précieuses. Elles sont toutes du même pinceau, peut-être du grand Orcagna, en tout cas, contemporaines du *Triomphe de la Mort*. La décoration se divise en trois zones horizontales; à la voûte et jusqu'à la retombée des nervures, des anges font les actes humains symboliques de l'action divine : l'un semble arracher les mauvaises herbes; l'autre arrose un verger; un troisième, portant un calice, se tient au milieu d'une vigne; un quatrième, dans un champ, recueille les épis.

Au-dessous des allégories figurent la vie contemplative, la vie active, la vie familiale et la vie civique : quatre figures de femmes entourées d'attributs. Dans des niches d'architecture enfin, en manière de soubassement, des diables supportent, en des poses grimaçantes, un lourd entablement.

Cet ensemble est intact, sauf la figure de la *Vie familiale* retouchée du sein à mi-jambes, dans l'espace d'un mètre carré, cu plutôt repeinte avec une précipitation visible, comme si le premier enduit avait été nettement détaché.

Pignatelli regarda longuement, à plusieurs reprises, cette partie disparate, et quand Ugolino l'interrogea :

— Cela vous ennuie que cette figure soit ainsi abîmée ?

Le comte hocha la tête et parla d'autre chose, mais ses regards involontairement se posaient sur cet espace restauré.

Un jour suivant, Simone apporta, en venant au déjeuner, une petite feuille de parchemin sur laquelle était maladroitement dessinée, mais reconnaissable, la figure de la *Vie familiale*.

— J'ai trouvé, dit-elle, dans la doublure d'une très vieille robe, cette image.

Le comte regarda longtemps le croquis inhabile.

— Cela était cousu dans une robe en drap très solide, une robe d'usage, sans ornement. Sans doute, ce fut, pour une de vos aïeules, comme une image de piété.

— Sans doute, fit-il, songeur.

Quelques heures après, Simone le trouva dans la

chapelle, un grattoir à la main, éraflant la fresque, par endroits.

Elle l'apostropha.

— Êtes-vous fou, Ugolino? Vous grattez la fresque : je vous le défends bien.

— Mais voyez, dit-il, ce morceau carré a été détaché volontairement. S'il était tombé on n'en verrait pas un rectangle aussi net. Qui sait ce qu'il y a derrière? Une cachette?

— Je vous en conjure, ne touchez pas à ma chapelle.

— Si le trésor était là, pourtant? On n'a pas cousu sans raison la copie de la *Vie familiale* dans une doublure. C'est une indication.

— Une fantaisie de femme désœuvrée ou pieuse vous semble une indication? Allez-vous détruire les fresques, creuser les murs, enlever les dalles, et enfin tout abîmer, pour une idée aussi fantastique, si en l'air?

— Tranquillisez-vous, belle amie! dit-il.

Mais elle sentit qu'il conservait son idée; et quelques heures après, retrouvant encore dans une doublure un croquis semblable de cette même figure, elle commença à s'énerver.

Les deux robes qui avaient livré l'image de la *Vie familiale* étaient de la même époque, mais non des mêmes mesures : l'une appartenait à une jeune fille, l'autre à une femme mûre. Elle ne put interroger Pignatelli que le lendemain soir : celui-ci tira de son bréviaire un autre exemplaire de la même image.

— Ugolino me l'a apporté dès qu'il a connu qu'un vêtement du quatrocento avait livré cela ; il s'est mis à remuer les costumes d'hommes, et voici ce qu'il a découvert. Ah ! c'est le commencement d'un malheur : tôt ou tard, bientôt je crois, il ne résistera plus à une tentation si vive, car l'indication s'impose comme certaine.

— Certaine !

— Eh oui ! certaine. Si le trésor n'a pas été volé, il est là, derrière la *Vie familiale*, peut-être mêlé au crépi. Des gemmes, des cabochons ne seraient-ils pas bien cachés dans du plâtre ou du mortier, incorporés comme cailloux ? Oui, Madame, le trésor d'Aragon *doit* être derrière la *Vie familiale*, mais si vous croyez à mes prédictions qui, jusqu'ici, se sont toutes réalisées, écartez-le de cette fresque. Car le seul danger qui le menace est lié au trésor ; et ce danger n'est autre que la folie. Surexcité comme il est par le bonheur, dans l'état d'un misérable qui a pensé mourir de soif et à qui on verse tout d'un coup un vin trop généreux, il ne résisterait pas à ce surcroît d'ivresse.

— Il faut donc, à tout prix, éteindre en lui le souci de l'argent ; j'y parviendrai.

Le soir même, elle tentait d'agir fortement sur
l'esprit de Gherardesca.

— Ami, une seule chose me déplaît en vous, mais
elle suffit à jeter de l'ombre sur mon cœur et à en
paralyser les mouvements : c'est l'idée fixe que
vous cultivez de découvrir, dans un coin du palais,
une fortune. Écoutez-moi bien. Les poètes sont
des devins naturels, ils ne prophétisent pas pour
l'individu mais pour l'humanité entière. Vous connaissez l'or du Rhin. Pour s'en emparer, il faut
renoncer à l'amour, pour le conserver aussi ; et
tout le poème de Wagner ne tend qu'à démontrer
qu'il faut choisir entre l'or et l'amour. Vous avez
l'amour, renoncez à l'or. Je ne suis pas une Fricka.
Je ne demande pas de bijoux. Ce qui m'a séduite,
c'est votre injuste détresse. Je ne vous aurais pas
aimé, vous rencontrant riche, gai, prospère. Le
beau rôle des femmes n'est-il pas d'entrer dans les
existences où tout manque et d'y tenir lieu de
tout ? Voilà pour le côté philosophique : venons au
pratique. Je suis une très bonne ménagère, comme
devaient l'être vos aïeules ; je sais faire, non pas
beaucoup avec peu, ce qui serait trop beau, mais je
me contente de ce que j'ai. Jeune fille, pour mes
rubans, femme, pour tout, j'ai dû sans cesse compter ; et je n'ai jamais su ce que c'est qu'une dette.
Je connais le prix des choses à Pise, mieux que

vous ; et si la restauration du palais représente une vraie dépense, son habitation ne coûtera pas plus que le plus petit ménage à Paris.

— Mais, protesta-t-il, je ne souhaite un peu d'or que pour vous l'offrir, pour...

Elle l'arrêta, impatientée.

— Suis-je une femme qui a besoin d'or, puisque j'accepte l'intimité pour seul horizon ?... J'ai épousé votre pensée la plus personnelle, celle qui étonnerait tout le monde, la conservation à tout prix et quand même de vos objets d'art. Je n'en reparle que pour montrer votre injustice de vous obstiner à la poursuite d'une chimère et, qui sait ? au détriment de belles choses ; je vous vois sondant les murs, soulevant les boiseries, abîmant tout. Un tel état de préoccupation m'éloignerait de vous, je n'admets pas que l'or soit l'idée majeure d'un être. Offrez-moi le sacrifice de cette manie... voilà qui me touchera et que j'accepterai avec gratitude.

Il promit avec effusion de se conformer au désir de la bien-aimée.

— Que me présenterait donc une trouvaille, je vous prie, sinon le moyen de vous offrir quelque chose d'un peu digne de vous ? Moi, ne suis-je pas accoutumé à une existence qui me rend indifférent au luxe et aux effets de vanité ? Je n'ai d'autre désir que notre face à face.

L'affirmation de l'abbé Pignatelli, inspirée par
un pur zèle, aurait eu un désastreux effet sur
Simone, quelques jours plus tôt. Mais elle était
tellement engagée qu'elle rejeta l'appréhension
comme un cauchemar. Au reste, le pronostic de
Pignatelli était bien improbable ; rien n'établissait
la connexité de la découverte du trésor avec la
démence. A cette découverte, elle ne croyait pas.
Quelle apparence qu'une famille nombreuse ait
laissé dormir ainsi et qu'elle ait littéralement
oublié un tel patrimoine ? L'abbé, comme ceux
qui s'entêtent d'un premier résultat, avait voulu
voir encore l'avenir et en forçant les significations
vraies ou fausses était parvenu à les adapter
aux circonstances. Elle était aimée de la plus
noble façon par un être d'une pureté et d'une
noblesse incomparables : à cette pensée elle devait
s'arrêter, surtout en songeant à ses banales
rencontres de Monte-Carlo et de Gênes et à son
retour à Paris, seule et sans orientation.

Par un retour sur elle-même, elle vit que son
mérite se diminuait un peu par sa situation,
qu'elle aussi se trouvait désemparée et flottante
et qu'elle ne sacrifiait rien à Ugolino, puisque nulle
part au monde quelqu'un ne l'attendait, même
médiocre.

Suivant l'aspect envisagé, son amour lui appa-

raissait comme un héroïsme ou comme une chose
simple et naturelle. Heureusement que la première
notion l'emportait dans son esprit : car depuis
qu'elle avait mis le pied sur la terre italienne, elle
se déterminait sur des thèmes d'orgueil. Notre personnalité a besoin de confirmations et les événements qui nous les apportent nous dominent.
Simone, exaltée par l'impression esthétique du
Dôme à son arrivée, avait continué à s'enivrer de sa
propre excellence, en se mirant dans le cœur d'Ugolino, persuadée de sa supériorité, enivrée de ce
qu'elle inspirait. Elle se sentait séduite par ce
cœur douloureux et aussi influencée par les vieilles
et magnifiques robes, peut-être fées.

XXV

LES BILLES DE GHERARDESCA

*Que la raison de l'homme résiste à la fantasmagorie
de l'existence, c'est un sujet d'étonnement intraduisible.
La superficialité seule nous sauve de l'effroi qui frappe
les âmes profondes.*

Ce soir-là, Ugolino était nerveux. Il ne buvait pas,
avec les mêmes yeux extasiés que d'habitude, la
chère présence. Une agitation intérieure se trahis-
sait dans son regard brillant, dans sa parole sac-
cadée. Elle s'étonna :

— Vous n'êtes pas comme je vous veux, mon
doux seigneur. A quoi pensez-vous donc ? Je suis
là depuis vingt-neuf jours ! Et j'ai plus vécu en ce
temps-là qu'en toute ma vie précédente. Est-ce
que votre ardeur s'épuise, au moment où je vais y
répondre ? Votre enthousiasme s'amollit-il si vite
qu'un mois soit l'extrémité de son effort ?

— O chère et douce, sainte et bénie que vous
êtes, n'accusez pas mon cœur qui brûle d'un feu
sans cesse rougeoyant. J'éprouve une impatience si
légitime de voir mon rêve devenir une réalité et
mon bonheur s'affirmer ! J'aspire à une certitude et

je ne puis la trouver, ô bien-aimée, que sur vos
lèvres.

— Mes lèvres de comtesse de Gherardesca ne
sont séparées des vôtres que par le signe divin qui
les unira. Portez votre impatience à l'abbé Pignatelli.

Jamais elle n'avait été aussi formelle, aussi
précise.

Il s'abattit sur ses pieds nus et les cribla de
baisers éperdus et puis y posa sa tête, et Simone
sentit sur sa chair les larmes de la gratitude tomber
une à une. Se pencher, le relever, l'attirer en ses
bras, elle y pensa, elle le voulut presque, mais lui
la devança et d'un mouvement éperdu chercha
sa taille et son visage. Surprise, instinctivement
elle se dressa, majestueuse en sa robe archaïque,
et dit :

— Non !...

Les bras d'Ugolino retombèrent comme des
lianes coupées, il s'affaissa sur la marche, mécon-
tent de lui. Elle reprit en intonation de douceur :

— Non ! Ceux qui n'ont que l'instant le prennent
et ils font bien ; ceux qui, comme nous, possèdent
tout l'avenir doivent dominer leur désir, afin
d'assurer à leur tendresse la plénitude des béné-
dictions. Je me résiste à moi-même plus qu'à
vous, Ugolino ; je suis l'épouse, celle qui n'a d'autre

honneur que d'enfermer toute sa personne dans la règle du mariage. Votre femme refuse d'être votre maîtresse, Ugolino ; car elle serait indigne de devenir votre épouse, si elle vous acceptait pour amant. En nous, quelque chose de grandiose s'opère ; je réveille de son sommeil un illustre ferment : je ne veux pas que ces portraits, ces murs, ces belles choses, témoins des vertus domestiques, me regardent comme une intruse et une indigne. Je dois succéder à vos aïeules dans leurs vertus, comme dans leurs rôles ; j'ai mis leurs robes, j'ai aussi adopté leurs principes.

— Vous êtes la raison, comme vous êtes la joie ; vous êtes la sagesse, comme vous êtes la volupté. A toutes les grâces, vous unissez tous les mérites.

Malgré ces beaux mots, le comte éprouva un dépit mal dissimulé, et ce soir-là les paroles solennelles de Simone ne suffirent pas à effacer sa déception du baiser refusé.

Quand la prochaine comtesse se leva pour regagner sa chambre, il l'implora encore :

— Je vous ai donné mes pieds et mes mains parce que je borne les pas de ma vie à suivre les vôtres et que je consacre mes actes à votre bonheur : mes lèvres attendent que le sceau divin soit mis sur notre pacte. Je suis la fiancée et je

défends contre vous-même la femme à qui je ne
veux faire tort.

Ces paroles dites au seuil de la grande salle mal
éclairée, entre ces interlocuteurs habillés comme
les personnages médiévaux, prenaient un accent
grandiose. Il s'inclina et l'écouta traverser le
couloir et fermer la porte de sa chambre. Puis,
glissant les pieds, pour éviter les craquements, il
descendit au rez-de-chaussée et ouvrit la porte
donnant sur le petit jardin. Une belle nuit étoilait
le ciel et l'air tiède passait doucement. Il regarda
vers les combles, aucune clarté ne venait de la
chambre de Baptista. Il marcha vers la petite
chapelle et en referma la porte sur lui. Il ne venait
pas prier ; il se croisa les bras, incertain de sa
pensée, irrésolu en son dessein. Un grand moment
il resta dans l'obscurité sans bouger, puis brusquement il alla derrière le vieil autel, alluma une
lanterne sourde et saisit de l'autre main un pic de
maçon.

L'idée fixe, plus forte que son serment, l'amenait
devant cette *Vie familiale* dont les images retrou-
vées dans les vêtements des aïeules s'étaient im-
posées à lui, comme une indication testamentaire.
Il craignait les reproches de Simone l'accusant de
parjure ; mais comment résister à l'idée qu'une
couche de plâtras le séparait du trésor d'Aragon ?

Pour quel scrupule bizarre renoncerait-il à la fortune ? N'est-il pas proverbial que les événements heureux ou malheureux se suivent de très près ? Serait-il jamais dans un aussi grand courant de chance ?

Il allait jeter bas une mauvaise répétition de la fresque, un morceau sans valeur artistique et dans quelle enivrante espérance ! A petits coups, il suivit la ligne visible du repeint qui commençait aux seins de la figure et finissait à mi-jambe. Ayant circonscrit le champ de son investigation il se mit à l'œuvre : l'enduit céda tout de suite. En un moment, il n'eut plus qu'un carré blanchâtre entre les épaules et les cuisses de l'allégorie, tout le corps de la *Vie familiale* avait disparu et jonchait le sol de son enduit. Alors il travailla en profondeur.

Le béton offrait un mélange de mortier et de pierre concassée assez fortement uni mais d'un travail hâtif, et qui tombait par morceaux agglomérés. Inhabitué à l'effort musculaire, il suait et peinait grandement ; il creusa jusqu'à un demi-mètre sans s'arrêter, et puis le pic lui tomba des mains, la sueur lui coulait dans les yeux et l'aveuglait. Il s'affala sur le sol, soufflant et dépité. Même si l'image des vieux vêtements de la fin du xve siècle indiquait cette cachette, il se pouvait que le

trésor eût été enlevé et, de là, porté dans un
des châteaux de la Maremme.

Une crainte d'enfant qui a désobéi et qui s'affole
à l'idée du reproche le secoua ; et cette crainte
s'exagéra, prit des proportions de cauchemar ; il
résolut, en une sorte de rage, d'aller jusqu'au bout
de son désir, et de toutes ses forces plongea le pic
dans le visage même de la *Vie familiale*, et il
s'acharna, couvert de gravats, haletant et comme
ivre de son acte. Les débris s'amoncelaient autour
de lui ; ses forces s'épuisaient, sans qu'il cessât
son ouvrage, d'un entêtement fiévreux.

Bientôt il n'espéra plus ; il rageait et comme
Roland furieux ébrèche sa Durandal sur les rocs de
la montagne et frappe pour frapper, par démence,
Ugolino attaqua le mur à coups redoublés. Parfois,
à la rencontre de la pierre dure, jaillissait une
étincelle qui défiait son pic. Malgré la fatigue de
ses bras, la douleur de ses reins et un vertige qui
lui troublait la vision, il continuait sa démolition
avec autant de fougue qu'un prisonnier qui n'a
qu'un moment pour atteindre à la liberté et à la
lumière. A l'évasion d'une bastille nul ne se battit
si désespérément que cet homme contre une
muraille qui le séparait d'un rêve.

Ni de la tête, ni des pieds, ni de la figure, ni de
la niche, ni des colonnettes de côté, ni de l'esca-

beau, il ne restait plus trace. Cette plaie au vieux
mur, blafarde, terreuse, épouvanta Ugolino. Lui
qui avait tout sacrifié à l'intégralité du legs ancestral, il venait de l'entamer, et la figure de la *Vie
familiale* gisait éparse, en morceaux, en poussière.
Plus redoutable que le reproche de Simone le
lendemain, le reproche ancestral, tous les jours,
renaîtrait. Il eut un frisson indéfinissable, un
frisson qui lui secoua le cerveau et le cœur. Il
contemplait avec hébétude ce grand trou béant,
semblable au bâillement d'un enfer. Le sien, peut-
être ? Il eut froid et grinça des dents. Tension
cérébrale ou fatigue physique, il se sentit défaillir
et si las, qu'il resta à terre dans les gravats,
haletant.

Soudain, quelque chose bougea dans le trou,
tout en haut, et du petit gravier grésilla en tombant. Il sursauta, l'œil béant, le cœur battant.
Des parcelles de mortier, par instants, se déta-
chaient. Singulièrement attentif, anxieux, attribuant un sens au moindre accident, il aurait voulu
fuir, mais le trou le fascinait. Soudain, il se produisit un déplacement dans le haut, comme si une
pierre mal soutenue allait se détacher et rouler ; il
ouvrit des yeux hagards, déjà hallucinés. Quelque
chose d'informe, un moellon, débordait la crevasse
d'un côté. Cela allait tomber ; cela devait tomber.

Il ne se leva pas, il resta hypnotisé ; des minutes passèrent, le mortier s'égrenait de lui-même et, à mesure, le moellon penchait davantage. Il attendait, le cou tendu, incapable de mouvement.

Tout à coup une masse roula du haut de la crevasse jusqu'à lui. Ce fut fulgurant ; il ferma les yeux. Quand il les rouvrit, un cri strident, terrible, lui sortit de la bouche. Sur lui, autour de lui, cent lueurs stellaires brillaient. Diamants, rubis, topazes, émeraudes, saphirs, étincelaient à la clarté de la lanterne et comme autant d'yeux mystérieux le regardaient de leurs prunelles vermeilles, rouges, jaunes, vertes et bleues. Il éclata de rire longuement et rampa, à quatre pattes, pour ramasser les gemmes inestimables. Il essaya de les remettre dans le sac de peau qui les contenait ; mais, racorni, il creva sous le poids. Alors il ôta son pourpoint de capitaine du peuple pour les recueillir, toujours riant, d'un rire contenu, monotone comme un refrain. Il fit un tri, il mit à part les pierres à peu près rondes, les cabochons, et s'étant placé à l'extrémité de la chapelle, vers l'entrée, là où la dalle n'était pas embarrassée de gravats, il commença à jouer aux billes.

Il était fou.

ÉPILOGUE

....
....

— Et...Mme Davenant ? demandai-je.

— Elle n'eut pas le courage de se faire sa gardienne... Elle laissa emmener le comte à l'hospice, mais elle paya pour lui, elle paye encore. Cela est méritoire, car après la pension du dernier des Gherardesca il ne lui reste à elle que trois mille francs de rente, environ.

— Elle peut vendre, puisqu'elle a hérité.

— Elle ne veut pas vendre; elle ne le doit pas. Un fou, c'est un mort ; et la volonté des morts, cela ne se transgresse pas. Elle n'a rien emporté, pas un souvenir.

— Quand elle revoit, à l'hospice, ce déplorable fiancé...

— Elle ne l'a jamais revu.

— Pourquoi donc revient-elle, tous les ans ? Que fait-elle ici, si elle ne s'inquiète plus de lui ?

— Ici, elle revêt tous les soirs les robes anciennes,

va s'asseoir, à la grande salle, dans la stalle du
milieu ; et elle se souvient.

— Cela ne frappe point son imagination ?

— Chaque fois, elle s'en va très pâle, déprimée.

— Et le trésor ?

— *Il est... à l'oubli !*

— Je ne suis pas le seul à connaître cette histoire : et songez combien il serait facile à M. Sichem de jeter bas le crépi de la *Vie familiale*
qu'on a refait.

Il haussa les épaules.

— Je vous ai dit quelque chose d'analogue à la
vérité, mais non la vérité.

— Ce trésor est donc *à l'oubli*, inutile, à jamais
perdu ?

— Pour tous. Quatre l'ont vu : Baptista, qui est
mort ; Ugolino, qui est fou. Les deux autres ont
aimé Ugolino et n'oseraient trouver la richesse
dans son malheur.

— Les deux autres ? L'héroïne et l'abbé ?

L'abbé ! Je regardais attentivement le narra-
teur. Même en Italie où la misère du prêtre dépasse l'imagination, celui-là semblait indiciblement gueux ; la soutane tirait sur le rouge, ses
souliers étaient lourds et éculés.

Sans aucun doute, j'avais devant moi l'abbé
Pignatelli ; il devina ma pensée et sourit de façon

indéfinissable et un peu méprisante. Mon étonnement lui inspirait une sorte de pitié.

Je tirai une pièce d'or et la posai discrètement
sur la table de cet homme qui avait aidé une
femme à remettre le trésor d'Aragon à l'oubli.

*
* *

Si le hasard ou la logique des événements place cette histoire sous les yeux de celle que je nomme Mme Davenant, j'espère que cette lecture lui sera douce. J'ai évoqué, d'un cœur ému, les *Amants de Pise*, d'après le récit de leur unique et fidèle ami qui a peut-être voulu, en me confiant cette triste et belle aventure, qu'elle ne tombât pas *à l'oubli*, comme le trésor !

Pisa-la-Morte, 1908.

TABLE

CET OUVRAGE A ÉTÉ REPRODUIT
PAR PROCÉDÉ PHOTOMÉCANIQUE
L'IMPRESSION ET LE BROCHAGE
ONT ÉTÉ EFFECTUÉS PAR LA
SOCIÉTÉ NOUVELLE FIRMIN-DIDOT
MESNIL-SUR-L'ESTRÉE POUR LE
COMPTE DES ÉDITIONS U.G.E.
ACHEVÉ D'IMPRIMER LE 13 FÉVRIER 1984

Imprimé en France
Dépôt légal : février 1984
N° d'édition : 1484 – N° d'impression : 0442